— У вас там
спросил хмурый водитель такси.
D1159843

ШОУ
ДЕТЕКТИВ

ЕСЛИ К ЗАГАДКЕ ДОБАВИТЬ ЛЮБОВЬ И ВСЕ ЭТО ОБИЛЬНО ПРИСЫПАТЬ ЮМОРОМ, А ЗАТЕМ ХОРОШО ПЕРЕМЕШАТЬ, ТО ПОЛУЧАТСЯ

ШОУ-ДЕТЕКТИВЫ

Гарем покойников

Муха на крючке

Похождения соломенной вдовы

Красивым жить не запретишь

Невеста из коробки

Пакости в кредит

Синдром бодливой коровы

Закон сохранения вранья

Рецепт дорогого удовольствия

Салон медвежьих услуг

Рога в изобилии

Дырка от бублика

Правила вождения за нос

Сумасшедший домик в деревне

Секретарша на батарейках

Витязь в овечьей шкуре

НЕВЕСТА ИЗ КОРОБКИ

В оформлении обложки и форзаца использованы рисунки автора

Москва ЭКСМО 2004

УДК 882
ББК 84(2Рос-Рус)6-4
К 90

Оформление серии художника *С. Курбатова*

Серия основана в 2003 году

Куликова Г. М.

К 90 Невеста из коробки: Повесть. — М.: Изд-во Эксмо, 2004. — 384 с. (Шоу-детектив).

ISBN 5-699-04201-6

Несчастья Милы начались, когда она явилась в редакцию журнала, где работал ее друг детства Алик. Он вдруг в припадке страсти вытащил ее на балкон и поцеловал. В этот миг Мила увидела мужика в черных колготках на морде. Он дважды выстрелил в нее, но промазал. Алик ничего не заметил — ведь пистолет был с глушителем! Вернувшись домой, в подъезде Мила познакомилась с Константином Глубоковым, назвавшимся частным сыщиком. Дед братьев Глубоковых изобрел наркотик-«невидимку», продал кому-то его состав, и тут деда хватил удар. Клиент оставил ему телефон для контактов, по нему братья вышли на Милу и сняли квартиру прямо над ней. Братья в курсе всех событий в ее жизни, но, как и она, не понимают, чем и кому она мешает? Мила с упорством маньяка начинает расследование и... приходит к выводу, что все мужики — поганки...

УДК 882
ББК 84(2Рос-Рус)6-4

ISBN 5-699-04201-6

1

— Ну, что там с дедом? — с порога спросил Константин Глубоков, стряхивая с зонта прилипшие капли.

Встречавшие его брат и сестра хмуро переглянулись.

— С дедушкой случился удар, — произнесла Верочка дрожащим голосом.

— Я знаю. Нужно чем-то помочь?

— Нет, мы тебя не из-за этого вызывали.

— Из-за чего же?

— Кажется, дед совершил нечто ужасное, — сообщил Борис, первым входя в комнату и падая на диван.

— Мы, конечно, не можем утверждать, но... — Верочка яростно накручивала на палец локон, пряча голубые глаза от старшего брата.

— Перестаньте меня готовить, — рассердился Константин. — Давайте по существу.

Он тоже был голубоглаз. Намокшая темная челка топорщилась, придавая ему взъерошенный вид.

— Наш химический гений что-то изобрел, — мрачно сказал Борис. — Какую-то гадость.

Борис уступал старшему брату ростом и в отличие от него обладал внешностью простачка, хотя был весьма неглуп и удачлив.

— В каком смысле гадость? — опешил Константин.

— В самом прямом.

Константин некоторое время медлил, разглядывая расстроенные физиономии родственников, потом осторожно поинтересовался:

— И где же эта гадость сейчас?

Борис двинул бровями и заявил:

— Дед отдал ее неизвестному.

— Вот как? — пробормотал Константин, не понимая, из-за чего, собственно, столько переживаний. — Я что-то не совсем...

Тогда Верочка набрала полные легкие воздуха и выпалила:

— Мы полагаем, дед придумал новый синтетический наркотик.

Константин рассмеялся:

— Наш ученый дед? Вы что? Да его монографии издаются на пяти языках! Как лауреат... — Он оборвал себя на полуслове и мрачно уставился на собеседников. — С чего это вы взяли?

— В последнее время дед вел себя странно, — едва не плача принялась рассказывать Верочка. — Сначала злился. Говорил, что ученый не должен быть бедным. Сутками пропадал в лаборатории. И вот в один прекрасный день он переменился. Стал постоянно посмеиваться, потирать руки. Когда мы его спрашивали, в чем дело, он бил себя в грудь и хохотал. Говорил: «Я — Крез, я — граф Монте-Кристо, я — Билл Гейтс». Говорил, что мы все скоро заживем по-другому. Это началось уже после того, как приходил тот человек.

— Тот человек? — эхом откликнулся Константин.

— Он приходил несколько раз. Тайно. В последний раз я решила подслушать. — Верочка искусала нижнюю губу до красноты. — Я слышала, как в разговоре с ним дед называл свое творение «невидимкой». А тот человек... Он сказал, что сделать то, что сделал дедушка, — это все равно, что открыть нефтяное месторождение...

— Может быть, он изобрел лекарство от СПИДа? — высказал догадку Константин.

— Ну конечно! — Борис достал сигарету и принялся ее жевать. — Любое лекарство сто лет тестировать будут. На нем быстро не разбогатеешь.

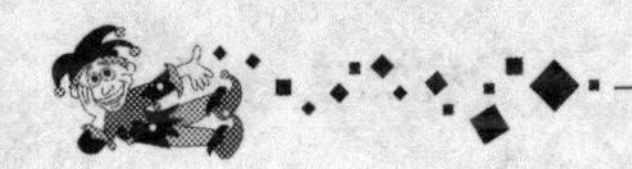

— Я слышала, как он говорил тому человеку: «Честные граждане меня, конечно, не одобрят...» — пискнула Верочка.

— На чем сегодня можно быстро сделать большие деньги? — вопросил Борис и сам же ответил: — На оружии и наркотиках. Ты же не маленький.

— Может быть, поспрашивать его коллег в лаборатории? — задумчиво пробормотал Константин.

— Даже не вздумай! — ахнула Верочка. — Так мы только опозорим фамилию.

— Но все это исключительно ваши домыслы, — немного подумав, заявил Константин.

— Если не считать чемоданчика с долларами, то да, — грустно подтвердила Верочка.

— Чемоданчика? Ничего себе тара! И много там денег? — мертвым голосом спросил Константин.

— Мы даже побоялись считать. Слишком много. Тысячи долларов. И они настоящие, Борис проверил несколько купюр. Мы не знаем, что делать с этими деньгами.

— Только этого нам не хватало!

— Если «невидимка» — действительно наркотик и дед передал кому-то технологию его изготовления или, допустим, пробную партию, мы оказываемся в ужасной ситуации, — подытожил Борис. — Когда этих деловичков накроют, рано или поздно выйдут на деда. Вся его заслуженная жизнь полетит коту под хвост! Бабушка этого не переживет.

— А что говорят врачи? Граф Монте-Кристо выкарабкается после удара? — с сумеречной физиономией спросил Константин. — Ведь чай не мальчик уже.

— Если это и случится, то не сей секунд.

— И что вы надумали? — Константин пытливо взглянул на брата и сестру по очереди. — Обратиться к органам?

— Да ты что?! — взвился Борис. — У меня бизнес, у

тебя репутация. На всю жизнь засветимся! Нет-нет, тут придется действовать самим.

— Надо точно узнать, что такое «невидимка», — поддержала Бориса Верочка. — Как он выглядит, как действует, в чьи руки попал. А потом уже думать, что делать дальше. Может быть, придется даже выкрасть его!

— У вас есть какая-нибудь зацепка? — спросил Константин, потирая подбородок. — Имя покупателя, например?

— Имени нет, — сокрушенно покачала головой Верочка. — Но зато я услышала номер телефона, который тот тип дал деду. Он сказал, это контактный телефон. Я его сразу запомнила, потому что в нем полно пятерок.

— Телефон, разумеется, принадлежит какой-нибудь старушке, — пробормотал Константин.

— Боюсь, ты недалек от истины, — кивнула Верочка. — Незнакомец сказал, надо передать для него информацию женщине, которая ответит на звонок.

— Пока что мы выяснили только адрес той квартиры, где установлен телефон, — сообщил Борис. — Там прописана всего одна дама. Некая Людмила Николаевна Лютикова.

— Что ж, — сказал Константин, хлопнув себя ладонями по коленям. — Действовать нужно быстро, пока дело не приобрело опасный размах. И раз уж у нас нет ничего более конкретного, займемся Людмилой Николаевной Лютиковой.

2

Мила Лютикова неторопливо вошла в подъезд представительного офисного здания и важно кивнула охраннику. Путь ее лежал на второй этаж, в редакцию журнала «Возраст женщины», конкретно — в кабинет главного редактора Алика Цимжанова. «Возраст жен-

щины» был толстым иллюстрированным изданием, большую и лучшую половину которого составляла реклама духов, пудры и колготок. Мила писала для журнала маленькие рассказы, взятые, как нагло сообщалось читателям, прямо из жизни. На самом деле они были высосаны из пальца, и именно поэтому шли хорошо, как крупные семечки на базаре.

Мила относилась к своему творчеству весьма цинично и держалась за сотрудничество двумя руками только ради небольшого, но постоянного заработка. Алик Цимжанов был ее другом детства. Мила полагала, что он давно и безнадежно в нее влюблен. Пожалуй, это объясняло тот факт, что за три года сотрудничества ни один из ее опусов не завернули. Кроме того, никто не решался эти опусы править, поэтому в руки домохозяек попадала авторская отсебятина в чистом виде.

— Добрый день! — бодро поздоровалась она с секретаршей главного, Любочкой Крупенниковой, распахивая дверь в приемную.

Любочка была бы очень хорошенькой, не носи она на людях злое лицо с художественно выщипанными бровями. Брови неподвижно стояли над вредными глазами двумя коромыслами. Любочка терпеть не могла Милу Лютикову и всегда старалась ей напакостить, насколько позволяли, разумеется, ее секретарские полномочия.

— Главный у себя? — спросила Мила, замедляя шаг, но не останавливаясь.

— У себя, но безумно занят, — подскочила Крупенникова.

— Говорите так всем, кто появится после меня! — бросила ей Мила. — И с таким же зверским выражением лица.

Она ударила в дверь костяшками пальцев и вошла, не дожидаясь ответа. Алик Цимжанов сидел за столом, сдвинув очки на затылок, и увлеченно грыз попку шариковой ручки, нависнув над бумагами. Ему, как и Миле, недавно исполнилось тридцать восемь, он мог гордиться хорошим ростом, приятным смуглым лицом и густыми черными волосами. Алик всегда старался производить впечатление человека открытого, конструктивного и добродушного. На самом же деле он был скрытен и коварен.

— Милочка! — вскинулся он, когда его подруга и по совместительству авторша вошла в кабинет. — Ты сегодня потрясающе выглядишь!

— Ловлю тебя на лести, — ответила та. — Вчера вечером у моего родственника был день рождения, я напилась пьяная и сегодня утром сестрица едва отскребла меня от постели.

— Ночевала не дома?

— Не дома, но без удовольствия.

— Кофе хочешь?

— Буду очень тебе признательна. А то моим языком сейчас можно зашкуривать деревяшки.

Алик связался с секретаршей и потребовал у нее кофе.

— Ну, давай свой опус, — сказал он и протянул руку, в которую Мила послушно вложила пластиковую папку.

— Может, сразу посмотришь? — спросила она.

— Нет, потом. Хотел с тобой поговорить... О личном.

Алик заметно смутился, залез двумя руками в волосы и пошевелил там пальцами. Очки шлепнулись на стол.

— Черт! — выругался он и, выйдя из-за стола, предложил: — Сними пальто, здесь жарко.

— Ладно, только под ним у меня вчерашнее вечернее платье. Немного не к месту.

Мила сбросила пальто и платок на руки Алика, и он, окинув ее быстрым взором, неожиданно схватил за запястья.

— Милочка! — сказал он вкрадчиво.

«Или хочет признаться в любви, или отказать от места», — расстроилась она. В этот момент секретарша при-

несла кофе. Алик отдернул руки и нервно принял у Любочки поднос. Проводив ее неприветливым взором, дождался, пока дверь закроется.

— Милочка! — снова начал он, поддав пыла.

В дверь постучали.

— Какого черта?! — прошипел Алик, но тут же опомнился и раздраженно крикнул: — Да?

Милины руки, которые он до этого ласково тискал, снова оказались в ее полном распоряжении. Поэтому она ловко сняла с подноса чашечку кофе и уничтожила ее в два глотка. В двери тем временем приоткрылась щелка, и секретарша задушенным голосом сообщила, показав главному хитрое личико:

— Альберт Николаевич, приехали поляки.

— Чудесно! — иронически воскликнул тот и приказал: — Отведите их в кафе на первый этаж и напоите кофе. Я на вас рассчитываю.

Любочка молча захлопнула дверь, едва не прищемив себе нос. В ту же секунду на столе у Алика зазвонил телефон.

— Ну их всех к черту! — рассердился тот и потянул Милу к балконной двери. — Выйдем на воздух, там нам никто не помешает.

Балкон был узким и опоясывал весь этаж особняка. Повсюду возле перил стояли одинаковые одноногие пепельницы. Алик глубоко вздохнул и снова схватил Милу за руки.

— Милочка! — в третий раз начал он заготовленную речь и прижал ее ладошки к своей груди. В сравнении с прохладным сентябрьским воздухом грудь была горяча, что чувствовалось даже сквозь рубашку. — Так больше продолжаться не может!

Одинокий желтый лист пролетел мимо его головы и приземлился на перила. «Пожалуй, от места не откажет», — тут же решила практичная Мила. Она никогда не флиртовала с Аликом и не очень хорошо понимала, чем спровоцировано сегодняшнее объяснение. То, что это будет объяснение, сомнений у нее уже не вызывало. Темные цимжановские глаза пылали, словно уголья.

— Моя жена Софья с ума сходит от ревности! — выпалил Алик, притягивая Милу еще ближе к себе. — Она видит меня насквозь. Так неужели ты до сих пор так ничего и не поняла?

Кто-то черный высунулся на балкон из дальней двери за спиной Цимжанова и тут же исчез. Мила ошалело моргнула. Видение выглядело до того странным, что она даже толком не поняла, что это было. Ей снова пришлось перевести глаза на Алика, который возжелал полностью завладеть ее вниманием.

— Мне очень обидно, Милочка, — жарко прошептал тот, с нежной решительностью приподнимая ее подбородок указательным пальцем, — что я столько лет терплю сцены ревности понапрасну.

«Типично мужская логика, — мрачно подумала Мила. — Жена его ко мне ревнует, и ему надоело зря страдать. Он решил добиться взаимности, чтобы хоть как-то покрыть нервные затраты. Практично, ничего не скажешь».

— Скажи «да», дорогая! — потребовал Алик, который, словно обогреватель, вырабатывал устойчивое тепло. — Скажи, что ты станешь моей!

В тот же миг черный человек появился снова. Судя по всему, он выглядывал из кабинета, находящегося дальше по коридору. Теперь Мила рассмотрела его как следует. На нем была черная водолазка и черная кожаная куртка. Но не это ее так потрясло. На голову неизвестного были натянуты черные колготки. «Ноги», завязанные на макушке бантиком, свисали по обеим сторонам головы, словно заячьи уши.

Когда Алик начал приближать жаждущие любви губы к лицу Милы, черный человек поднял пистолет и, вытянув обе руки вперед, нажал на курок. Раздался су-

хой щелчок, и Мила почувствовала, что мимо ее уха что-то пролетело. «Неужели пуля? — ошарашенно подумала она. — И стреляют — в меня?!» Алик, конечно, не обратил на звук никакого внимания. Внизу раскинулся оживленный проспект, троллейбусы щелкали усами, дребезжали чем-то дорожные рабочие, фырчали грузовики. Так что вместо того, чтобы обернуться, Алик прижался к ее губам трепетным ртом и закрыл весь обзор.

Когда Мила дернулась в его руках, он ее отпустил. Она тут же выглянула из-за его плеча и вскрикнула. Черный человек по-прежнему держал пистолет на изготовку. Едва Мила появилась в поле его зрения, он послал в ее сторону вторую пулю, но она тоже пролетела мимо. Быстро опустив оружие, незнакомец нырнул в балконную дверь и скрылся. От испуга и от неожиданности Мила застыла, словно деревянная, вытаращив глаза. Цимжанов принял ее состояние на свой счет.

— Понимаю, ты потрясена, — покровительственно сказал он. — Может быть, мне следовало сделать это в иной обстановке. Кстати, что ты скажешь по поводу совместного ужина? М-м-м... Допустим, в пятницу?

— Ка-ка-ка... — закаркала Мила.

Она хотела сказать: «Кажется, меня хотели убить», но фраза не шла с языка. Совершенно очарованный ее замешательством, Цимжанов неожиданно проявил подлинную страсть. Быстро обняв Милу, он поцеловал ее снова — коротко, но очень жарко.

— Дорогая, я тебе позвоню. А сейчас извини, у меня поляки.

Он осторожно провел ее в кабинет, помог надеть пальто и еще раз поцеловал, перед тем как распахнуть дверь. Морда у него была довольной. Судя по всему, он пребывал в уверенности, что крепость пала.

Мила тем временем на не слушающихся ее ногах вышла в приемную. Поляки, устремившиеся в кабинет, по пути кидали на нее любопытные взоры. Еще бы! Бесплатное развлечение: встрепанная дамочка в длинном распахнутом пальто, бледная и не слишком молодая, с совершенно дикими зелеными глазами.

— Привет, поляки! — мертвым голосом произнесла она, отшатнувшись от юноши в черной кожаной куртке.

Юноша в ответ «запшекал» по-польски, и Мила поспешила ретироваться. Очутившись в коридоре, она, вместо того чтобы свернуть к лифту, направилась в другую сторону, заглядывая во все кабинеты по очереди. В первом сидел важный мужчина, который даже не поднял глаз, когда она пробормотала свои извинения. Мужчина был толстым и, судя по всему, коротким. Совсем не таким, как человек в черном. Второй кабинет был закрыт.

В третьем по счету — а, по рассуждениям Милы, это был именно тот кабинет, в котором прятался убийца, — шел ремонт. И в нем никого не оказалось. Пахло мокрой штукатуркой и клеем, по полу были расстелены влажные газеты, стояли ведра, валялись мохнатые тряпки. В углу скучали рабочие башмаки, покрытые белыми кляксами. Трепеща, Мила вошла внутрь и стала искать следы присутствия убийцы. Минут пятнадцать спустя, ничего не обнаружив, она на ватных ногах покинула здание и двинулась восвояси.

«Спина Алика, — рассуждала она по дороге, — была отличной крупной мишенью. Но человек в черном проигнорировал ее. Значит, покушение было организовано именно на меня!» Мила до сих пор не могла отделаться от зрелища стоявшего перед глазами дула, в которое она несколько секунд неотрывно смотрела. Что, если тип с пистолетом поджидает ее где-нибудь на улице? Впрочем, интуиция подсказывала ей, что этого просто не может быть. Убийца-неудачник наверняка скрылся. Ведь она должна была поднять крик на всю редакцию.

«Кстати, почему я не стала кричать? Почему не рассказала обо всем Алику? Надо было схватить его за плечи и развернуть лицом к человеку в черном. Или заорать что есть мочи. Упасть на пол, в конце концов! Реакция подвела», — огорченно подумала Мила. Она всегда столбенела, когда случалось что-нибудь непредвиденное. Домой ехать было страшно. Вдруг мужик с колготками на голове затаился в подъезде? Поймав такси, Мила велела везти себя в родительский дом, где накануне целый полк родственников отмечал день рождения свежеиспеченного мужа ее сестры Ольги и откуда, собственно, она явилась в редакцию.

Ольга была на несколько лет старше Милы и вела активную брачную жизнь. Николай Михеев стоял в ее списке четвертым. Это был скользкий тип с прилизанными волосами и вкрадчивыми манерами. Красавец черной масти, мужчина с классической злодейской внешностью и идеальным пробором.

Когда Мила позвонила в дверь, именно Николай первым появился на пороге.

— А, дорогая свояченица! — врастяжку сказал он. Ольга убедила мужа, что именно так его голос звучит особенно сексуально. — Рад, что ты вернулась. Вчера я не успел поблагодарить тебя за подарок. Ну-ка, дай я тебя поцелую!

Мила, изо всех сил скрывая отвращение, подставила вчерашнему имениннику щеку. Лобзая ее, в зеркало возле вешалки тот увидел, как она сморщила нос, и ехидно спросил:

— От меня что, пахнет чем-то неподобающим?

— Жидкостью для полоскания рта, — пробормотала та.

— А ты, конечно, считаешь, что мужчина должен пахнуть конюшней?

— Хотя бы табаком.

— Достаточно того, что табаком пахнет моя жена, — ухмыльнулся Николай.

В тот же миг, словно по заказу, его жена возникла в коридоре. Она была длиннее Милы на полголовы, имела высокие скулы кинодивы и божественный рот, который большую часть суток портила зажатая в нем сигарета. Кроме того, у нее была качественная фигура с широкими плечами, маленькой грудью и плоским животом. Более короткая и круглая Мила исступленно ей завидовала.

— Ольга! — воскликнула она, скидывая туфли. — У меня приключение! Ужасное!

— Встретила кого-то из своих старых любовников? — Ольга пыхнула сигаретой, втянув щеки, и стала похожа на Марлен Дитрих.

Мила увлекла сестру на кухню и усадила за стол.

— Я поехала в редакцию. Когда мы с Аликом вышли на балкон, кто-то пальнул в меня из пистолета!

— Ты, конечно, шутишь, — ровным голосом откликнулась та.

— Черта с два! В меня стреляли. Дважды. У этого типа на голове были колготки. Теперь я не знаю, как мне жить дальше.

— Вопрос поставлен некорректно. Как жить, ты знаешь. Ты не знаешь, что сделать, чтобы не умереть.

— Издеваешься, да? Не веришь мне?

— Верю, просто никак не могу прийти в себя, — сообщила Ольга. Потом вдруг набросилась на сестру: — Ты чего же сразу милицию не вызвала? Надо было поднять шум до небес. А ты?!

— Я растерялась, — коротко пояснила Мила.

— Знаю я тебя. Разинешь рот и стоишь, как светофор. С детства ненавижу эту твою манеру.

— Это не манера, а своеобразная реакция организма на испуг, — оскорбилась Мила. — Я попала в ужасную ситуацию. Звонить в милицию уже поздно. Алик, который был со мной на балконе, ничего не видел. И не подтвердит. Идти домой мне страшно. Можно, конечно, спрятаться здесь, в родительском доме. Но не до бесконечности же мне прятаться!

— Давай посоветуемся с Николаем, — предложила Ольга.

— Да ну его к черту! Прости за откровенность, но он ведь глуп, как пробка!

— Ну, тут уж, милая моя, или красота, или извилины. Профессор у меня уже был, и ты в курсе, чем все закончилось.

— Ты еще не знаешь, чем у тебя закончится с Николаем, — резонно заметила Мила.

— С Николаем я никогда не разведусь! — горячо заявила Ольга. — Четвертый муж — все равно что поздний ребенок.

— Я вставлю эту сентенцию в свой очередной рассказ. Все тетки просто умрут от восторга.

— Давай хряпнем по рюмочке для храбрости, — предложила Ольга и достала какую-то пузатую маленькую бутылку.

— Если я напьюсь, меня можно будет брать голыми руками. Ты же знаешь, до чего я пьяная беззащитная.

— Ты и трезвая беззащитная. — Ольга принялась пить одна.

На пороге кухни появился Николай. Опершись о косяк, он скрестил руки на груди и заметил:

— Если я не ошибаюсь, наша Мила не так давно посещала спортивную секцию, где ее учили приемам самообороны.

— Ты что, подслушивал? — возмутилась Ольга.

— Да нет, просто до меня долетела твоя последняя фраза по поводу беззащитности.

— Инструктор, когда увидел Милку в трико, сразу растерял все свои навыки, — хихикнула Ольга.

— Надо отдать ему должное, он не взял с меня денег, — пробормотала та. — Даже за ущерб.

— Что же за ущерб ты ему нанесла? — лениво поинтересовался Николай.

— Сломала ему руку.

— Ого!

— Он уронил меня на мат. А я терпеть не могу заигрываний. В общем, получилось недопонимание.

— Как ты думаешь, Николай, — рисуясь, спросила слегка захмелевшая Ольга. — Сколько стоит нанять телохранителя?

— Твой папа потянет, — шевельнул бровью тот.

— Слышь, — толкнула Ольга сестрицу в бок. — Наш папа потянет.

— Николай! — Мила твердо посмотрела на Ольгиного мужа. — Не мог бы ты на некоторое время испариться?

Николай фыркнул и удалился, шаркая тапочками.

— Боже мой, какой противный тип! — воскликнула Мила.

— Как ты можешь писать свои карамельные рассказы и до такой степени презирать мужчин?

— А что, прикажешь ими восхищаться?

— У тебя ведь двадцатилетний сын! — всплеснула руками Ольга.

— Это святое. Надеюсь, он будет не таким козлом, как все остальные.

— Итак, что ты решила? Попросишь у папы денег на телохранителя?

— Смеешься ты, что ли? Можешь себе представить, что начнется? Папа побежит к маме, мама упадет в обморок. Тут же последует серия телефонных переговоров с друзьями и знакомыми. Забурлит вся Москва, меня посадят под замок, и я неизвестно на какой срок лишусь свободы.

— Может быть, это все же лучше, чем быть пристреленной?

— Пожалуй, я забаррикадируюсь в собственной квартире. Там мне всегда найдется дело. Почитаю книжки, послушаю музыку. Пока все не прояснится.

— А кто будет все это прояснять? — привязалась

Ольга. И тут же высказала свежую идею: — Надо нанять частного детектива.

— Не думаю, что в настоящий момент у меня хватит средств и на частного детектива.

— Ну, ты даешь! — открыла рот Ольга. Сигарета выпала у нее изо рта и запрыгала по линолеуму. — Имея такого мужа, как Орехов... — Она догнала ее тапочкой и безжалостно придавила.

— Мы не живем вместе уже несколько месяцев, — напомнила Мила. — Мы в состоянии развода.

— Ну и что! Вы же все еще не развелись. И ему не может быть безразлична твоя судьба. Ведь ты мать его единственного сына!

— Ты рассуждаешь как дура.

— Но Орехов никогда не казался мне корыстным!

— Он бескорыстен. Если небо над его головой безоблачно. Если же у него что-то не ладится, он захлопнет передо мной дверь.

— А как у него сейчас? Безоблачно?

— Да не знаю я. С тех пор, как он услал Лешку в Берлин, мы почти не общались. Так, постольку поскольку.

— Хорошо, давай напряженно думать, — предложила Ольга. — Может быть, нам удастся без милиции и частного детектива выяснить, почему в тебя стреляли. В первую очередь необходимо отыскать мотив. Кто стрелял — это дело десятое. Может быть, ничего не имеющий лично против тебя исполнитель. А вот кто заказал? Кому выгодно?

— Никому, — тотчас же ответила Мила. — Думаешь, я не задала себе сразу же этот вопрос? Я на секундочку представила, что обратилась в милицию. Не нужно быть семи пядей во лбу, чтобы понять, что заинтересует следователей в первую очередь. С кем я путаюсь — раз, и кому материально может быть выгодна моя смерть — два.

— Ну, — сказала Ольга. — А теперь отвечай на оба вопроса. Хотя я и сама могу ответить. Путаешься ты с

Гуркиным, который моложе тебя на десять лет. Но зачем ему тебя убивать — непонятно. Он аспирант, интеллигент, материально в твоей смерти не заинтересован.

Чтобы сестра не заметила, как она краснеет, Мила подперла щеки руками. О ее подлинных отношениях с Андреем Гуркиным не знал никто, и Ольга в том числе. Молодой, статный, жутко умный, но плохо обеспеченный Гуркин был нанят Милой на службу — за полторы тысячи рублей в месяц он изображал на людях ее любовника. Гуркин сопровождал Милу в театры, рестораны, на мероприятия, устраиваемые родственниками и друзьями. Кроме того, для правдоподобия, раз в неделю он приходил к ней домой и проводил здесь полдня, читая газеты в маленькой комнате. В настоящее время Гуркин учился в университетской аспирантуре и искренне считал, что нашел потрясающий способ подработать. Милу он просто боготворил и не уставал благословлять тот час, когда они повстречались. «Да, уж кому-кому, а Гуркину моя смерть точно невыгодна», — подумала Мила.

После разъезда с Ильей Ореховым и в ожидании предстоящего развода Мила чувствовала себя ранимой и незащищенной. Усугублялось это тем, что Орехов нашел ей потрясающую замену. Он появлялся на людях с очаровательной девицей. У нее были ноги такой фантастической длины, будто бы их нарисовали на студии «Союзмультфильм» и присобачили к живому человеку. Милу все это, конечно, задевало. Чтобы не ударить в грязь лицом, она и прикормила Гуркина. Он мог бы смело посрамить теорию ее сестры Ольги о том, что стоящие мозги не обитают в красивом теле. Лицо у него, правда, было умеренно приятным, но все остальное — просто как на заказ.

— Со вторым вопросом полный пролет, — продолжала между тем Ольга. — Из материальных ценностей у

тебя — только квартира. Если, конечно, ты от меня ничего не скрываешь.

— Не скрываю, — уверила ее Мила. — Продолжай.

— Квартира по наследству перейдет к сыну. Сына мы оставим в стороне. Алименты Орехов после развода тебе платить не будет, так что... Слушай! — внезапно оживилась она. — А может, Орехов боится, что ты при разводе оттяпаешь у него часть собственности?

— Не мели чепухи. Мы с ним уже обо всем договорились.

— Ну? — с жадной настойчивостью спросила Ольга. — И что он тебе оставит?

— Приятные воспоминания о себе! — сделав красивый пас руками, ответила Мила. — Ничего он мне не оставит, так что расслабься. И я дала ему слово, что не буду с ним бодаться.

— Да... Если ты дала слово... Твое слово — кремень. Орехов знает об этом лучше других. Значит, у него мотива нет.

— Да ни у кого нет! — с досадой сказала Мила. — Неужели ты и в самом деле могла подумать на Орехова?

— Мало ли... — туманно возвестила Ольга. — Таинственность убийствам как раз придает скрытый мотив. Что, если за годы супружества он тебя так возненавидел, что не может спокойно спать? Хочет стереть тебя с лица земли — и баста!

Ольга наклонилась вперед и сделала страшные глаза. Очередная сигарета смердела в ее руке, отсылая к потолку сизые струи дыма.

— Судя по выражению лица, тебе подобное желание хорошо знакомо, — иронически заметила Мила. — И который по счету муж возбудил в тебе такие чувства?

— Третий. — Ольга откинулась назад и сделала очередную длинную затяжку.

— Бедный Николай, конечно, не знает, до чего ты бываешь кровожадной.

— Зачем ему знать? — пожала плечами Ольга. — Ему-то уж точно ничего не грозит. Четвертый муж, дорогая, — это настоящее лекарство от прежних разочарований.

— Подожди, я запишу.

— Ты все смеешься? Тебя едва не пристрелили на балконе редакции, а ты смеешься!

— Слушай, а что, если все это организовал Алик Цимжанов?! — внезапно воскликнула Мила. — Или его ревнивая жена Софья?

— Думаешь, Софья так достала Алика ревностью, что он решил тебя пристукнуть? Чтобы ей не к кому было ревновать?

— Да, глупо, — согласилась Мила. — Обычно в таких случаях убивают жен, а не...

— Ну, договаривай, договаривай! — предложила Ольга, щурясь от дыма. — А не... Ты хотела сказать: а не любовниц, не так ли? Значит, у тебя с Аликом наконец-то роман? После стольких лет любезной обходительности и близкой дружбы?

— У меня ведь есть Гуркин, — возразила Мила. — Хотя именно сегодня Алик заговорил насчет того, что неплохо было бы наплевать на обходительность и сблизиться окончательно. Он даже поцеловал меня.

— И как? — заинтересовалась Ольга.

— Перед этим в меня как раз выстрелили в первый раз. Поэтому я ничего не почувствовала.

— Значит, Алик не для тебя, — с сожалением сказала Мила. — Будь у тебя к нему склонность, ты бы на пулю даже внимания не обратила. У меня так с Николаем.

— Уж этот твой Николай! Неужели ты не видишь, какая это крыса? — не удержалась Мила. — Мужик нигде не работает, живет за твой счет. Отлично устроился, ничего не скажешь!

— У него проекты! — кинулась защищать Ольга своего четвертого. — Он делает все, что может! Скоро будет отдача.

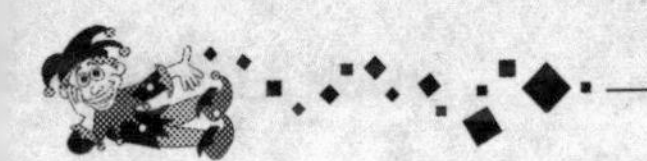

— Да-да, жди больше! Да он просто лодырь, твой Николай!

— Ты твердишь это всякий раз, как его увидишь. И напрасно. Николай озабочен завтрашним днем.

— Конечно. Его отоспавшаяся физиономия, исполненная тревоги о завтрашнем дне...

— Тс-с! Что, если он услышит?

— Да хрен с ним.

— Зачем ты чернишь его в моих глазах? — рассердилась Ольга.

— Затем, что мне надоело скрывать свои истинные чувства. Первых трех твоих мужей я терпела молча. Сейчас мое терпение иссякло. Считай, что Николаю не повезло.

Ольга прикончила сигарету, делая короткие отрывистые затяжки. Вся ее поза демонстрировала обиду. Потом ее мысли снова переключились с мужа на сестру.

— Так что ты решила? — спросила она. — По поводу покушения?

— Сегодня переночую здесь, потом проберусь в свою квартиру и все как следует обдумаю.

— Только ты думай, а не выдумывай. Я знаю, какая ты фантазерка.

— Ты меня с кем-то путаешь. Я пожилая приземленная женщина без единой иллюзии. Интересно, кому понадобилась моя шкура?

3

Тем временем братья Глубоковы, изучая окрестности дома, в котором была прописана Людмила Лютикова, усердно искали применение своим способностям, деньгам и обаянию. Три эти составляющие помогли им, во-первых, выяснить, что в подъезде прямо над Лютиковой, на третьем этаже, сдается квартира. И, во-вторых, эту квартиру по-быстрому снять. Правда, заплатить пришлось за два месяца вперед, но это денежных братьев не смутило.

Осматривая поспешно арендованную жилплощадь, оба первым делом вышли на балкон.

— Потрясающе удобно! — восхитился Борис, опершись животом о перила. — При желании в сумерках стоит только спрыгнуть вниз — и подсматривай себе в окно на здоровье. Высоковато, конечно, но можно добыть веревку или лестницу.

Дом был старым, каменным, внизу располагался магазин «Подарки», навес над которым служил общим просторным балконом для жильцов второго этажа. Так что Борис был совершенно прав — как соглядатаям им несказанно повезло. Поскольку Людмила Лютикова проживала на втором этаже, ее балконная дверь сейчас находилась прямо под ними.

Весь вечер братья улаживали собственные дела — Борис решал текущие вопросы по телефону, а Константин пытался выпросить у начальства срочный отпуск. Про саму Лютикову они до сих пор ничего не знали. Даже сколько ей лет. Поэтому не могли строить конкретных планов.

— Если ей семьдесят, это одно дело. И совсем другое, если ей двадцать пять, — рассуждал Борис, открывая припасенную банку пива.

— У нас нет времени присматриваться, — разрубил Константин воздух ребром ладони. — Мы должны срочно втереться к ней в доверие. Ты сам понимаешь, что с балкона много не высмотришь. Если она действительно просто связная на телефоне, слежка как таковая вообще теряет смысл. Нужен более тесный контакт.

— Хорошо, давай договоримся так, — предложил Борис. — Если Лютикова уже получила пенсионное удостоверение, я ее беру на абордаж. Нос у меня картошкой, лицо, безусловно, располагает к доверию, пожилые да-

мы от меня тащатся, скажу без ложной скромности. Если же возраст Лютиковой предполагает хоть какой-то сердечный интерес к мужчинам, в дело пустим тебя. Ты высок, красив, как шейх, у тебя утонченные вкусы. Ставлю сто к одному, что ты в состоянии задурить голову любой финтифлюшке старше пятнадцати.

— Не думаю, что она столь молода, — пробормотал Константин. — Впрочем, согласен, действуем по-твоему.

Константин был действительно таким, каким описал его брат. Не мог он отрицать и того факта, что женщины выделяют его среди прочих мужчин. Он привык к этому и чаще всего даже наслаждался собственным особым положением.

— И учти, братец, мы просто обязаны быть готовы к чему угодно, — продолжал Борис. — Импровизировать на ходу, лгать, изворачиваться и хитрить. — И напомнил: — Цель у нас благородная.

— Когда дед очнется, я его убью, — пробормотал Константин.

— Знакомство должно быть естественным, — разливался Борис, дирижируя банкой с пивом. — Что может быть обычнее соседа, спустившегося вниз за щепоткой соли?

— А если она не из тех, кто открывает двери соседям? Тем более нас с тобой она никогда не видела. — Константин явно не испытывал оптимизма. Опыт учил его, что ни с одной женщиной нельзя загадывать наперед.

— Тогда... тогда... Знакомство должно стать неотвратимым! — сообщил Борис. — Испортим ей замок на входной двери, и когда она не сможет повернуть ключ, появимся мы — ты или я, в зависимости от обстоятельств, — и быстро все починим! Благодарная Лютикова пригласит меня или тебя — в зависимости от тех же обстоятельств — в квартиру на чашку чаю. Ну а дальше придется полагаться исключительно на мозги и собственный шарм.

— Замечательно. А...

— Хочешь спросить, как мы испортим замок? — весело спросил Борис.

— Нет. Хочу спросить, как мы его починим. Сломать, знаешь, задачка для дурака.

— Да мы засунем туда что-нибудь незатейливое. А потом вытащим!

— Позволь выказать тебе свое робкое восхищение.

— Вот увидишь, какой бы ни была эта Лютикова, ей от нас не отвертеться! — пообещал Борис и широко, крупнозубо улыбнулся.

4

Наутро Ольга, навязавшаяся сестре в провожатые, вызвала по телефону такси. Трусливо приседая, она пробежала несколько метров, отделявшие дверцу машины от двери подъезда. Мила, которая второе утро подряд напяливала на себя вечернее платье, была больше раздосадована, чем испугана. Несмотря на спиртное, принятое в качестве снотворного, спала она несладко. Каждый шорох казался ей исполненным значения, и она с тревогой вслушивалась в ночь, то и дело отрывая голову от подушки.

Когда такси доставило пассажирок по назначению, Миле пришлось тащить защитницу за шиворот плаща, иначе она не желала вылезать из машины.

— Скажи шоферу, пусть проводит нас до квартиры! За десятку, — прошипела Ольга в ухо сестре, против воли оказавшись на улице.

— Как я ему это объясню?

— Дай ему понести сумку.

— С твоим носовым платком?

Невзирая на причитания Ольги, Мила отпустила машину и решительно двинулась к подъезду.

— Если ты хоть чуть-чуть интересуешься преступлениями, — сказала она ей, — то должна знать простую истину. Если кто-то задумал меня убить, он обязательно это сделает. Я могу нанять десять телохранителей, это ничего не даст. Рано или поздно...

— Замолчи! — взвизгнула Ольга, повиснув у нее на руке. — Не желаю слушать!

Они вошли в подъезд и, задирая головы, поднялись на второй этаж.

— Конечно, есть шанс обнаружить врага раньше, чем он успеет выполнить задуманное, — продолжала Мила.

Она достала из кармана ключ и принялась совать его в замочную скважину. Братья Глубоковы замерли наверху, исступленно прислушиваясь. Заметив из окна двух женщин, входящих в подъезд, оба успели выскочить на лестничную площадку и теперь переминались с ноги на ногу, одержимые жаждой действия.

— Господи, замок сломался! — воскликнула Мила и топнула ногой. — Что теперь делать?

— Кажется, она не старая, — шепотом сказал Борис прямо в ухо Константину. — Так что идти тебе!

С этими словами младший брат толкнул старшего в спину, и тот, потеряв равновесие, поскакал вниз по лестнице, производя изрядный шум. Завернув вниз, Константин несколько секунд спустя увидел на площадке второго этажа двух насмерть перепуганных женщин. Одна из них, повыше и потоньше, вжалась в стену и втянула голову в плечи. Вторая, блондинка с воинственно взъерошенным хохолком на затылке, держала перед собой сумку, словно щит, и смотрела на Глубокова глазами, полными ужаса и тоски.

«Ничего не может быть естественнее соседа, спустившегося сверху!» — мысленно передразнил Константин брата и, чтобы разрядить ситуацию, весело сказал:

— Привет!

Поскольку ни одна из женщин его радости разделить не захотела, он посчитал нужным добавить:

— Я просто иду мимо. У вас что-то случилось?

— У нас ничего не случилось, — напряженным голосом ответила блондинка.

Красивый незнакомец не двинулся с места. «Ах, до чего ж хорош! — подумала тем временем любвеобильная Ольга. — Правда, глаза у него хоть и голубые, но какие-то уж чересчур блестящие». Константин между тем лихорадочно придумывал, что делать дальше. Помощи у него просить явно никто не собирался.

— И все-таки мне кажется, у вас какие-то проблемы, — привязался он, не желая уходить посрамленным.

— Нет у нас никаких проблем! — рассердилась женщина, державшая в руках ключ. Ее привлекательное лицо портили губы, сжатые крепко-накрепко.

«Наверное, это и есть Лютикова, — решил Константин. — Ничего себе штучка. Номер с щепоткой соли с такой явно не прошел бы».

— Может быть, дверь не открывается? — не отставал он, стараясь придать себе добродушный и просветленный вид. Такой он напускал на себя только в те минуты, когда счастливые родственники совали ему в руки своих младенцев.

— Мы справимся, — пообещала Лютикова, продолжая напряженно смотреть на него.

— Я ваш сосед сверху, — пояснил Константин, махнув рукой у себя над макушкой. И добавил: — Новый. Снял квартиру. Так что будем видеться часто.

Мысль о том, что Борис слушает и оценивает его слова, мешала Константину вести себя естественно.

— Вы куда-то шли? — спросила непримиримая Лютикова.

Это был прямой намек на то, чтобы он убирался.

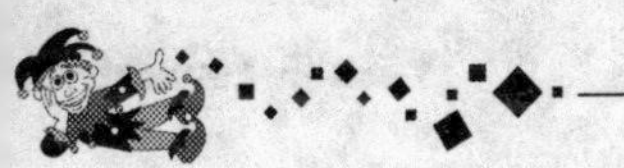

Константину не хотелось уходить ни с чем, поэтому он предпринял еще одну попытку.

— Может быть, ключ не вставляется в замок? — спросил он как бы между прочим и добавил: — Мой папа был слесарем, так что...

— Да, да! — воскликнула Ольга, которой казалось опасным так долго стоять в подъезде. — Ключ действительно не лезет в дурацкую прорезь!

Константин тут же воодушевился.

— Так-так... — пробормотал он. — Сейчас посмотрим!

Достав из кармана припасенную лупу и тонкий пинцет, он кинулся вперед и принялся ожесточенно ковыряться в замке.

— Дайте ключ! — потребовал он через некоторое время.

Мила неохотно протянула ключ, и Константин два раза победно щелкнул язычком замка.

— Пожалуйста! — сказал он, гордясь собой до безобразия.

— Ой! — сложила ручки перед собой Ольга. — Как вы нам помогли! Спасибо!

— Спасибо, — неохотно присоединилась к ее восторгам сестра.

— Может быть, вам еще что-нибудь нужно? — с надеждой спросил Константин. — Например, кран починить?

— Ваш папа разве был не слесарь? — с подозрением спросила Мила.

— Он был слесарь-водопроводчик. Двойная выгода.

— Да? Ну, все равно прощайте.

Константину ничего не оставалось делать, как шевелить ногами. Он спустился на первый этаж и остановился перед дверью на улицу, вслушиваясь в диалог, который затеяли сестры. Судя по всему, они боялись заходить в квартиру. Почему — интересно?

— Дай же мне пройти! — кипятилась Мила, пытаясь вырвать из пальцев сестры рукав своего пальто.

— Нет, это опасно. Замок был сломан. Может быть, внутри засада!

— Я сейчас войду и посмотрю. А ты оставайся здесь.

— Но я боюсь одна!

— Зачем ты вообще со мной поехала?

— Чтобы не дать тебе совершить глупость! Мила, слушай, я поняла: тебе срочно нужен частный детектив. Я займу у папы денег, скажу ему, что хочу сделать пластическую операцию. У меня молодой муж, папа все поймет правильно.

«Частный детектив? — подумал изумленный Константин. — Интересно, зачем он им сдался?» Он вспомнил, что Борис призывал его быть изобретательным и напористым и, вздохнув, снова отправился вверх по лестнице. Дамы все еще препирались возле приоткрытой двери в квартиру. Константин легко взбегал с одной ступеньки на другую. Заслышав его шаги, сестры замолчали и снова страшно напряглись. Едва Константин открыл рот, чтобы произнести что-нибудь, подобающее случаю, как наверху громко кашлянули, и Борис Глубоков в три прыжка очутился в поле общего зрения. Зачем-то он поднял воротник куртки и спрятал в него нос.

— Это вы частный детектив? — спросил он у Константина из-под воротника. — Мне вас рекомендовали как первоклассного специалиста. Лучше вас, говорят, в Москве вообще никого нет. Только вы можете мне помочь. У меня очень сложное дело. Поэтому доверить его я могу только вам. Назначьте мне день. Ведь сейчас вы, наверное, заняты?

Константин важно кашлянул, но вместо него ответила попавшаяся на крючок Ольга:

— Да, он сейчас занят. Вы ведь не откажетесь зайти? — понизив голос, спросила она у Константина. — На чашечку чаю? По-соседски?

— Ладно, тогда до встречи! — быстро сказал Борис и с не подобающей клиенту скоростью дернул вниз по лестнице.

— Приходите завтра! — крикнул Константин ему в спину.

— Сюда! — радостно воскликнула Ольга и, открыв дверь, с недюжинной силой втолкнула «частного детектива» в квартиру. Тот пролетел весь коридор и едва не вмазался в стену.

— Что ж ты делаешь? — зашипела Мила. — Надо было предупредить его об опасности! Он же сыщик!

Доморощенный сыщик тем временем обежал все комнаты, заглянул в ванную и вернулся к переминающимся с ноги на ногу сестрам.

— Можете входить, в квартире все чисто! — ухмыльнувшись, сообщил он, а сам подумал: «Интересно, кого они так боятся? Может быть, как раз того типа, который заключил сделку с нашим дедом?»

Впрочем, теперь у него появился реальный шанс все узнать в подробностях. Если, конечно, его наймут. Дамы собирались занять денег на расследование, поэтому нельзя заламывать цену. Константин, кстати, понятия не имел, сколько берут за работу частные детективы.

— Мне надо принять душ и переодеться, — заявила Мила, снимая пальто.

— Нет, это все потом! — возразил Константин. — Сначала дело. Судя по всему, оно не терпит отлагательства.

Ольга почтительно последовала за «детективом» на кухню и быстренько налила в чайник свежей воды. Мила, вздохнув, поплелась за ними, сверкая обнаженными плечами, — вечернее платье все еще оставалось на ней.

— И не надо ничего от меня скрывать! — проникновенно сказал Константин, плотно усевшись на табурет. Потом помолчал и добавил: — Я чувствую, что ваше дело связано с наркотиками.

Сестры изумленно переглянулись.

— С наркотиками?! — в один голос воскликнули они. — С чего это вы взяли?

— А вот потом увидите! — азартно сказал Константин. — Итак...

— Сколько вы берете? — неожиданно спросила Мила.

— Э-э-э... Сто рублей, — быстро нашелся тот.

— В час?

— В день, — без запинки ответил Константин, боясь, что его выставят, посчитав слишком дорогостоящим развлечением. — Ну, плюс текущие расходы.

Сестры снова переглянулись.

— Теперь понимаю, — пробормотала Ольга, — почему клиенты штурмуют ваше жилье.

— Не будем терять время по пустякам! — потер руки Константин. — Все началось с того, что вам велели отвечать на телефонные звонки, так ведь? — Он схватил чашку чаю, которую ему только что налили, и сделал большой аппетитный глоток.

— Да нет, — растерялась Ольга, — все началось с того, что в мою сестру стрелял человек, на голову которого были натянуты черные колготки. Вчера утром. В редакции. Мила, расскажи! — толкнула она сестру локтем под ребра.

Мила принялась вяло рассказывать. Глубоков не вызывал в ней желания довериться ему и не внушал особых надежд. И вообще, для частного детектива он был слишком красив. Красивые мужчины — негодные профессионалы. Они во всем полагаются на свою внешность, считая, что за прекрасные глаза жизнь сделает им скидки. Если бы не Ольга, Мила вообще не стала бы с ним связываться.

— Кому вы говорили, что утром будете в редакции? Кто об этом знал заранее?

— Алик, — хором ответили сестры.

— И все?

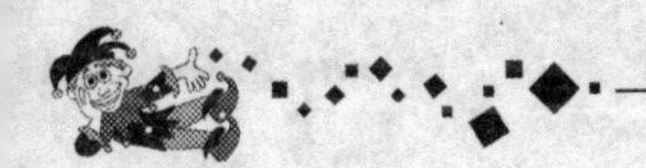

— Возможно, я проболталась на вечеринке, — смутившись, ответила Ольга. — Накануне вечером.

— Кому?

— Своему мужу. Николаю. Но он, конечно, здесь ни при чем.

— Конечно, — кивнул Константин. — Кстати, как его фамилия?

— Михеев, — ответила вместо сестры Мила.

— А где он работает?

— Нигде, — фыркнула она.

— Он... Он... готовит грандиозный проект, — задохнулась от обиды за мужа Ольга.

Мила, как всегда, не сдержала иронии:

— Будет поворачивать вспять Москву-реку?

— Вечно ты пытаешься его унизить! Он открывает большой торговый комплекс по продаже компьютеров! — выпалила Ольга.

— Да? И на чьи деньги?

— Не на собственные, конечно!

— И кто конкретно их ему даст?

— Ну, этого я не знаю, однако кто-нибудь даст. Николай кого хочешь увлечет своими идеями! Сумеет провернуть любое дело!

— Тебя-то он уж точно увлек и провернул целую свадьбу, — пробормотала Мила.

— Я все понял, — встрял в их перепалку Константин. — О визите в редакцию знала ваша сестра, ее муж и главный редактор журнала Цимжанов.

— А еще, возможно, жена Цимжанова Софья и его секретарша Любочка Крупенникова.

— То есть неконтролируемое количество народу. Итак, — подвел итог Глубоков, — с мужем вы в ожидании развода уже не живете, сын ваш по линии международного обмена учится в Берлине, и из близких людей в квартире постоянно бывает только ваш новый друг Андрей Гуркин. Я верно излагаю?

— Верно, — кивнула Мила.

— А этот Гуркин, он мог бы дать кому-нибудь ваш телефон, чтобы ему сюда звонили? — с необъяснимым любопытством спросил «частный детектив».

— Наверное. Я как-то об этом не задумывалась. Пока, по крайней мере, ему сюда не звонили. А это важно? Вы что, его в чем-то подозреваете?

— Вопросы пока задавать рано. — Константин захлопнул блокнот, в который по ходу дела записывал все, что его заинтересовало. — Итак, лично у вас нет ни одной версии?

— Ну... Может, это жена Алика Цимжанова наняла убийцу? — с кислой физиономией предположила Мила. — Алик говорит, что она страшно ревнует.

— Проверим, — пообещал Константин. — Вот вам номер моего мобильного телефона. А это — телефон квартиры наверху. Вы всегда можете меня позвать, — добавил он. — Да! И попрошу выплатить мне сто рублей.

Пряча купюру в карман, он назидательно сказал:

— Если кто-нибудь из ваших знакомых поинтересуется, не звонили ли ему по вашему телефону и не передавали чего, тотчас же сообщите мне! Летите мухой, ясно?

Закрыв за «частным детективом» дверь на замок, Мила всем корпусом обернулась к Ольге и воскликнула:

— Что-то с ним не то. Одет дорого, но берет слишком дешево. И эта странная зацикленность на телефоне!

— Тебе просто не понравилась его сногсшибательная внешность. Будь я свободной, то не упустила бы своего шанса.

— Возьми да разведись с Николаем.

— А не положила ли ты глаз на моего мужа? — с подозрением спросила Ольга. — Доведешь нас до развода, а потом зацапаешь его!

— Да-да, за такое сокровище стоит побороться.

Ольга тотчас же раздумала дуться.

— Значит, ты остаешься дома? — спросила она.

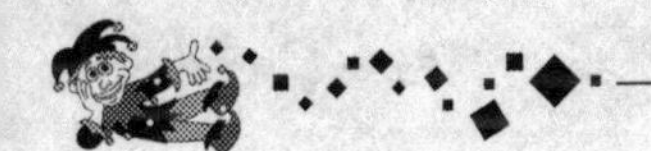

— Остаюсь. Замки у меня хорошие, над головой поселился частный детектив — дешевый, но красивый. И вообще, я стала склоняться к мысли, что стреляли все-таки в Алика. Просто убийце помешало мое присутствие, и он завалил дело.

— Загляделся на тебя, не иначе, — пробормотала Ольга. — Значит, ты сообщишь Алику о грозящей опасности?

— Не представляю, как сказать ему о выстрелах. В тот момент мы целовались, после чего я ушла из редакции, не просветив его на этот счет. — В голосе Милы, впрочем, не было уверенности. Ольга это почувствовала.

— Тогда подожди. Может быть, частному детективу удастся все распутать.

— Он не сказал, как его зовут! — внезапно спохватилась Мила. — Ах, какие мы с тобой беспечные! Может быть, он вообще не частный детектив? Аферист, сшибающий стольники у таких дур, как мы!

— Давай позвоним ему на мобильный, — робко предложила Ольга.

— Звони сама, а я отправляюсь в душ, — отрезала Мила. — Только не исчезай, пока я не выйду. Одной страшно. Шум воды заглушает подозрительные звуки в квартире, я могу прозевать своего убийцу и умереть голой. Это будет особенно отвратительно.

Когда через полчаса она вновь появилась на кухне в махровом халате и с тюрбаном на голове, Ольга встретила ее радостным сообщением:

— Константин Глубоководный!

— Что это? — опешила Мила.

— Частный детектив. Его так зовут.

— Боже! Что за ужасная фамилия!

— Ты это мне говоришь? До Николая я два года была Тишкиной, а предыдущие три — Мардабрянской.

— В отличие от Глубоководного у тебя был выбор. Так что там он?

— Он извинился. Сказал, что старается лишний раз

не называть своего имени без надобности и нам случайно не назвал.

— Ольга, пообещай мне: если со мной что-нибудь случится, ты все расскажешь Орехову. Пусть защитит нашего сына.

— Но ваш сын в Берлине! И еще я думаю, ты зря решила засесть в квартире. Лучше жить с нами.

— С тобой и Николаем? Да ты с ума сошла! Мы с твоим мужем, как вода и масло. Я непоправимо изуродую вашу семейную идиллию. Только меня вам не хватало!

— Но у тебя в доме есть своя комната! И родители будут счастливы.

— Конечно. Маман тут же примется меня сватать и в конце концов спарит с каким-нибудь разведенным сыном старой подруги. Нет уж, пусть лучше меня застрелят.

5

Она оставалась храброй почти целый день. До тех пор, пока на улице не стемнело. Вот тут-то все ее гусарство испарилось, как утренний туман в ясный день. Мила закупорила квартиру, задернула шторы и включила торшер, чтобы почитать в тишине. Но ей не читалось. Ей постоянно чудилось, будто кто-то пытается вскрыть балконную дверь. А на лестничной площадке возились и сопели. Мила на цыпочках бегала от глазка к окнам и обратно. «Что, если я засну и меня укокошат спящую? — думала она, обливаясь потом от страха. — Зачем я не послушалась Ольгу?»

Соседский кот окончательно добил Милу, вспрыгнув со стороны балкона на подоконник и проскрежетав по нему когтями целую серенаду. Чтобы расслабиться, Мила решила выпить рюмочку водки, запас которой всегда имелся в холодильнике. Рюмочка согрела ее и принесла некоторое облегчение. Занюхав ее помидорами, Мила разобрала кровать и нырнула под одеяло, оставив снаружи глаза и ноздри.

В два часа ночи братья Глубоковы, которые заблаговременно обзавелись самой настоящей веревочной лестницей, привязали ее к железным прутьям балкона. Константин ловко перемахнул через перила и сделал первые два шага вниз. После чего его правая нога попала куда-то не туда, и верхолаз запутался в веревках. Он начал биться в путах, но поделать ничего не мог.

— Лучше бы я спрыгнул! — простонал он.

— Ага! И перебудил весь дом, — откликнулся Борис.

— Принеси фонарик! — шепотом потребовал Константин. — Я ни черта не вижу!

— Ты что? Если я на тебя посвечу, нас могут увидеть соседи. Примут за воров и вызовут ментовку.

— А если ты на меня не посветишь, я провишу тут до рассвета.

Несмотря на принесенный фонарик, операция спасения затянулась. Сначала лежавшая без сна Мила услышала сдавленный шепот. Потом по занавескам скользнул луч фонарика. Она резко отбросила одеяло и встала на кровати на четвереньках, прислушиваясь, словно собака. Снаружи кто-то был. Не зная, куда кидаться, она заметалась по комнате, потом схватила со стола оставленную Ольгой записку и дрожащими пальцами набрала номер телефона частного детектива, который жил наверху.

Поскольку частный детектив в этот момент висел на веревочной лестнице, а Борис тянул его изо всех сил наверх, на звонок никто не ответил. Тогда Мила набрала номер мобильного телефона. Мобильный телефон Глубокова был прицеплен к поясу его штанов. Через минуту он пронзительно заверещал. Константин недопустимо громко выругался и, извернувшись, прижал трубку к уху.

— Алло! — трагическим полушепотом ответил он.

— Это ваша новая клиентка! — тоже полушепотом начала Мила. — Моя фамилия Лютикова. Вы сказали, вам можно позвонить, если что.

— Ну?

— Так вот. Ко мне лезут.

— Кто?

— Я не знаю. Я слышу, как они возятся и ругаются матом.

— Заранее не паникуйте, — проскрипел Константин.

— А вы сейчас где? — трагическим голосом спросила Мила. — Далеко от меня?

— Не так чтобы очень, — признался тот и дрыгнул туловищем.

Борис перевесился через перила и зашикал на него:

— С кем ты там разговариваешь? Нашел время! Она тебя услышит! И подожми левую ногу. Если она выглянет в окно, то увидит твой ботинок.

Константин согнул коленки и натужным голосом сообщил:

— Вы, главное, к окнам не подходите, я скоро буду!

После этого заявления он мешком свалился вниз, прямо под балконную дверь Лютиковой. Покряхтев и подержавшись за поясницу, Константин постучал в стекло и громко сказал:

— Все в порядке! Это я, Глубо... Глубоководный! Можете открывать.

Мила отодвинула штору, и в свете фонарей, натыканных вдоль улицы, он увидел ее лицо. Лицо было таким же белым, как луна над головой, и странно застывшим. «Эк она испугалась, — подумал Константин. — Может быть, от страха сейчас расскажет мне что-нибудь стоящее».

Когда Мила открыла дверь, он протиснулся мимо нее в темную комнату и шепотом приказал:

— Включите-ка свет.

— Кто там лазил? — тоже шепотом спросила Мила, зажигая торшер.

На ней была застиранная трикотажная пижама, волосы на голове стояли дыбом, как трава для попугаев, выращенная в цветочном горшке.

— Спокойствие. Это были рабочие. Они поправляли телевизионную антенну наверху.

— Но почему после полуночи?!

— Ну, понимаете ли... Когда они ходят по крыше, из-под ног сыплются камушки, мелкий мусор. — Он подумал и добавил: — Голубиный помет...

— И что?

— Как что? Страдают ни в чем не повинные прохожие. Прохожие пишут жалобы. Разве вам хотелось бы отправиться на службу или в гости с голубиным пометом на голове?

— Послушайте... э-э-э...

— Константин, — подсказал тот.

— Послушайте, Константин! У меня к вам предложение. Не согласились бы вы провести со мной ночь?

Лицо Глубокова вытянулось, и он повернул к Миле левое ухо, опасаясь, что плохо расслышал.

— Простите?

— За деньги, — поспешно добавила она.

Глубоков кашлянул и стесненно сказал:

— Вообще-то я не по этой части.

— Я понимаю, — кивнула Мила, имея в виду, что он сыщик, а не охранник. — Но войдите же в мое положение... Я одна. Почти разведена. В квартире так пусто, так... одиноко.

Сильно стукнувшийся о балкон Глубоков, который нравился всем женщинам без разбору, тотчас решил, что Мила — очередная жертва его обаяния. Любую другую он сразу послал бы подальше, но в этой даме был чертовски заинтересован.

— Ну, хорошо, — сказал он, прикидывая, как согласиться и при этом избежать неловкости.

— Во сколько мне это обойдется? — униженно спросила Мила.

— В сто рублей. — Тариф выскочил из Глубокова сам собой.

— Благодарю вас!

— И еще мне хотелось бы чашечку чаю.

Вспыхнувшая от радости Мила пошлепала на кухню и загремела там посудой. Глубоков тем временем проворно разделся и полез в кровать, мельком глянув на себя в большое зеркало. Поджарый торс умеренной волосатости действительно был хорош. Плечи широкие, рельефные мускулы, сохранившийся с лета загар. В первый раз он продавал всю эту красоту за деньги. Константин подарил своему отражению кривую ухмылку и натянул одеяло до подмышек.

Когда Мила вошла в комнату и увидела Глубокова, возлежащего на подушках в ее кровати, чашечка с чаем едва не выпрыгнула у нее из рук. Только тут она сообразила, что сама сделала ему в высшей степени неприличное предложение. По крайней мере, было ясно, что именно так он его расценил. Лицо Милы мгновенно стало пунцовым. Она понятия не имела, как выйти из сложившейся ситуации. Глубоков тем временем с охотой принялся за чай, который Мила поставила на тумбочку.

— А знаете что? — внезапно предложила она. — Давайте выпьем водки!

«Напоить его — и дело с концом!» Запасов спиртного у нее всегда было с избытком. Сама Мила пила редко, но все ее гости трудолюбиво стаскивали в дом бутылки, словно муравьи сосновые иголки.

— А давайте! — немного помолчав, согласился Константин. Роль продажного мужчины была для него новой и странно тревожила. «Если клиентка налижется, мне будет не так стыдно», — подумал он про себя.

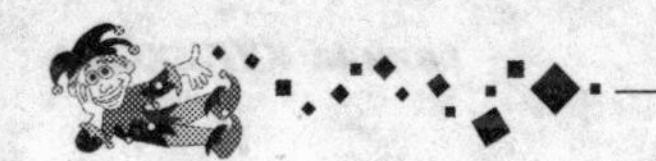

Борис Глубоков, единолично отвязавший веревочную лестницу от перил, уже часа два дремал в кресле, когда снизу до его рассеянного слуха донеслось нестройное пение. Борис широко открыл глаза и напряженно вслушался. Хор состоял из двух исполнителей и явно не нуждался в музыкальном сопровождении. «Мы выпьем до дна бутылку вина, моя дорога-а-я! Останься со мной, цыпленочек мой, ведь ночь-то кака-а-я!» — «Да уж, вином тут дело не обошлось, — подумал Борис. — Хорош, ничего не скажешь! Интересно, много ли он узнал?»

На нетрезвый взгляд Константина, он узнал массу интересных вещей. Например, то, что Мила Лютикова два года назад изменила мужу. Разгорелся страстный роман, который окончился внезапно и беспричинно и оставил после себя трогательное чувство, похожее на ностальгию. Новый мужчина у нее появился только тогда, когда они с Ореховым разъехались. Еще Константин узнал ее ближайшие творческие планы, над которыми они вместе похохотали, и про критическое отношение к мужу сестры. Правда, даже пьяная, Мила не открыла «милейшему частному сыщику» всю правду про Гуркина. Она продолжала настаивать, что это ее настоящий сердечный друг.

— А у этого Гуркина есть ключ? — приоткрыв упрямо слипающиеся глаза, спросил Константин. — Что, если он припрется в самое неподходящее время? И застанет нас в обнимку?

— Мы разве обнимаемся? — удивилась Мила, которая наливала себе в два раза меньше, но пьянела почему-то в два раза быстрее. — Впрочем, ключа у него нет.

Константин этим обстоятельством был страшно удивлен, но высказать своего удивления у него не было сил.

Проснулись они ранним утром, не имея понятия о том, что между ними случилось ночью. Мила по-прежнему оставалась в пижаме и спала калачиком поверх одеяла. Впрочем, это еще ничего не значило. Глубоков протрусил в ванну, завернувшись в простыню.

— Ну, кажется, у вас все в порядке? — возвратившись, трусливо спросил он, не смея перейти на «ты».

Мила налила две чашки черного кофе и хмуро ответила:

— В полном.

— Если кто-нибудь из ваших знакомых спросит, не получали ли вы сообщения от кого бы то ни было...

— Я помню. Полечу к вам мухой. Кстати, а просто позвонить нельзя?

— Можно, конечно, можно! — Константин суетливо надел ботинки и схватился за дверную ручку.

— А что, разве на вас не было верхней одежды? — сощурилась Мила.

— Я же пришел на ваш отчаянный зов, — он махнул рукой в сторону окон, — не тратя времени даром.

— Вы прыгали со своего балкона? Ради меня? О! Благодарю вас!

— Что вы, что вы, не стоит благодарности.

Константину очень хотелось придержать двумя руками свою многострадальную голову, но ему было неудобно. «Боже мой, ничего не помню! — в отчаянии подумал он. — Спросить как-нибудь?» Впрочем, взглянув на мятое лицо своей «клиентки», он тотчас же раздумал задавать вопросы. Если что, грех на ней. Это она ему сто рублей заплатила.

Борис встретил его глумливой ухмылкой.

— Как прошла ночка? — спросил он, коротко зевнув.

— Лютикова попросила меня с ней остаться.

— Ясное дело!

— Заплатила сто рублей.

— Надеюсь, ты оправдал всю сумму?

— Я тоже надеюсь, — пробормотал Константин. — Правда, мы слишком много выпили. Думаю, она будет приходить в себя до вечера.

— У тебя появились мысли по поводу того, кто хочет ее убить?

— Возможно, тип, который думает, что она знает кое-что о «невидимке».

— Но она говорит, что не знает!

— Мало ли, что она говорит. Она страшно напугана. А сильно напуганный человек становится хроническим вруном.

— Зачем же наш мистер Икс дал деду телефон Лютиковой, если тут же решил ее устранить? — не сдавался Борис. — Кому дед должен был звонить?

— Ну... Может быть, дед еще до удара успел через Лютикову с ним связаться. А она просто врет, что ей не звонили. После того как звонок состоялся, она просто-напросто стала нежелательной свидетельницей. Неизвестный узнал, что у деда удар, и решил дальше действовать без него, оборвать все связывающие их ниточки.

— Нет, это как-то слишком неправдоподобно.

— Но ты не можешь отрицать того, что на Лютикову покушались именно в то время, когда мы начали через нее искать «невидимку».

— Слушай, а что, если ее все-таки укокошат? Что мы тогда будем делать? Ниточка оборвется и...

— Для этого Лютикову надо охранять.

— Но ни ты, ни я не можем обеспечить ее сохранность!

— Если она будет сидеть дома, то можем. Ты караулишь лестницу, я — балкон.

— Ага. И когда придет убийца, мы сбросим ему на голову телевизор.

— Ладно тебе, просто спугнем.

— Но что, если Лютиковой захочется куда-нибудь отправиться?

— Ну... Я напугаю ее, велю носа не высовывать. Ведь она думает, что я всамделишный частный сыщик и работаю на нее. Должна послушаться.

— Думаю, днем караулить балкон не придется. Кто туда полезет при всем честном народе? Остается дверь в квартиру. Я усядусь в подъезде на подоконнике и почитаю газету, а ты ложись спать.

— Я спал, — коротко ответил Константин. — Но я расстроен.

— Еще бы. Провел ночь с едва знакомой женщиной!

— Но ты же понимаешь, что это все ради спасения нашего доброго имени!

— Боюсь, что в ходе спасения ты опозоришь наше имя каким-нибудь другим способом, — пробормотал Борис.

6

В это время Мила отчетливо осознала, что ей не по силам сидеть взаперти и бездействовать. Конечно, на нее работает частный детектив, но... Этот Глубоководный не казался ей особо умным или расторопным. Ее сто раз прикончат, прежде чем он что-нибудь отыщет. Недаром же у него расценки, как в комиссионке! Нет-нет, до тех пор, пока он ищет убийцу, ей просто необходим телохранитель. Крупный мужик с глазками-прицелами и пистолетом под мышкой. В то время как она станет смотреть телевизор, вязать или читать романы, он будет ходить от двери к окнам и проверять, все ли в порядке.

Мила была убеждена, что нанять телохранителя в нынешнее время — не проблема. Были бы наличные, чтобы оплатить его верную службу. Наличные она могла взять только у бывшего мужа. Вернее, даже не бывшего — ведь развод покуда не состоялся. В конце концов, Орехову по штату положено решать ее проблемы!

«Я должна побороться за себя, — решила Мила. — Кроме того, это Орехов затеял развод, после того как я

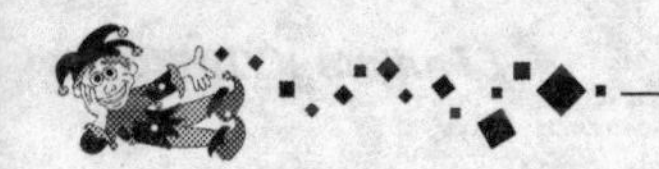

застукала его с той длинноногой вешалкой». Мила натянула брюки и свитер, зачесала стоявшие дыбом волосы вниз и выскользнула из квартиры. Борис, которого братец уверил в том, что Лютиковой потребуется еще некоторое время на вытрезвление, за лестницей не следил и уход ее прозевал.

«Орехов, конечно, испугается, когда я скажу ему, что в меня стреляли, — думала Мила по дороге. — По крайней мере, расстроится». Однако действительность оказалась другой. Орехов во всей полноте продемонстрировал свой гнусный характер и не только не расстроился, но проявил полное и абсолютное непонимание момента.

— Чушь какая-то! — воскликнул он, когда Мила ворвалась к нему в кабинет и выложила карты на стол. — Зачем *тебе* телохранитель? — Он голосом выделил это «тебе», давая понять, что Мила в его представлении не больше, чем блоха на собаке.

— В меня стрелял мужчина в черных колготках! — раздраженно пояснила та.

— Мужчина в черных колготках?! — изумленно повторил Орехов. — Ты что, накануне участвовала в демонстрации, требующей ограничить права сексуальных меньшинств?

— Колготки были у него на голове, — раздраженно пояснила Мила. — И прошу тебя, Илья, не строй из себя кретина. Это случилось в редакции, на балконе. Мы вышли с Аликом Цимжановым на воздух...

— Зачем вас понесло на воздух в такую холодную пору?

— Ну... Мы должны были отредактировать статью, а нам мешала секретарша, — не слишком удачно соврала Мила.

Она видела, что Орехов недоволен. Она знала его как облупленного — могла расшифровать его жесты, выражение лица и каждое движение бровей. «Может быть, хорошо, что он ушел из моей жизни? — внезапно подумала Мила. — Если говорить по правде, он мне до смерти надоел». Несмотря на то что Орехов был симпатичным сорокалетним мужчиной с длинным тренированным телом, в его характере наличествовала масса отвратительных черт.

— А что думает по этому поводу сам Алик? — не сдавался Орехов, проявляя одну из этих черт, а конкретно — ненужную въедливость. Нормальный мужчина на его месте уже давно полез бы в бумажник за деньгами.

— Веришь ли, Алик не видел этого типа. Он стоял к нему спиной.

— Но ты, конечно, закричала, подняла на уши всю редакцию...

— Конечно, — Мила раздула ноздри. — Но он все равно успел убежать.

— А что милиция?

— Милиция не в силах заслонить собой всех беззащитных граждан, — выкрутилась Мила. — Поэтому меня должен защитить ты. Не забыл, что у тебя все еще стоит штамп в паспорте? Или ты его уже соскоблил, чтобы порадовать свою кобылу?

— Не называй ее так! — резко бросил Орехов и, вскочив с места, принялся расхаживать по кабинету. — Если я полюбил другую женщину, значит, она лучше, а не хуже тебя.

Это была любопытная трактовка ситуации, хотя, на взгляд Милы, в ней тоже присутствовали изъяны. Когда Орехов поднялся, Мила с неудовольствием заметила, что он здорово постройнел. Впрочем, впечатление слегка портило лицо, которое вместе с остальным телом тоже сбросило вес и слегка обвисло. Однако вид у него все равно был шикарный. «Молодеет мне назло. В то время как я каждый вечер борюсь с гастрономическими искушениями, он изгоняет из себя жир при помощи молодой любовницы».

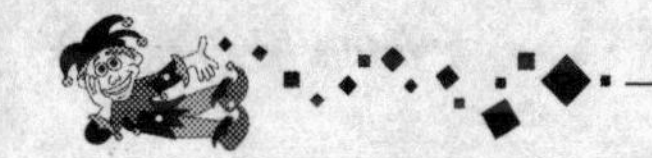

— Как ты можешь просить у меня денег в такой момент? — возмутился между тем Орехов. — Ведь ты лучше кого бы то ни было знаешь, в каком я сейчас нахожусь отчаянном положении! После бегства Егорова я буквально на грани разорения!

Мила ему не верила. Орехов был человеком-удачей. У него получалось все, за что бы он ни брался. Он обращал в золото любой мусор и сумел сделать деньги на таких глупых вещах, как табуретки с подогревом и ароматизированные носки. В смутные времена перестройки Орехов еще работал по специальности, возглавляя скудно финансируемый и довольно убогий в смысле полиграфического исполнения журнал «Самородки России». Журнал, по мнению свихнувшихся на русской идее хозяев, должен был поддерживать живую мысль, все еще бившуюся в отечественной глубинке. Мила не переставала удивляться, как при столь мизерном тираже провинциальные читатели вообще смогли узнать о существовании этого светоча мысли. Тем не менее на редакцию в первые же месяцы обрушился шквал писем, телефонных звонков и личных посещений самородков. Подавляющему большинству из них самое место было в сумасшедшем доме. Однако Орехов во всей этой куче мусора постоянно ухитрялся находить жемчужные зерна.

Когда журнал приказал долго жить, он сделал ставку на провинциальных гениев и принялся запускать в производство их проекты. На памяти Милы был строительный набор, из которого можно было построить дачный домик без единого гвоздя, с помощью суперклея, насмерть схватывавшего все подряд. Позже на основе этого клея был создан суперстойкий лак для ногтей и суперрастворитель для него. Потом шли пояса от ревматизма из шерсти северных собак, прыгающие витамины для детей и кеды со встроенным шагомером.

— Хочешь, я покажу тебе свои бухгалтерские книги? — предложил Орехов, упираясь ладонями в стол и нависая над Милой.

— Не стоит, — сказала та. — Я знаю, что Егоров опустошил ваш общий сейф. Но у тебя ведь наверняка что-то осталось! Ты не объявил себя банкротом, твоя фирма продолжает существовать. Кроме того, ты все еще ездишь на своей дорогой машине — я видела ее внизу на стоянке...

— Послушай! — Орехов взлохматил волосы, как делал всегда, когда нервничал. — Я нашел нового инвестора. Он дает деньги под чертовски выгодный проект. Если у нас все получится, я куплю дорогую машину и тебе тоже, обещаю.

— Мне не нужна машина! — закричала Мила и, вскочив, топнула ногой. — Мне нужен телохранитель. Причем не когда-нибудь, а прямо сейчас!

Она топнула второй ногой, и Орехов зашикал на нее:

— Тише ты! Сейчас должен прийти этот самый инвестор. Очень приличный человек. Мне бы не хотелось, чтобы он застал в моем кабинете зареванную истеричку. Ты снизишь мой рейтинг. После бегства Егорова он у меня и так сильно упал.

Егоров и Орехов долгое время были партнерами. Все у них шло просто прекрасно. Однако около месяца назад совершенно неожиданно для всех Егоров бежал в неизвестном направлении, бросив на произвол судьбы жену и ребенка и предварительно опустошив сейф фирмы. Судя по всему, Орехов оправился от удара, но признавать этого перед Милой не желал.

— Послушай, давай обсудим все трезво! — Он снова уселся в кресло и посмотрел на нее теплыми карими глазами. На его лице глаза были самой сногсшибательной деталью. Наверное, с их помощью он и покорил свою Гулливершу. Сейчас по их выражению Мила совершенно отчетливо поняла, что денег он ей не даст.

— Чудовище, — зловещим шепотом сказала она. —

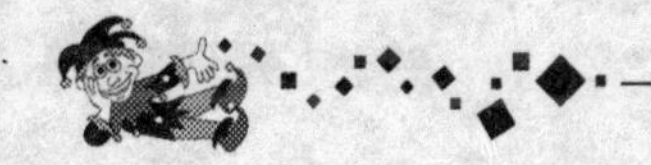

Когда меня застрелят, обещаю, что буду являться тебе каждую ночь и напоминать о сегодняшнем разговоре!

— Подожди пророчествовать, — досадливо сморщился Орехов, которому явно не хотелось видеть во сне мертвую жену, исполненную укора. — Скажи-ка лучше: ты знаешь, за что тебя хотят убить?

— Если бы я это знала, — сердито ответила Мила, — то уж, наверное, что-нибудь предприняла бы! Конечно, не знаю.

— Но это самый настоящий абсурд! Тебя некому убивать! Некому и не за что.

— Ты думаешь, это была шутка? — изумилась Мила. — Но я почувствовала даже движение воздуха от просвистевшей пули!

— И все-таки ты осталась жива.

— Считаешь, меня хотели только напугать?

— Да ради чего тебя пугать? — спросил Орехов, еще раз подчеркивая ее ничтожный социальный статус.

— Тогда что же?!

— Думаю, стреляли в твоего приятеля Цимжанова. Если он не дурак, то уже сам это понял и предпринял соответствующие меры. Мила, ну подумай сама: есть ли в твоей жизни какая-нибудь тайна? Хоть что-нибудь, достойное убийства? Ничего. Ведь правда? Признайся!

Несмотря на то, что Орехов пытался ее успокоить, его слова прозвучали как оскорбление.

— Ты просто одинокая женщина средних лет, — продолжал он, не обращая внимания на изменившееся лицо Милы и ее прищуренный правый глаз.

Мила сосредоточенно думала: «Наверное, Илья прав. Уж в чем, в чем, а в здравом смысле ему не откажешь».

— Но почему этот тип промахнулся? — выпалила она. Эта мысль терзала ее с самого начала.

— Что, если он дилетант? — пожал плечами Орехов. — Возможно, это какой-нибудь дружок Софьи. Я же знаю, она всегда ревновала к тебе своего Алика. Кстати, ваши отношения так и не перешли в другую плоскость? — Он прочертил рукой горизонтальную линию, показывая, какую плоскость имеет в виду.

— Тебя это абсолютно не касается, — ответила Мила, поднимаясь на ноги.

В самом деле, что это она так поддалась панике? Ее действительно не за что убивать. И не потому, что она такая никчемная, а, напротив даже, потому, что со всех сторон положительная. Не ввязывается в криминальные истории, не заводит сомнительных связей.

— Впрочем, если ты так боишься, — сказал ей в спину Орехов, — поживи у родителей.

— Там сейчас Ольга со своим четвертым мужем Николаем, — отозвалась Мила, живо развернувшись. — Насколько я понимаю, Николаю нравятся высокие потолки и кулинарный талант их экономки. Поскольку он не в состоянии добиться всего этого сам, то решил воспользоваться тем, что может предложить женушка.

— Почему-то я рад, что мне не нужно с ним знакомиться, — признался Орехов, загибая уголки рта двумя крючочками вверх.

Мила тут же вспомнила, что когда-то давно считала его неотразимым. Он и сейчас был хорош, но теперь, спустя годы совместной жизни, когда она знала не только его лицевую, но и изнаночную сторону, чувство потери быстро исчезло. «Тем более, — подумала она, — у Орехова лицевая сторона всего одна, а изнанок — как минимум десяток».

Захлопнув за собой дверь кабинета, Мила очутилась в приемной и невольно посмотрела на секретарский стол. Он выглядел покинутым и ненужным. Раньше за ним восседала потрясающая Вика Ступавина, молодая буйногривая брюнетка с глазами цвета горчицы и красным ртом от «Ревлон». Судя по всему, она сбежала вместе с Егоровым, хотя соседи, которые видели ее спешный отъезд, уверяли, что Вика уехала одна на такси. Однако

в тот же самый день, когда испарился и один из ее боссов. Конечно, это мало походило на совпадение.

Брошенная Егоровым жена Леночка предприняла собственное расследование, но даже ей, жаждавшей скорой и страшной расправы, ничего доподлинно узнать не удалось. Кто-то когда-то слышал, что Егоров с вожделением говорил о домике неподалеку от Праги, другие намекали на Америку и дом с бассейном в жаркой Калифорнии.

«Интересно, — подумала Мила, — а Орехов мог бы нагреть партнера ради того, чтобы бежать в теплые страны со своей жирафоногой дылдой?» Она не успела решить, смог бы или нет, потому что уже вышла на улицу. И здесь, на ступеньках, нос к носу столкнулась с незнакомым, но весьма импозантным мужчиной. Хотя он был на полголовы ниже ее, Мила тотчас невольно приосанилась.

— Простите! — остановился незнакомец, когда, пробормотав извинения, она скользнула мимо. — Вы ведь Людмила Орехова, не так ли?

— Лютикова, — поправила та, удивленно оборачиваясь и глядя на незнакомца. — Я не брала фамилию мужа.

— Наслышан о вас. — Незнакомец потряс ее руку, которую подхватил без всякого стеснения. — Меня зовут Дмитрий. Дмитрий Дивояров. Мы с вашим мужем начинаем новый большой проект.

— Что вы говорите? Мы с ним тоже начинаем новый большой проект! — не удержалась от сарказма Мила. Она снова почувствовала себя брошенной. — Мы с ним разводимся.

Чело Дивоярова потемнело, хотя он всего лишь нарисовал одну морщинку между бровями.

— О! Мне так жаль. Впрочем, теперь, когда я вас увидел, точно не могу сказать, жаль мне или нет.

— В каком смысле? — опешила Мила.

— Мне приятно сознавать, что вы теперь свободная женщина.

Дивояров был свеж, чисто выбрит и оттого приятен глазу и обонянию. Говорил и двигался с ленцой, компенсируя незавидный рост барскими манерами. Руки у него были очень спокойные, несуетливые. Во время разговора он не жестикулировал, придерживая на губах неяркую улыбку, и тем приобретал над собеседником странное превосходство. Мила тотчас же попалась в эту ловушку и теперь не знала, как себя вести. Из-за этого она мгновенно взволновалась и раскраснелась.

— Не согласитесь выпить со мной чашечку кофе? — Дивояров указал упругим подбородком на соседнее кафе.

— Чашечку кофе я бы выпила с удовольствием, — сказала она, недоумевая, что понадобилось от нее этому человеку.

Дивояров подставил ей руку таким жестом, будто они были на танцах и он собирался вести ее в центр зала. Мила неохотно просунула кисть ему под локоть и тут же ощутила, насколько мягкое у него пальто.

«Нет, этому типу явно от меня что-то нужно», — подумала она и вздрогнула, увидев в витрине свое отражение. Ее прическа наводила на мысль об ураганном ветре. И прямо на лбу был написан возраст с точностью до месяца.

— Хотите что-нибудь сладкое? — спросил Дивояров, раскрывая пластиковое меню.

— Благодарю, но я на диете.

— Женщины изнурены одной идеей похудания, — почти сердито сказал Дивояров. — Вы ведь можете позволить себе что угодно. У вас идеальные формы для тридцатилетней женщины.

Комплимент показался ей симпатичным и весьма искренним, однако Мила ни на секунду не усомнилась в том, что ее мыслят для чего-то использовать. Кое-как поддерживая беседу, она ждала, когда же Дивояров приступит к завуалированному допросу. Внутренне она была готова к нему и напрягалась так, что у нее даже заболел пресс. Однако этот странный человек так ничего и не спросил. Он рассказывал ей смешные истории и вынуждал без конца улыбаться.

— Разрешите предложить вам свою визитную карточку? — спросил он и, слазив в карман, вложил в руку Милы атласный прямоугольник.

Жест был почти интимным. Мила тотчас отставила чашку и засобиралась домой. Дивояров вывел ее на улицу, придерживая за талию, и, опутав длинным восхищенным взором, неохотно отпустил.

— Очень приятно было с вами познакомиться, — сообщил он. — Уверен, мы еще встретимся.

— Звучит довольно зловеще, — пробормотала Мила, ожидая, что Дивояров что-нибудь скажет на это.

Однако он только тяжко вздохнул, словно страдалец, которого рассвет гонит из-под балкона любимой женщины. Оставшись одна, Мила купила в киоске возле метро баночку джина с тоником и, усевшись на скамейку, вылакала ее, раздумывая о том, что делать дальше. Орехов абсолютно и безоговорочно убедил ее в том, что мужик в колготках стрелял не в нее, а в Алика. «Я буду последней сволочью, если не предупрежу старого друга об опасности! — решила Мила и купила себе еще одну баночку легкого спиртного. — Правда, рассказ мой будет звучать дико. Вероятно, надо предупредить его анонимно». Через полчаса сам бог повелел, чтобы Мила прикончила третью баночку джина и в придачу к нему бутылку светлого английского пива. После этого смелость уже просто распирала ее, и она решила выполнить задуманное тут же, не откладывая дела в долгий ящик.

Конечно, если она позвонит в редакцию и просто изменит голос, Любочка Крупенникова ее не опознает. Но сам Алик! Они знакомы тыщу лет, и ее могут выдать интонации. Значит, надо придумать какой-нибудь трюк.

Очень кстати Мила вспомнила, как в детстве они с подружками басом разговаривали в стакан. Звук получался захватывающим. Захмелевшая Мила растерянно огляделась по сторонам. Отложить мероприятие до дому? А вдруг Алика укокошат прямо сейчас?

Чувство справедливости погнало Милу к небольшому застекленному магазинчику, выстроенному прямо возле выхода из метро.

— Простите, у вас есть граненый стакан? — важно спросила она у толстой нарумяненной продавщицы с обесцвеченными усами.

— Шутите, что ли? — ухмыльнулась та.

— Ну хорошо, а банка? — не отставала Мила. — Стеклянная?

— Вот, пожалуйста, банок миллион! — продавщица махнула рукой в направлении полок.

Здесь действительно стояли банки, в которых находились продукты — огурчики, баклажанная икра, кукуруза.

— Какую вам?

— С широким горлышком, — сообщила Мила, намертво вцепившись пальцами в край прилавка. — Чтобы я могла пролезть туда ртом.

— Зачем ртом? — опешила продавщица. — Возьмите вон пластмассовую ложку. Пять штук в упаковке, недорого. Так чего вы будете?

— Майонез, — сообщила Мила, прицениврвшись к самой пузатой банке на полке. — Вон тот, с желтой крышечкой.

Продавщица молча пробила чек и подала Миле банку и пластмассовые ложки. Мила схватила свои покупки и отправилась на улицу, к таксофонам. Выбрав самый крайний, она поставила на подвесную полочку майонез и принялась зубами вскрывать упаковку с ложками. Мысль вытряхнуть майонез в урну просто не пришла ей в голову. Спиртное в крови да еще оказавшиеся в наличии ложки ее дезориентировали.

Открутив у банки крышку, Мила отправила в рот первую порцию. Майонез был вкусным, но жирным. И если первая половина банки проскочила почти незаметно, то вторую желудок уже просто отторгал.

Мила сунула нос в полупустую банку и басом сказала:

— Эй, ты! Тебя хотят убить! Берегись!

Судя по всему, майонез все-таки мешал появиться эху, и нужного эффекта не получилось. Мила с отвращением принялась доедать остатки продукта, время от времени пробуя звук. Она отправляла ложку майонеза в рот, проглатывала ее, потом подносила банку к губам и страшным голосом говорила: «Ха-а!» Наконец банка опустела окончательно.

Сыто рыгнув, Мила подняла глаза и увидела, что возле таксофона толпятся люди, которые смотрят на нее с брезгливым интересом.

— Чего тебе? — нелюбезно спросила Мила, обращаясь к толстячку в шапке-пирожке, который стоял ближе всех.

— Мне позвонить, — трусливо пояснил тот.

— Вот же хамы! — возмутилась Мила. — Обязательно надо звонить там, где я стою! Таксофонов — целый лес!

— Но работает только этот, — пятясь, пояснил мужчина.

— Сначала я, — жестом остановила его Мила.

Она достала из кошелька телефонную карту и долго пыталась скормить ее автомату. Наконец попала прямо в прорезь и с четвертой попытки набрала номер редакции.

— Вас слушают! «Возраст женщины»! — донесся до нее полный искусственной доброты голос Любочки.

— На! — сказала Мила, внезапно протягивая трубку мужчине в «пирожке». — Позови к телефону Альберта Николаевича. Быстрее закончим.

Тот послушно взял трубку и исполнил просьбу.

— Мне бы Альберта Николаевича, — взволнованно пискнул он.

— Умница, — похвалила его Мила, вырывая трубку обратно.

— Алло! — услышала она голос Алика Цимжанова.

Мила схватила банку и, поднеся ее к правой половине рта, страшным голосом сказала:

— Это предупреждение! Тебя хотят убить!

— Кто это? — рассердился далекий Алик.

— Доброжелатель.

— Что вам надо?!

— За тобой охотится убийца в колготках на голове, — замогильным тоном сообщила Мила. — Он хочет выстрелить в тебя из пистолета! Будь осторожным. Найми телохранителя. Ты все понял?

Неожиданно для себя она икнула прямо в банку, и со стороны показалось, что это всхлип или смех. Все в целом получилось довольно зловеще.

— Надо милицию позвать! — возмущенно сказала какая-то тетка, увешанная пакетами. — Это ведь телефонная хулиганка!

— Да я наоборот! — обиделась Мила. — Я предупредила хорошего человека!

— Угу, угу, — покивала головой тетка, показывая, что нисколечко не поверила. — Такие вот звонят по разным учреждениям и говорят, что там заложена бомба.

Оскорбленная до глубины души Мила отправилась к Ольге. Та встретила ее страшным воплем:

— А-а! Вот она! Видали?

— Что значит — видали? — пробормотала Мила, отставляя голову подальше, отчего у нее появился второй подбородок. — Чего ты на меня кричишь?

— Я все утро обрывала телефон — тебя нет. Тогда я позвонила частному детективу, которого мы вчера наняли. Он вскрыл балконную дверь, и оказалось, что ты

испарилась! Хотя он клялся, что утром ты была не в состоянии не только ходить, но даже лежать по-человечески.

— Он судил по себе, — заметила Мила, нога об ногу сковыривая туфли. — Как ты думаешь, я могу понравиться богатому мужчине?

— В настоящий момент? — уточнила Ольга.

— Ну да, именно в настоящий.

— Безусловно, если он лишен обоняния, имеет сильные дефекты зрения и при этом раздавил свои очки.

— Боже! Боже! Что же тогда ему было от меня нужно?! — воскликнула Мила, отправляясь на кухню с воздетыми вверх руками.

Ольга побежала за ней, спрашивая на ходу:

— Кому нужно? Что ты опять натворила?

— Я ездила к Орехову за деньгами, но он ни шиша мне не дал! Сказал, что стреляли, конечно, в Алика, потому что я слишком ничтожное создание, чтобы меня убивать.

— Сволочь, — с чувством произнесла Ольга, судорожно щелкая зажигалкой.

— А потом на улице я встретила его нового инвестора. Он повел меня пить кофе. — Мила пристально поглядела на Ольгу и спросила: — Как ты думаешь, зачем?

— Возможно, он тебя просто пожалел, — предположила та. — Вид у тебя, скажем прямо, не блестящий.

— Но он делал мне комплименты. Сбросил десяток лет, обаял, дал визитную карточку...

— Н-да, — пробормотала Ольга, еще раз критически оглядев пьяную сестру. — Тут и в самом деле что-то не то. Кстати, твой Орехов — умный мужчина. Что, если он прав и стреляли все-таки в Алика? Его тогда надо предупредить! Мы ведь с тобой думали об этом!

— Я уже звонила ему.

— Он тебя не узнал? — забеспокоилась Ольга.

— Я говорила в банку. Чтобы освободить ее, мне

пришлось съесть триста грамм немецкого майонеза. До сих пор не могу поверить, что он переварился. Наверное, растворился в джине. Или в пиве.

— Ты ела майонез с пивом? — испугалась Ольга. — Боже мой! Где? Заказала в кафе?

— Нет, я ела его на улице, возле таксофона.

— Это ужасно. Вижу, встречи с Ореховым действуют на тебя самым удручающим образом. Надо положить им конец!

— Он и положил. Ты не забыла? Мы расстались. И теперь, кроме денег, нам больше не о чем разговаривать.

— Дорогая, но ведь разговор о деньгах — самый важный разговор для женщины! — удивилась Ольга.

— И это говоришь ты, которая втрескалась в молодого идиота с дырявыми карманами!

— Да, но у Николая будут деньги! Он ожидает их со дня на день! Он обещал сразу же купить для меня «Ситроен XM». И норковую шубу.

— Ты собираешься обивать мехом спальню? Если я не ошибаюсь, у тебя от каждого мужа осталось по шубе, — заметила Мила.

— Значит, должна остаться и от Николая.

Ольге трудно было отказать в логике, поэтому Мила решила оставить тему Николая в стороне.

— Не могу поверить, что все это мне не снится! — призналась она, заливая в себя вторую кружку кофе с молоком. — Еще недавно я тряслась от ужаса, а теперь — пуф-ф! Все мои страхи развеялись, точно дымок затухающего костра. И дышится так... — Она глубоко вдохнула и замерла с открытым ртом.

— Что? — испугалась Мила.

— Кажется, это майонез.

— Тебе не надо было выходить из дому! Ты могла бы позвонить Орехову по телефону.

— Тогда бы он мне точно ничего не дал. А так — глаза в глаза — был шанс.

— Надо позвонить нашему частному детективу. Убеждена, что он потерял голову от беспокойства.

Ольга схватила телефон и быстро набрала номер, который за утро выучила наизусть. Однако на звонок никто не ответил. Борис сидел на подоконнике в подъезде, а «их частный детектив» спал, положив под голову руки, трогательно сложенные корабликом.

— Вероятно, стоит отказаться от услуг Глубоководного, — заявила Мила, наблюдая за сестрой. — Зачем он мне теперь, когда ясно, что мне ничто не угрожает?

— Да-да, ты права, — кивнула головой та. — Теперь он только все осложнит. Возможно, именно сейчас он копается в твоем грязном белье.

— Он ничего там не найдет, — повела бровями Мила. — Я постирала все, кроме банного полотенца. Пожалуй, я переночую здесь, в своей старой комнатке.

— Переночуешь? Но еще день! — возмутилась Ольга. — Нельзя вести такую жизнь, когда все вверх ногами!

— У меня чрезвычайные обстоятельства, — пробормотала Мила, повесила голову на грудь и закрыла глаза.

7

Следующим утром Ольга рывком распахнула дверь и помедлила на пороге. Ее сестрица сладко спала, свернувшись калачиком в постели. Короткие встрепанные волосы, румяная щека с отпечатком пуговицы от наволочки и блаженное выражение на физиономии. Как будто ей всего восемь, а не тридцать восемь.

Проходя мимо стола, Ольга на секунду остановилась. Ее внимание привлек стандартный лист бумаги, исписанный весело взбрыкивающими буквами. Приподняв бровь, она прочитала название: «Двое в многоэтажке». Далее следовало слово «Врез» и фраза: «Семь лет они жили на одной лестничной площадке, но никогда не смотрели друг другу в глаза, даже в лифте». Ольга фыркнула и небрежно стряхнула на лист пепел с сигареты, которую держала в руке.

— Милка! — громко сказала она. — Немедленно просыпайся.

— Ну что опять? — проскулила та, отворачиваясь к стене. — Зачем я тебе понадобилась в такую рань?

— С тобой срочно хочет пообщаться жена твоего прежнего любовника.

— Прежнего любовника? — пробормотала Мила уже значительно менее противным тоном. — И как она меня нашла?

— Ничего удивительного, дорогая! — хмыкнула Ольга. — Тут живут твои мама и папа. Логично было поискать тебя у них.

— Я могла быть где угодно, — пробормотала Мила, с кряхтеньем принимая сидячее положение. — А зачем я ей сдалась? Черт, и какого любовника?

— Хлюпова, разумеется. Разве у тебя до Гуркина был еще какой-нибудь любовник?

— Вот гадство! Что ты ей сказала?

— Сказала, чтобы перезвонила попозже. Минут через пятнадцать. Учитывая твою бойкость, ты, возможно, даже успеешь почистить зубы.

Мила завозилась в постели.

— Она не призналась, чего хочет? Мы ведь, черт побери, незнакомы. Как она представилась?

— Снежаной. — Ольга пожала плечами и, понизив голос, добавила: — Несла какую-то галиматью про Мексику.

— Да? — заинтересовалась Мила, приглаживая волосы пятерней. — А поподробнее?

— Ну... Она сказала, будто бы Толик Хлюпов умер.

Мила некоторое время молча смотрела на сестру, потом ее зеленые глаза гневно сверкнули.

— Ольга, ты в своем уме?! — воскликнула она, отбрасывая одеяло. — Что значит — умер?

— Я вот тоже удивилась. Но она настаивала. Она, знаешь, была чертовски серьезна.

— Но при чем здесь я? — кипятилась Мила.

— Не знаю, не знаю... — пробормотала Ольга и, потянувшись в сторону импровизированной пепельницы, постучала острым ногтем по сигарете.

— Ты засыпала пеплом мой черновик! — мгновенно обвинила ее Мила. — Ни стыда ни совести.

— У тебя все равно не возьмут опус с таким ужасным названием.

— Еще как возьмут, — пообещала Мила. — Если ты, конечно, окончательно не загадишь плоды моих ночных раздумий.

В соседней комнате телефон издал несколько требовательных восклицаний.

— О! — сказала Ольга, воздев палец. — Уверена, мадам Хлюпова рассчитывает на то, что ты уже ополоснула морду и сделала пару приседаний.

Мила выпрыгнула из постели и быстро-быстро прошлепала босыми ногами по паркету.

— Алло! — сказала она голосом, вобравшим в себя всю мировую скорбь. — У телефона Людмила Лютикова.

С заинтересованным лицом Ольга подошла поближе.

— Здесь, внизу? Черт побери, конечно, заходите! Она сейчас поднимется, — пояснила она для Ольги, положив трубку на место. — Ничего, что я приму ее в халате и неумытая? Ладно, не отвечай. Даже если «чего», все равно не успею одеться.

Через минуту она уже открывала дверь Снежане Хлюповой. Это была дама средних лет, весьма примечательной внешности. Казалось, будто в детстве ей в качестве утешения предложили сыграть прекрасную принцессу, она вошла в образ, да так в нем и застряла. Она была маленькой, пухленькой и некрасивой. Длинные белые волосы спускались по плечам до самого пояса. Эти волосы да еще сильно накрашенный рот совсем ей не шли.

— Это вы Лютикова? — спросила мадам надтреснутым голосом. — Меня зовут Снежана. Я могу войти?

— Э-э... — озадаченно протянула Мила. — Конечно. Пойдемте на кухню. Выпьем по чашечке кофе. Вы как?

— Очень хорошо.

— Сестра сказала мне, что вы жена Толика Хлюпова, — осторожно забросила удочку Мила, не представляя, чего ждать от странной гостьи.

— Сказать вернее, — неожиданно всхлипнула женщина с накрахмаленным именем Снежана, — я его вдова.

Она достала из кармана носовой платок и несколько раз глухо протрубила в него. Потом отняла платок от лица и пояснила:

— Толик умер сегодня рано утром.

Мучившаяся похмельем Мила почувствовала себя еще хуже, чем минуту назад. Толик Хлюпов был ее единственной супружеской изменой. Однако они давно расстались, Толик женился и сгинул навсегда. До сих пор Мила понятия не имела, кого он осчастливил штампиком в паспорте.

— Сочувствую вам, — пробормотала Мила и тут же спросила: — А что с ним случилось? Катастрофа на дороге?

— Нет. — Снежана покачала головой, а ее волосы, прилипшие к плащу, который она не пожелала снять, при этом даже не пошевелились. — Он отравился.

Выпитая чашечка кофе в желудке у Милы заволновалась. Щеки мгновенно покрылись легкой зеленью.

— Когда я приехала в больницу, — продолжала плачущим голосом белокурая вдова, — он уже испускал последние вздохи.

— Простите, я что-то никак...

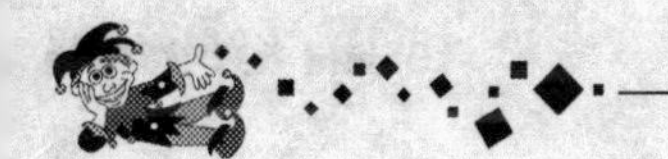

— Сейчас все поймете. Перед тем как его глаза навсегда закрылись, он изо всех сил схватил меня за руку, — Снежана показала, как он это сделал, вцепившись похолодевшей Миле в запястье, — и прохрипел: — «Вопрос жизни и смерти. Срочно найди Милу Лютикову и скажи ей...»

— Меня? — ахнула Мила.

Ольга, которая стояла на пороге кухни, округлив рот и глаза, схватилась за горло.

— Я знала про вас с ним, — скорбно сообщила вдова. — Толик мне все рассказал. Для меня не было неожиданностью услышать ваше имя из его мертвеющих уст!

— Так что просил сказать мне Толик?

Мила думала, что услышит что-нибудь душераздирающее или хотя бы душещипательное. Однако Снежана ее форменным образом ошарашила:

— По правде говоря, нечто ужасно странное. Видите ли, он не успел закончить фразу. — Она снова полезла за платком и, опустив в него лицо, помусолила свой нос, размазав попутно и тушь, и помаду.

— Странное? — нетерпеливо переспросила Мила.

— Он прохрипел: «Скажи ей, чтобы она выбросила мексиканскую...»

— Что — мексиканскую? — вытаращила глаза Мила.

— Не знаю. Толик не успел договорить.

Женщины молча уставились друг на друга.

— Может быть, у него был бред? — высказала предположение Мила.

— Ни-ни! — запротестовала вдова. — Он был в сознании и отлично все понимал.

— Но у меня нет ничего мексиканского! — растопырила руки Мила.

— Может быть, он имел в виду шляпу? — робко спросила Снежана. — У вас есть дома мексиканская шляпа?

— Есть широкополая шляпа с завязочками. Может,

она и мексиканская. Только почему я должна ее выбрасывать?

— Я не знаю, — промямлила Снежана. — Сказать по правде, я надеялась, что вам его слова о чем-то скажут...

Однако Миле его слова ни о чем не говорили.

— Извините, но больше мне нечего вам сказать. — Свежеиспеченная вдова поднялась на ноги и двинулась в коридор. — Я сделала так, как велел Толик. И больше я вам ничем помочь не могу.

Когда за ней захлопнулась дверь, Ольга растерзала обертку на новой пачке сигарет и, затянувшись, выпустила дым в потолок, высоко закинув голову.

— Ну и дела! — протянула она. — Милка — ты самый настоящий магнит, притягивающий всякие глупости.

Мила ее не слушала. Она продолжала ломать голову над последними словами умирающего. Подумать только! Бывший любовник перед смертью просит передать ей сообщение: «Выброси мексиканскую...» Для него это было важно, раз он потребовал от жены найти Милу срочно и всенепременно.

— Ну, что скажешь? — спросила она окутанную клубами дыма Ольгу. — Полагаешь, это серьезно?

— Давай допустим, что серьезно. Тебе приходит что-нибудь в голову по поводу прилагательного «мексиканская»? Ну, быстренько, навскидку!

— Мексиканская кухня, мексиканская прерия, мексиканская гитара, мексиканская фазенда...

— Гитара испанская, а фазенда бразильская, — тут же поправила ее Ольга.

— А больше я ничего не знаю.

— Давай посмотрим по словарю, — предложила Ольга.

Она притащила «Советский энциклопедический словарь» восемьдесят четвертого года выпуска и принялась его листать. В словаре, кроме непосредственно Мексики, обнаружились еще Мексиканское нагорье, Мексиканский университет и мексиканская революция. А на десерт Мексиканская коммунистическая партия. Сестры были откровенно разочарованы.

— Придумай что-нибудь еще! — потребовала Ольга.

— Все равно, что бы я ни придумала, этого нет у меня дома! И я не могу это выбросить. Не могу выполнить последнюю волю умирающего!

8

«Мексиканская» загадка была разгадана в тот же день, как только Мила возвратилась домой. Она сразу поняла, что на кухне побывал кто-то посторонний. Все здесь было замусорено, а вещи лежали не на своих местах. На столе, прижатая солонкой, обнаружилась записка следующего содержания.

«Дорогая Милочка! Поругался с женой и не знал, куда пойти. Вспомнил, что у меня остались ключи от твоей квартиры, где когда-то мы были так счастливы вдвоем. Явился поздно, но тебя, увы, не застал. Позвони мне! Извини, что покусился на твои продовольственные запасы — выпил пакет молока и поджарил «мексиканскую смесь», которую нашел в морозилке. Навсегда твой Толик Хлюпов».

«Мексиканская смесь»! — возликовала Мила. — Вот что имел в виду умирающий Толик!» Впрочем, следующая мысль мгновенно остудила ее радость. Толик скончался в больнице от отравления. Перед смертью велел срочно найти Милу и передать ей, чтобы она выбросила «мексиканскую». Вероятно, он имел в виду смесь. Сказал, это вопрос жизни и смерти. Неужели он отравился этим самым продуктом? Здесь, у нее в доме?!

Поскольку сковорода была пуста, Мила залезла в холодильник и, как и предполагала, обнаружила там мисочку, в которую Толик аккуратно сгреб остатки рокового ужина. Опасливо понюхав ее содержимое и не обнаружив ничего особенного, Мила все-таки решила не рисковать. Она положила предполагаемую отраву в пакет, завязала его тугим узелком и тщательно вымыла руки. После этого принялась названивать своей самой близкой подруге Татьяне Капельниковой, которая работала медсестрой в одной из городских больниц.

История о смерти бывшего любовника подругу потрясла.

— Ты, конечно, хочешь выяснить содержимое миски? — по-деловому поинтересовалась она, выслушав взволнованную Милу. — Ладно, притаскивай ее поскорее ко мне. Я свяжусь с ребятами из санэпидемстанции. Только надо придумать подходящую легенду.

— Скажи, что у тебя сдохла собака и ты подозреваешь, будто ее отравила соседка по даче. Пусть проверят, что не так с этой дурацкой смесью.

— Мысль! — обрадовалась Татьяна. — Выезжай, а я сажусь на телефон.

Вечером выяснилось, что в смесь кто-то накрошил поганок. Видимо, перчик скрасил Толику их вкус. Впрочем, кто из живых знает, какие на вкус поганки?

— Послушай, где ты купила эту смесь? — строго спросила у Милы Татьяна, приехав к ней после работы. — На оптовом рынке?

— Не поверишь — в соседнем супермаркете.

— Тебе нужно обратиться в милицию. Пусть они сделают в этом магазине контрольную закупку.

Несмотря на то что подруги были ровесницами, Татьяна выглядела лет на пятнадцать старше Милы. У нее была типично «бабская» внешность: перманент, устало обвисшие щеки и мягкий складчатый живот. Из косметики она пользовалась только румянами да голубыми тенями. Впрочем, дружбе подобные нюансы нисколько не мешали, потому что завязалась она еще в детском саду и закалилась в школьные годы. Теперь ее не брала

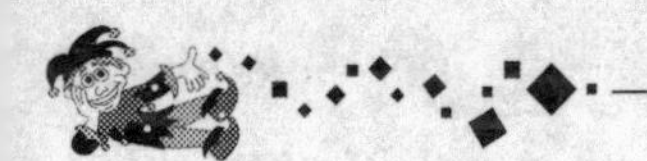

ни разница в социальном положении, ни во внешности, ни в жизненных установках.

— Ты соображаешь, что предлагаешь? — вскипела Мила, постучав по виску. — Следователи набросятся на меня, как шакалы на падаль. Испортят жизнь, затаскают по допросам.

— Послушай, а ты мусор выносила? — оживилась Татьяна. — Меня интересует тот пакет, в котором продавалась смесь.

Мила метнулась на кухню и притащила скомканный целлофановый пакет на развернутой газете.

— Сверху лежал, — сообщила она. — Срок хранения нормальный.

Простое обследование убедило женщин, что фирменный шов был нарушен, после чего пакет, очевидно, запаяли вручную. Скорее всего, раскаленным ножом.

— Итак, — сказала Татьяна строгим голосом, — налицо преступный умысел. Кто-то пробрался в твою квартиру и подсыпал отраву в мешок с замороженным полуфабрикатом. Поскольку появление голодного Хлюпова было абсолютно случайным, убрать, выходит, хотели тебя. Рано или поздно ты бы слопала это ассорти с поганками.

— Что-то мне нехорошо, — пробормотала Мила, с ужасом взирая на пустой пакет.

— Да уж чего хорошего. — Татьяна озабоченно погрызла ноготь и спросила: — А у кого еще есть ключи от твоей квартиры? Кроме Хлюпова?

— Не хочу тебе говорить, — мрачно сказала Мила, ненавидевшая выговоры.

— Ах, так! Выходит, ты наделала кучу дубликатов!

— Почему это должен быть обязательно человек с ключами?

— Потому что настоящий бандит убил бы тебя бандитским способом, согласна? Ножом в спину, например. Значит, это кто-то свой, домашний.

— Прекрати! — взвизгнула Мила и, вскочив, принялась бегать по комнате, кусая губы.

— Ну, так у кого есть ключи? — снова спросила Татьяна.

— У тебя, например!

— У меня?! Ах да... — тут же стушевалась Татьяна. — Я уже и забыла. Ты же мне их лет пять назад дала, когда в отпуск уезжала. Почему обратно не потребовала?

— Забыла.

— Ладно, я — это раз, — вздохнула Татьяна. — Кто еще? У твоего нынешнего хахаля Гуркина небось тоже есть?

— Представь себе, у хахаля нету! — ехидно ответила Мила.

— Нет, так мы далеко не уедем, — сказала Татьяна. — Нужен кто-то компетентный.

— Господи! На меня ведь работает частный детектив! — встрепенулась Мила. — Совершенно про него забыла. Хотела уволить, и вот...

— Частный детектив? Зачем он тебе сдался?

— Меня один раз уже хотели укокошить. Я заволновалась, наняла этого самого частного детектива, но потом меня убедили в том, что убийца охотился вовсе не за мной. Только было я успокоилась, как вот, пожалуйста — поганки в мешочке с овощами! Каков же вывод? Меня, меня хотят убить, а не Алика!

Мила принялась рассказывать Татьяне всю историю с самого начала и одновременно звонила Ольге. Однако сестрицы не оказалось дома.

— Николай потребовал, чтобы она вывела его в свет, — сообщила мама, — и они отправились в ресторан.

— Надеюсь, ты ненавидишь этого типа так же, как я!

— Дорогая, так нельзя, — всполошилась мама. — Николай уже начал догадываться о том, что ты не смогла его полюбить.

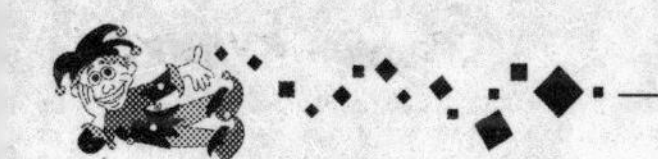

— Всего лишь начал догадываться? — изумилась та. — Значит, он еще и тугодум.

Татьяна дождалась, пока подруга закончит разговор, и важно сказала:

— Тебе нужен телохранитель.

— Ха! Я просто грежу о нем. Но у меня нет денег.

— Может быть, отказаться от услуг частного детектива? И нанять вместо него...

— Не получится. Частный детектив обходится мне в копейки. Если его и удастся променять, то только на сторожа-пенсионера, которого можно переманить с какого-нибудь склада, пообещав ему место у батареи.

— Неужели нет никакого выхода? — прикусила губу Татьяна. — В вашей семье случайно не найдется старой картины, которую можно было бы незаметно стырить и продать с аукциона?

Мила огорченно помотала головой:

— Ни тебе картин, ни бриллиантов. Нет-нет, тут нужно что-то кардинальное. Например, я должна сама заработать деньги!

— Решение, конечно, хорошее, — одобрила Татьяна. — Только что ты умеешь делать, кроме как бумагу марать?

— Ну... Не знаю. Печь пирожки.

— Здорово. У тебя есть бабушкин рецепт? Особенный, на котором ты сможешь сделать состояние?

— Рецепта нет. Но я могу посмотреть в кулинарной книге.

— Это все не то. Нужно что-нибудь такое... родовое... особенное.

Лицо Милы неожиданно прояснилось.

— Таня! — воскликнула она. — Вторая моя бабка научила меня варить мазь от геморроя! Она в деревне жила, так к ней из всех соседних областей люди ездили.

— Слушай, а что? — оживилась Татьяна. — В газетах

полно объявлений. Травница, мол, старинные традиции. Это мысль! Ты рецепт хорошо помнишь?

— А чего там помнить? Берешь корни травы, измельчаешь в ступке...

— Какой травы?

— Ну, я не в курсе, как она называется, но могу узнать ее «в лицо»!

— Дорогая, на улице сентябрь, — напомнила Татьяна.

— И отлично. Бабка собирала корешки до первого мороза. Мне надо разок выехать за город и побродить по опушке. Я даже знаю, куда поеду. Всего несколько остановок на электричке. Помнишь то милое местечко, куда мы несколько раз выбирались на шашлыки? Станция Митяево? Так вот там этой травы — завались. Хватит на тысячу седалищ.

— А если твой рецепт не сработает?

— Если не сработает, никто не пострадает. Это же не отвар, который принимают внутрь. Никакой уголовной ответственности! — сообщила довольная Мила. — И кроме того, почему это он не сработает? Бабку деревенские на руках носили.

— Неужели у всей деревни был геморрой?

— А ты думала? Больных — сотни! Люди просто не выставляют эту болезнь напоказ.

— Я даже догадываюсь, почему.

— Эх, мне бы только клиентов найти! — стукнула кулаком по ладони Мила. — Я, конечно, дам объявление в газете, но ждать ответа придется долго!

— Подожди с объявлением. На первых порах я сама смогу помочь, — оживилась Татьяна. — Не забывай, что я работаю в поликлинике. Попробую шепнуть парочке страждущих твой телефончик.

— Таня, ты — гений. Ты просто не представляешь, как это для меня важно!

— Почему же? Очень хорошо представляю. Если бы

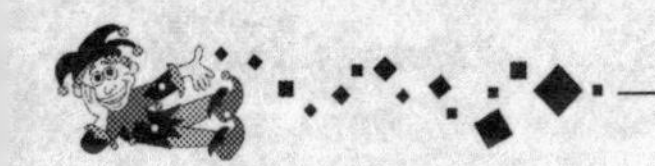

меня хотели застрелить и отравить, я бы тоже беспокоилась. И все же зря ты не хочешь вызвать милицию.

— Я посоветуюсь со своим частным детективом, — пообещала Мила, мельком глянув на потолок и подумав: «Интересно, что делает этот красавчик?» — Кстати, если я начну распространять мазь, мне потребуется для нее тара. Рекламировать препарат, а потом продавать его в баночках из-под майонеза как-то неудобно. А у вас в поликлинике случайно не завалялось ничего подходящего?

— Господи, конечно, нет! Кто же станет хранить пустые флаконы!

— Мало ли... Я вот иногда оставляю для хозяйственных нужд коробки из-под «Нивеи» или из-под витаминов.

— Может быть, тебе стоит дать объявление в газету как раз по этому поводу? — предложила Татьяна. — Народ натащит тебе пустой тары за копейки.

— Это мысль! — обрадовалась Мила. — Как ты думаешь, я еще успею дать рекламное объявление?

— Что, прямо сегодня? — удивилась Татьяна.

— А чего ждать? С мазью я решила твердо — надо ковать железо, пока горячо! Ты жди меня здесь. Заодно приготовь ужин. Да! Можешь смело считать это актом милосердия.

9

— Знаешь, куда она ездила? — спросил Борис, вышагивая по комнате с видом петуха, обнаружившего ямку с червями.

— Не знаю, — буркнул Константин, мучимый самыми дурными предчувствиями по поводу всего происходящего.

— В редакцию газеты. Она дала объявление.

— Надеюсь, тебе удалось прочитать текст?

— Еще бы! И какое объявление — пальчики оближешь! — Борис извлек из кармана скомканную бумажку и процитировал по ней: — «Куплю пустые пластмассовые баночки из-под кремов и пищевых добавок».

— Зачем это ей банки? — опешил Константин.

— Как? Тебе ничего не приходит в голову? — Борис скорчил многозначительную мину. — Ну, думай, думай.

— Хочешь сказать, она сама в этом замешана?

— А почему бы нет? Допустим, — Борис весь полыхал азартом, — она — из шайки покупателей «невидимки». Не думаю, что дед запродал-таки прямо технологию его изготовления — скорее всего, пробную партию. Не дурак же он в самом деле! Лютиковой поручили... ну, не знаю... расфасовать эту партию. И вот сейчас она пытается обеспечить для этого тару.

— Не лишено смысла, но коряво, — вынес вердикт Константин.

— А давай допустим, что типы, с которыми имел дело наш дед, — дилетанты! Сам подумай: откуда у него связи с наркодельцами?

— Но человеку с улицы ведь не предложишь эдакую сделку! — возразил Константин.

— Дед наш — большой оригинал, если ты запамятовал. Среди его знакомых можно найти буквально кого угодно. Может, он вообще не сам придумал наркотик изобретать? Может, его надоумили? Заказ ему сделали? Пообещали золотые горы?

— Вот это больше похоже на правду, — пробормотал Константин. — С чем совершенно не вяжутся пустые баночки из-под крема.

— После того как ты провел с Лютиковой ночь, ты к ней изменился! — обвиняющим тоном заявил Борис.

— Ну, да, я не черств, у меня есть чувства, — заявил тот, смерив брата монаршим взором. — Но можешь не

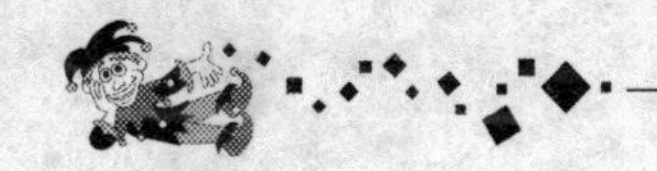

бояться: хотя Лютикова мне нравится, это не помешает делу. Единственное...

— Да?

— Мне бы хотелось уберечь ее от опасности. С какой стороны ни посмотри, выдавая себя за частного детектива, я ее обманываю. И это не невинная шалость, ведь на ее жизнь действительно покушаются.

— Я в этом не уверен.

— Но она явно кого-то боится! Это я тебе говорю!

— Я не меньше тебя заинтересован в том, чтобы она осталась жива, — помедлив, заявил Борис. — Я ведь не злодей какой-нибудь.

— Тогда давай по-тихому наймем для нее настоящего частного детектива.

— Ага! Чтобы он тотчас же расколол нас, как два гнилых ореха. Не забывай, под нашим покровительством еще Верочка, бабушка и доморощенный Билл Гейтс в коматозном состоянии.

— Тогда не частного сыщика, а телохранителя. У тебя ведь есть на фирме специальный человек, — обвиняющим тоном заявил Константин. — Перебрось его на другой объект.

— Нет уж, мой человек пусть занимается моей фирмой, — завредничал Борис. — Лучше давай возьмем кого-нибудь другого, со стороны.

— Хорошо, я этим займусь.

— Только выбери парня с нормальным лицом, а то твоя Лютикова, если вдруг заметит слежку, от страха отбросит свои симпатичные ножки. Хотя подожди! Есть у меня на примете один десантник. Бывший, конечно. Я ему сегодня позвоню.

Едва он это произнес, как у Константина на поясе загудел мобильный телефон.

— Алло! Здравствуйте, это Мила Лютикова, — услышал он взволнованный голос. — У меня тут кое-что случилось, не могли бы вы зайти?

— У нее что-то стряслось, — закрыв трубку ладонью, поделился Константин информацией с братом. И, убрав руку, пообещал: — Через минуту буду у вас!

— Открой ему, пожалуйста, — попросила Мила подругу, спешно скрываясь в ванной. — Надо хотя бы причесаться. В последнее время я разгуливаю по городу, как еж, которого сильно испугали.

— Твои интонации наводят меня на мысль, что тебе понравился этот мужчина, — заявила Татьяна.

И тут раздался звонок в дверь. Через минуту Мила услышала, как подруга игривым тоном говорит:

— Здра-авствуйте! Да проходите же, пожалуйста! Мы вас с нетерпением ждем.

Татьяна ворвалась перед Глубоковым на кухню и, сделав страшные глаза, прошептала:

— Он такой... Такой! — У нее не хватило слов и, вместо того чтобы закончить формулировку, она просто проглотила порцию воздуха.

Исполненный чувства собственного достоинства Глубоков улыбнулся Миле, словно звезда особо рьяному поклоннику, прыгающему в толпе.

— Салют! — сказал он. — Я пришел. Итак?

— Садитесь, — нервно предложила Мила.

До сих пор она не отдавала себе отчета, до какой степени у соседа сногсшибательная внешность. Однако Татьяна, которая явно пришла в дикий восторг, заставила ее взглянуть на него более объективно. Мила немного помолчала, чтобы минута тишины сделала ее заявление позначительней. После чего сообщила:

— У меня плохая новость: меня хотели отравить.

Она торжественно выложила на стол газету, на которой лежал одинокий пакет из-под замороженных овощей.

— Что это? — спросил Константин, потянувшись к нему.

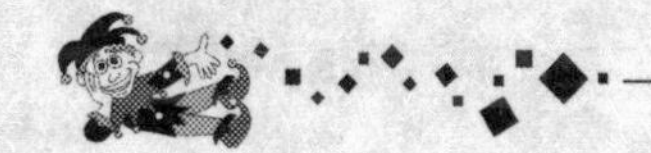

— Осторожно! — ахнула Татьяна, схватив его руку в две свои жадные ладони. — Там была отрава!

— Ладно, ладно, не волнуйтесь, я не стану облизывать пальцы до тех пор, пока не помою руки, — попытался освободиться тот. Когда ему это удалось, он снова повернулся к Миле: — Расскажите все с самого начала.

Мила устроилась на табуретке напротив него и начала сбивчиво рассказывать. Много времени это не заняло. Когда она закончила, Константин сказал:

— Выходит, поначалу ваша смерть задумывалась как бескровная и безмолвная. И это была, вероятно, первая попытка с вами разделаться. Ведь вы утверждаете, что купили эти овощи месяц назад.

— Да-да, очень давно.

— Положим, отравить их могли тоже очень давно. Но у вас все руки до них не доходили. И вот тогда-то... Тогда у вашего врага истощилось терпение и он нашел более радикальный способ от вас избавиться. Раздобыл пистолет, явился в редакцию...

— Но у меня нет врагов! — возразила Мила, разведя руки в стороны. — Поверьте, я совершенно обычная женщина! Жизнь моя невероятно проста, в ней все предсказуемо, как в американской внешней политике.

— Гм, — сказал Константин, который после консультаций с братом пришел к выводу, что у Лютиковой рыльце все же в пушку. — Возможно, есть какая-то вещь, которая, на ваш взгляд, кажется мелочью, а на взгляд преступника — убийственна для него.

— Не может быть, чтобы я ни о чем не догадывалась! — возразила та. — Кроме того, если уж я во что-то вляпываюсь, то всегда с брызгами и шумом. Планида такая.

— Этот пакет я заберу, — важно сказал Константин. — Кстати, вы не обращались в милицию?

— Н-нет, сестра мне не посоветовала.

— Ага, — кивнул головой он, как будто бы мнение

Ольги не подлежало обсуждению. — Прошу вас как можно реже выходить из дома. А лучше — вообще из него не выходить.

В Миле некоторое время боролись противоречивые чувства. В конечном итоге неистребимое желание заработать деньги на телохранителя одержало чистую победу.

— Сегодня может быть, — неохотно сказала она. — Но завтра с утра мне надо будет отлучиться.

— Куда? — живо спросил Константин. — Если уж не можете удержаться, то хотя бы сообщите мне маршрут.

— Ей надо в лес, — брякнула Татьяна, завороженно глядя на голубоглазого обманщика. — Выкапывать корни.

Тот моргнул и непонимающе уставился на нее.

— Она шутит. — Мила успокаивающе похлопала его по руке, а Татьяне изо всех сил наступила на ногу.

— Шучу, — подтвердила та, глупо хихикнув.

— Я поеду к мужу, — соврала Мила, и Глубоков нахмурился:

— Не так давно вы божились, что между вами все кончено.

— Так и есть. Просто мы делим имущество, и у нас возникли кое-какие трения по поводу э-э-э... комода. Кому он достанется. Редкая вещь, если вы знаете толк в мебели.

— А вы не могли бы... хм... отложить это мероприятие или хотя бы перенести его на вашу территорию? Пусть муж после работы приедет делить комод сюда.

— Я предложу ему, — пообещала Мила. — Правда, не знаю, согласится ли он. Квартира навевает на него тяжелые воспоминания.

— В общем, договоримся так, — подвел итог Константин. — Если вы поедете к мужу, то поставьте меня в известность по телефону. Договорились?

— Договорились! — пообещала Мила, глядя ему прямо в глаза и точно зная при этом, что звонить ему не будет, а ранним утром выскользнет из квартиры, никем не замеченная.

Она ни за что не хотела рассказывать частному сыщику о своих материальных затруднениях, о недоверии, которое она испытывает лично к нему, о намерении заработать деньги на телохранителя и тем более о способе, с помощью которого она собирается этого добиться. С одной стороны, ей было страшно шастать по улицам после того, как она точно выяснила, что на ее жизнь покушались дважды. С другой стороны, бездеятельность казалась ей еще худшим злом, чем кратковременный риск, который обернется денежной выгодой. А уж с деньгами можно будет позаботиться о себе по-настоящему.

10

Внешность Софьи, жены Алика Цимжанова, просто кричала о ее южных корнях. У нее была оливковая кожа, жемчужные зубы и обжигающе злые глаза — продолговатые и пристальные, как у пантеры. Кудрявые черные волосы она сегодня тщательно запрятала под вязаную шапочку, натянутую до бровей. Было около шести утра. Неверный Алик сладко спал на боку, приоткрыв рот и негромко перекатывая в горле мягкое «эр».

«Нет, он не достанется этой драной белой кошке!» — мстительно подумала Софья, которую жестокая ревность выгнала на тропу войны. Не далее как вчера вечером она подслушала разговор своего мужа с давним приятелем. Сначала мужчины сидели на кухне и громко обсуждали всякую чепуху. Однако Софья заметила, как блестят глаза ее мужа. Потом друзья заперлись в кабинете и заговорили приглушенными голосами. Софья тотчас же все поняла и бросилась подслушивать. То, что она узнала, повергло ее в шок. Алик все-таки дозрел до супружеской измены! И если прежде ненавистная Лютикова упорно держала его в друзьях, то теперь, после расставания с Ореховым, наконец-то капитулировала. Ах, какая коварная хищница! Она хочет устроить свою судьбу за ее счет! Не выйдет!

Всю ночь Софья терзалась ревностью и придумывала, как предотвратить самое ужасное. Алик собирался вести эту выдру в ресторан, а потом... Софья решила, что убьет Лютикову. Однако в таком случае ее могут посадить, и Алик достанется кому-нибудь еще. Нет-нет, надо придумать что-то более изощренное, более жестокое. Надо навсегда отвратить Алика от этой швабры. Сначала Софья додумалась набить ей физиономию, но потом поняла, что подобная выходка тоже может оказаться для нее небезопасной. Лютикова будет защищаться, и невозможно предсказать, кто победит. Наконец Софья придумала гениальный план: испортить Лютиковой внешность, причем так, чтобы та не догадалась, кто это сделал. Ведь за хулиганство, кажется, привлекают к ответственности.

Действовать нужно было не медля. Софья надела черные брюки, неприметную зеленую куртку Алика, которая была ей великовата, но зато отлично скрадывала фигуру, громоздкие ботинки и шапочку. В качестве оружия она избрала баллон с распылителем, из которого опрыскивала традесканции. Только налила в него не воду, а жидкое чистящее средство «Магиохлор». Это была страшно ядовитая штука, которая растворяла ржавчину с одного плевка. На флаконе было написано предупреждение, обведенное красным: «Опасно! Надевать резиновые перчатки! При попадании в глаза промыть большим количеством воды».

Софья решила, что если подкараулить Лютикову в каком-нибудь укромном местечке, где под рукой не окажется большого количества воды, и распылить ей прямо в морду этот дивный «Магиохлор», то вся прелесть слезет с нее вместе с кожей и косметикой. Во-пер-

вых, Алик уж совершенно точно не пойдет с ней в пятницу в ресторан. А во-вторых, Лютикова утратит свою сомнительную красоту безвозвратно. Может быть, она даже окосеет на один глаз, что будет вообще бесподобно.

Софья точно знала, что у Лютиковой нет машины, поэтому отправилась к ее дому на своих двоих. Было еще довольно рано, но множество людей уже покинули свои бетонные гнездышки и торопились на работу — кто бодро, кто зевая во весь рот. Софья рассчитывала на долгое ожидание в подъезде под лестницей. Каково же было ее изумление, когда, еще не дойдя до нужного дома, она увидела свою предполагаемую жертву, несущуюся в сторону шоссе. Софья тотчас же набросила на голову капюшон. В таком виде Лютикова ее никогда не узнает, даже столкнись они нос к носу. Впрочем, было заметно, что у той свои проблемы, — она оглядывалась и приседала, словно вокруг нее свистели снаряды.

«Интересно, куда это ее несет?» — подумала Софья, пристраиваясь следом. К ее великому изумлению, Лютикова примчалась на вокзал, а потом села в пригородную электричку. Несмотря на то что Мила постоянно озиралась по сторонам, ей не удалось обнаружить за собой слежку. Вернее, она видела Софью, но не узнала и на ее счет не забеспокоилась. Однако ни одна, ни вторая не заметили еще одного человека, который блеклой серой тенью следовал за ними, держась в стороне и не привлекая к себе внимания. Он умело лавировал в толпе, проявляя недюжинную ловкость и завидную реакцию. Во внутреннем кармане просторной куртки у него был спрятан пистолет и свернутые тугим клубком эластичные черные колготки.

Выпрыгнув из электрички на избранной заранее станции, Мила спустилась с платформы и скорым шагом отправилась к опушке леса. Сидевший под платформой Константин Глубоков рванул было за ней, но находившийся рядом человек мгновенно возразил:

— Надо посмотреть, не идет ли кто следом.

Хоть Константин на самом деле и не был частным детективом и даже не претендовал на то, чтобы считаться проницательным человеком, фальшь во вчерашнем выступлении Лютиковой он уловил. Ехать к мужу, чтобы делить комод в то время, когда ожидаешь, что на тебя в любой момент нападут? Нет-нет, это явная белиберда. Поэтому в тот момент, когда Татьяна отправилась закрывать за ним дверь, Константин вытащил ее за собой на лестничную площадку и прижал к исписанной непристойностями стене.

— Итак, — заговорщическим тоном сказал он. — Куда ваша подруга завтра мылится ехать на самом деле?

Татьяна облизала губы и побегала глазами по сторонам.

— Я ведь по вашему лицу вижу, что вы не склонны к глупым авантюрам, — попытался польстить ей Константин. — Я уважаю здравомыслящих женщин. А вы, я верю, из таких. Поэтому скажите мне честно: куда собирается ехать моя клиентка?

— На станцию Митяево.

— Зачем?

— Я не знаю, — проблеяла покоренная голубыми глазами Глубокова Татьяна.

В это «я не знаю» она уперлась насмерть. Константин еще некоторое время помучил ее, потом отпустил, даже не поблагодарив.

Вечер у них с Борисом ушел на переговоры с телохранителем. Приятель Бориса оказался крепышом-блондином, который Константину активно не нравился. Причем именно своей приятной внешностью. Конечно, он еще не отдавал себе отчета, откуда взялась такая явная неприязнь. Но в глубине души подозревал, что блондин может приглянуться Лютиковой. А ему этого не хотелось бы. Ко всему прочему, у блондина была ро-

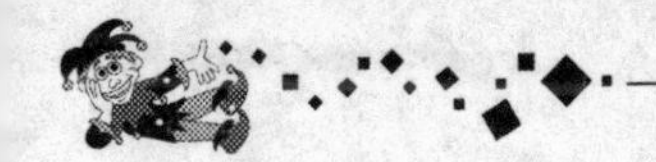

мантическая фамилия Листопадов. Звали же его, слава богу, простенько и непритязательно — Сашей.

Саша Листопадов приступил к своим обязанностям ночью.

— Высший пилотаж! — покачал он головой, выходя из квартиры Глубоковых. — Охранять тайком от охраняемого.

Как только открылось метро, Борис занял его место в подъезде, а Константин отправился в Митяево. Саша уехал туда на своем автомобиле еще раньше, чтобы разведать обстановку и упредить появление там непоседливой Лютиковой.

— Вот увидишь, ее таинственная поездка как-то связана с нашим делом! — говорил Борис брату, бегая по комнате. — Вы завтра на чем-нибудь ее обязательно подловите в этом Митяеве.

Константин был хмур и не стал ввязываться в дискуссию. Настроение его не улучшилось и наутро. «Что можно делать в эдаком месте в сентябре месяце? — недоумевал он. — Вряд ли Лютикова едет к знакомым или родным на дачу. Нет-нет, тут что-то иное». И вот теперь он своими глазами видел, как она направляется прямо к лесу. Может быть, в лесу прячется ее сообщник? Маловероятно. Человек, который распоряжается чемоданами наличных денег, конечно, не будет жить в лесу.

В то время как Мила спускалась по ступенькам с платформы, Софья спрыгнула с другой стороны и теперь намеревалась перерезать ей путь, пройдя по перелеску. Точно так же, судя по всему, решил поступить и человек с пистолетом в кармане. Вот только Софья ему мешала. Он даже в голову не брал, что она тоже следит за Лютиковой и жаждет расправиться с ней. Приняв Софью за местную жительницу, он решил немного отстать.

Лютикова шла по полю, все замедляя и замедляя шаг, поэтому потерять ее из виду он не боялся. Добравшись до первых деревьев, она опустилась на корточки, достала пластмассовый совок и принялась копаться в земле.

— Может быть, она собралась на рыбалку? — вслух спросил Листопадов. Они с Глубоковым все еще сидели под платформой. — Приехала накопать червей?

Константин метнул в него уничижительный взгляд.

— Но она ковыряется в грязи! — обиделся телохранитель. — Все, надо подойти поближе. Она уже ушла слишком далеко.

Между тем Софья, прикинув, в какую сторону движется Лютикова, залегла на ее пути с баллоном наперевес. Ей здорово повезло, потому что поблизости обнаружилась огромная куча опавших листьев, куда она зарылась, словно бывалый боец спецназа. Лютикова, глядевшая себе под ноги, шла, время от времени приседая и ковыряя лопаткой в земле, прямо на нее. Софья напряглась, держа палец на «спусковом крючке» распылителя. Ненавистная соперница подходила все ближе и ближе...

Тем временем Листопадов и Глубоков двигались короткими перебежками по следам своей подопечной. Едва они углубились в лес, как Листопадов дернул Константина за рукав и выразительно приложил палец к губам. После чего они, не сговариваясь, нырнули под ближайший куст. В поле их зрения попал человек, который в этот самый момент надевал на голову черные колготки. Он стоял к ним спиной, и, кроме куртки защитного цвета, никаких примет разглядеть было невозможно.

— Это тот самый, что покушался на нее в редакции! — шепотом сообщил в ухо Листопадову Константин. — У него должен быть пистолет!

Словно в подтверждение его слов, незнакомец, покончив с маскировкой, достал из-за пазухи пистолет с насаженным на ствол глушителем и мелкими шажками двинулся в ту сторону, где, словно глупый козленок, бродила Лютикова.

— Обойдем его с двух сторон, — одними губами сказал Листопадов и, пригнувшись, побежал куда-то в заросли ельника. Константин остался на месте, на некоторое время потеряв типа с пистолетом из виду.

Тем временем убийца, увидев на своем пути огромную кучу листьев, решил, что лучшего места для того, чтобы спрятаться и как следует прицелиться, ему не найти. Он упал на колени и, орудуя локтями, попытался кучу разгрести. Лежавшая в листьях Софья не слышала, как он подкрадывался, — кровь стучала у нее в висках в предвкушении нападения на разлучницу. Но когда кто-то свалился на нее сверху, она страшно испугалась и моментально набрала в легкие много-много воздуха.

Тишину леса пронзил длинный женский визг. Софья перевернулась на спину и пустила в ход распылитель. Чистящее средство для ванн и унитазов ядовитым облаком окутало физиономию киллера. Тот завопил не своим голосом, вскочил на ноги и, отшвырнув пистолет, принялся сдирать с лица колготки, пропитавшиеся «Магиохлором». Отбросив их в сторону, он, по-звериному завывая, помчался в глубь леса, петляя при этом, словно обезумевший заяц.

Услышав неподалеку от себя страшный крик, Мила подпрыгнула, потом заметалась с совком наперевес по полянке, после чего развернулась и во все лопатки дернула к станции. Глубоков, выскочивший из-под куста, бросился вслед за ней.

— Мила! — кричал он. — Не бегите! Это я, ваш частный детектив! Остановитесь сейчас же!

Листопадов же в два прыжка преодолел расстояние, отделявшее его от места происшествия, и тут же, безо всякого раздумья, набросился на Софью. Спутать ее с киллером было легко — на ней оказалась куртка того же цвета. Кроме того, она стояла на четвереньках в куче листьев, рядом валялись распылитель, пистолет и скомканные черные колготки. В то время, как Листопадов связывал ей руки, она верещала и изо всех сил пыталась его укусить.

— Надоела ты мне, подруга, — пробормотал тот, получив ботинком по бедру, и применил болевой прием. Софья обмякла и позволила вывести себя на всеобщее обозрение.

— Боже мой! — ахнула Мила, вглядевшись в лицо «убийцы». — Держите меня, я сейчас упаду.

— Вы ее знаете? — спросил Константин, озабоченно хмурясь. Он понятия не имел, что следует делать с преступницей дальше. Они вчетвером стояли на открытом месте неподалеку от станции и пялились друг на друга.

— Конечно, знаю! Это жена Алика Цимжанова!

В ответ Софья недобро сверкнула глазами и произнесла непечатное слово, адресуя его конкретно Миле.

— Нужно собрать улики, — мотнул головой Листопадов в сторону леса. — Там пистолет, черные колготки и какой-то распылитель. Возможно, газ.

— Вы хотите сказать, что я могла быть застрелена из-за душки Алика?! — внезапно дозрела до понимания ситуации Мила. — Из-за мужика, который мне на фиг не нужен?! Только потому, что в нем тлела искра симпатии ко мне?!

— Даже если в моем муже что-то и тлело, — закричала Софья, — то ничего бы не загорелось, если бы ты изо всех сил не раздувала огонь!

— Поэтесса! — похвалил Константин, удаляясь в лес за уликами. В одной руке у него был носовой платок, а в другой — полиэтиленовый пакет.

— Не понимаю, — сказала Мила, поворачиваясь к Листопадову и даже не обращая при этом внимания на то, что они незнакомы. — Неужели, имея такой темперамент, нельзя было устроить своему мужу грандиозную сцену ревности? Зачем же сразу хвататься за огнестрельное оружие?

— Да?! — взвилась Софья, пытаясь вырваться из рук

Листопадова. — Ты не забыла, сколько лет ты мелькаешь перед его глазами?

— Но мы ведь друзья детства! Неужели после того, как он на тебе женился, я должна была с ним разругаться навсегда?

— Порядочная женщина именно так бы и поступила! Но не ты, нет! Ты держишь его на поводке! То ослабишь, а то опять намотаешь на руку! С тех пор, как тебя бросил Орехов, ты стала изо всех сил тянуть поводок на себя!

— Ты относишься к своему мужу, как к собаке! Может быть, именно поэтому он посматривает по сторонам!

— Дамы, дамы, прекратите! — попросил вернувшийся с полным пакетом добычи Константин.

— Моя машина — там, — Листопадов показал подбородком, куда следует идти. — Мы эту дамочку сразу повезем сдавать, или как?

— Я протестую! — завопила Софья. — Я требую адвоката! Мой муж не позволит так обращаться со мной! Дайте мне позвонить мужу!

— Нет уж, сначала я ему позвоню, — зловредным тоном сказала Мила. — Вот и посмотрим, на чьей он окажется стороне.

Добравшись до машины Листопадова, они начали устраиваться, усадив Софью сзади под присмотром Константина.

Мила уселась рядом с водителем и сразу же пристегнулась ремнем.

— Держи, — сказал Листопадов, подавая Константину собственный пистолет. — Если эта штучка взбрыкнет, сними с предохранителя и прострели ей что-нибудь.

— А... Не круто? — полюбопытствовал тот, с опаской принимая оружие.

— Она может начать бушевать посреди дороги и устроит аварию. Водитель должен быть совершенно уверен, что ему ничто не угрожает. Из-за этого, знаешь, кошек при перевозке сажают в специальные ящики или сумки.

— Я не кошка и жить хочу, — огрызнулась Софья, которой совершенно точно не понравился пистолет. — Уберите его, не люблю оружия.

— Да? — с иронией спросил Константин. — А тот, с глушителем, из которого вы хотели застрелить Людмилу, вас не пугал?

— С глушителем? Застрелить Людмилу? Да вы что?! Я всего лишь собиралась испортить ей фасад!

— Только не говори, что тащила с собой в лес пистолет для того, чтобы наставить мне синяков рукояткой! — съехидничала Мила. — Рассчитывала наскакивать на меня грудью и бить глушителем по носу?

Машина рванула с места, всех вжало в сиденья, а потом ощутимо тряхнуло. Белоснежные зубы Софьи громко клацнули.

— О каком таком пистолете вы талдычите? — Она нахмурилась, потом лицо ее просветлело: — А! Наверное, это пушка того парня, который на меня напал! Того, который был в черной маске!

— Да что вы говорите? — дурашливо переспросил Константин. — Что-то мы там никого, кроме вас, не видели!

— Но парень там был, был!

— Куда же он делся, душечка? — внес свою лепту в разговор Листопадов.

— Я прыснула ему в лицо «Магиохлором», и он убежал.

— Врет она все! — воскликнула Мила.

— Конечно, врет, — подтвердил тот. — Если бы там был еще какой-то человек, мы бы его увидели.

— Но он умчался очень быстро! — забеспокоилась Софья. — Как олень!

— Одного не могу понять, — задумчиво сказал Листопадов, — зачем, перед тем как выстрелить, надо было визжать на весь лес?

— Наверное, чтобы подбодрить себя. Или распалить, — предположила Мила. — Ведь не так-то просто порешить человека. Знаете, как ниндзя кричат перед тем, как прыгнуть и засветить противнику ногой в глаз? Так тонко, отвратительно. По крайней мере, в кино.

Софья не желала согласиться с такой трактовкой событий. Она с пеной у рта доказывала, что визжала от испуга, потому что на нее совершенно неожиданно набросился человек в черной маске.

— И у него было черное лицо без глаз! — страшным голосом говорила она, водя растопыренными ладонями в воздухе.

— Куда поедем? — спросил Листопадов, прервав поток ее красноречия. — Мы ведь так и не договорились.

— Поедем к Алику в редакцию, — предложила Мила. — Если что, туда и милицию можно вызвать. Кроме того, там на входе охранники есть, вооруженные.

— Ладно, — поколебавшись, согласился Листопадов. — Только я буду держать пистолет под курткой. На всякий случай. Если наша бандитка вдруг решится на какую-нибудь глупость.

«Боже мой, отчего я такая невезучая? — мысленно стенала Софья. — Откуда взялись все эти люди? Ведь мы были одни в подмосковном лесу, где в такое время года не должно быть живой души!»

«Интересно, — думала тем временем Мила, — как я объясню произошедшее бедному Алику, когда мы всей толпой нагрянем к нему в кабинет? Надо позвонить ему заранее, чтобы он не испугался».

— Простите, Константин, — вежливо сказала она, обернувшись к Глубокову, который, держа на изготовку пистолет, страшно напрягался и потел. — Можно воспользоваться вашим мобильным телефоном? А то вдруг

Алика нет на месте? Тогда наше вторжение в редакцию потеряет всякий смысл. Или только развлечет секретаршу Любочку.

— Я бы рад, но у меня заняты руки, — ответил тот, не сводя глаз со злобно щурившейся Софьи.

— Воспользуйтесь моим, — любезно предложил Листопадов и подал трубку.

— Алло, Алик! — ненатурально оживленным голосом воскликнула Мила через минуту. — Это я. Я тоже ужасно рада тебя слышать.

Софья за ее спиной засопела, и Глубокову пришлось пошевелить пистолетом, чтобы она в порыве чувств не вцепилась Лютиковой в волосы.

— Мы тут... э-э-э... встретились с твоей женой, — продолжала та. — Причем при довольно щекотливых обстоятельствах. Нет-нет, со мной все в порядке, не беспокойся. Да, твоя Сонечка действительно вела себя ужасно. Кстати, она тут рядом со мной. Угу. Мы с ней, знаешь, Алик, уже подъезжаем к редакции. Затем, что нам надо поговорить. Да, мы приедем вдвоем. Впрочем, нет, нас в машине целых четверо. Понимаешь, потребовались два мужика, чтобы сдерживать порывы твоей жены. Да, она покушалась на меня. И у нее, Алик, был пистолет. Впрочем, если не хочешь в этом участвовать, мы сдадим ее в милицию. У нас и улики с собой. Нет? Я тоже думаю, что стоит разобраться полюбовно. Ладно-ладно, тогда жди.

11

Алик встретил их нахмуренным челом, вдохновенно растрепанной прической и нечленораздельным восклицанием. Вся компания ввалилась в кабинет, взволновав Любочку Крупенникову мрачными и решительными физиономиями. И если двое незнакомых мужчин вы-

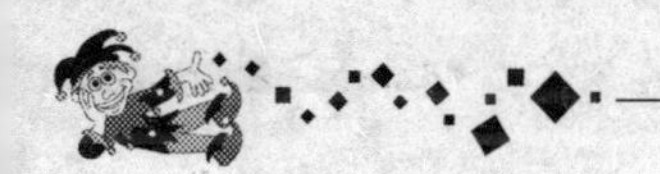

глядели вполне прилично, то жена шефа, впрочем, как и его подруга Лютикова, напоминали дворничих в грязных куртках и грубых ботинках. Кроме того, на голову Софьи была натянута тесная вязаная шапочка, из-под которой выбивались лохматые космы. Несмотря на природную красоту, сейчас она была похожа на черта. Плюс ко всему это пугающе ожесточенное выражение лица...

— Рассаживайтесь, — нервно предложил Алик, поведя руками в стороны. — Скажу честно, я не в своей тарелке.

— Знакомься, Алик, это Константин Глубоководный, частный детектив, — начала Мила. — А это... — Она поглядела на Листопадова и замерла с открытым ртом. Только сейчас до нее дошло, что она понятия не имеет, кто это такой.

— Это Александр, мой помощник, — пришел ей на помощь Глубоков и неожиданно для всех сообщил: — Мы поймали вашу жену в лесу, Альберт Николаевич. Она там охотилась за Людмилой. У нее был пистолет с глушителем, маска и отравляющее вещество в баллоне с распылителем. Все это у нас в машине.

— Я потрясен, — сказал бледный Алик, помолчав некоторое время и избегая встречаться со своей благоверной глазами. — Даже не знаю, что сказать! Наверное... раз так... и улики... — забормотал он. — Нужно вызвать представителей закона, может быть?

— Алик! — взвизгнула Софья, так высоко подпрыгнув на стуле, словно из сиденья выскочили пружины. — Ты меня предаешь?!

— Но, дорогая, — холодно ответил тот, гордо выпрямившись и посмотрев на нее наконец в упор. — Ведь ты встала на путь преступления. Кстати, откуда у тебя пистолет?

— Это не мой пистолет! — брызжа слюной, закричала Софья. — Что же вы за кретины такие? Это пистолет того черного типа, который кинулся на меня сверху, когда я лежала в листьях!

— Черного типа? — внезапно забеспокоился Алик. — О ком это ты говоришь? Ну-ка, ну-ка...

— Дайте я все объясню! — рыкнула Софья на Листопадова, который совершенно определенно собрался встрять в разговор. — Только сначала поклянись мне, что у тебя с ней ничего не было! — Она сверкнула глазами в сторону нервно облизнувшей губы Милы.

— Клянусь, — тут же ответил Алик, мельком пояснив для присутствующих: — В таких вещах с ней лучше не спорить.

— Я подслушала твой разговор с Виталиком, — деловито начала Софья. — И поняла, что до ресторана вас с Лютиковой допускать нельзя.

— Кх-м, — сказал Алик, медленно серея.

— Ну и... чтобы Лютикова уж совершенно точно не смогла составить тебе в пятницу компанию, я решила побрызгать ей в лицо кислотой...

— Что-о-о?! — закричала Мила, вскакивая на ноги. — Что ты решила сделать?!

Она раскраснелась и, рванув «молнию» куртки вниз, хотела кинуться на Софью, но тут на пол, прямо ей под ноги, с глухим стуком начали падать комья грязи.

— Господи, что это? — еще сильнее испугался Алик. — Милочка, это откуда сыплется?

Сыпались корни травы из порвавшегося пакета, который та засунула себе за пазуху.

— Извини. — Мила упала на четвереньки и принялась сгребать грязные корешки руками в кучу. — Сейчас я все уберу, не беспокойся. Там, в лесу, я боялась, что Софья меня застрелит, поэтому упала животом на землю, а ты же знаешь, какая сейчас грязь, особенно за городом...

— Оставь! Я позову Любочку...

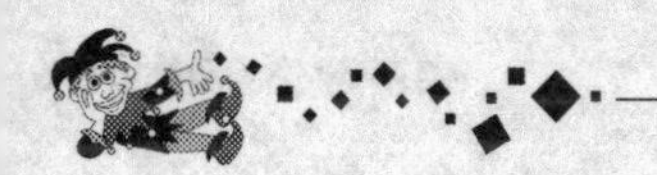

— Что ты, что ты! Я сама, в пакетик, вот, все будет как раньше.

— Я поехала к ее дому, — вклинилась нетерпеливая Софья, которую просто распирало желание хотя бы частично реабилитироваться в глазах мужа. — Проследила ее до вокзала, села вместе с ней в электричку и, спрыгнув с платформы, прокралась в лес, по опушке которого эта мадам бродила с совком. Кстати, что ты там ковыряла?

— Не твое собачье дело! — огрызнулась та, продолжая ползать по полу. Мужчины боязливо поджимали ноги.

— Ведьма! — вынесла вердикт Софья. — Я залегла в листьях, рассчитывая, что, когда она подойдет поближе, я выскочу и... это... прысну. Но тут на меня напали сзади. Я закричала, перевернулась, ну и... со страху прыснула. Кислотой в лицо этому типу. Вернее, в маску. У него на голове был черный чулок. Вернее, даже не так: черные колготки.

Мила перестала собирать корешки и замерла, недвижным взором уставившись на щеголеватые ботинки Глубокова. Под ее пристальным взором он нервно потопал.

— Постойте! — внезапно воскликнул Алик, вытягивая руку ладонью вперед. — Это не может быть совпадением. Накануне мне звонили по телефону. Ужасный скрипучий голос, принадлежавший какому-то чудовищу. Голос сказал, что меня хотят убить, застрелить из пистолета. И что покушение готовит человек в черных колготках на голове! Честно говоря, я испугался. И знаете почему?

— Ну-ну, — подбодрил его Листопадов.

— У нас несколько дней назад в здании была стрельба. Девочки из юридической конторы шли с обеда, и тут на них выскочил человек в черном, на голове — маска, в руке — пистолет. Девочки завизжали, и этот тип выстрелил в потолок. И убежал. Это случилось этажом ниже, кстати сказать. Он прятался там в туалете. Все были просто в шоке.

— Погоди-ка, погоди-ка! — Мила проворно поднялась на ноги и блестящими глазами уставилась на Алика. — Это случилось не в тот ли день, когда мы с тобой целовались на балконе?

Едва только она успела закончить фразу, как Софья ракетой стартовала со стула, и уже через секунду ее разгневанный кулак достиг физиономии супруга. Она ударила его точно в лоб с силой, которой мог бы позавидовать боксер тяжелого веса. Алик взмахнул руками, словно человек, потерявший равновесие на краю обрыва, некоторое время постоял, глядя вдаль невероятно изумленными глазами, после чего свалился на спину мягким кульком. Софья попыталась прыгнуть следом, но подоспевшие мужчины удержали ее за руки. Она вырывалась и рычала.

— Кто ж вас дернул за язык? — прокряхтел Листопадов, обращаясь к вымазанной грязью Миле, которая тупо смотрела на схватку, держа в вытянутой руке аккуратно завязанный пакетик. — Нашли перед кем хвастаться своими подвигами!

Кидаясь на помощь Листопадову, Константин оставил доверенный ему пистолет на стуле. Подобрав его от греха подальше, Мила вышла в приемную и, дирижируя им, обратилась к Любочке:

— Там... э-э-э... Альберту Николаевичу немного не по себе.

— Да? — выдавила Любочка, сглотнув.

— Да. Он, знаете ли, ударился лбом. Вы бы вызвали врача.

— У нас тут, внизу, на первом этаже медицинская фирма, — пискнула та, мышкой выскользнув из-за стола. — Я мигом.

На подламывающихся каблуках Любочка пробежала

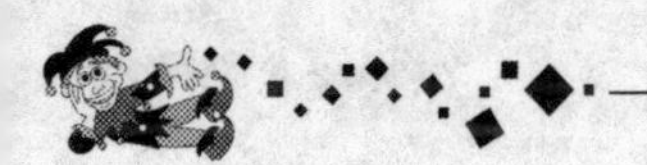

через всю приемную и вылетела в дверь, словно пробка, соскочившая с кипящего чайника.

— Отлично, отлично, — пробормотала Мила и отбросила пистолетом волосы со лба. — Думаю, все как-нибудь утрясется.

Ольга сидела на диване, поджав под себя ноги, и тыкала во все стороны искуренной сигаретой, пытаясь на ощупь обнаружить пепельницу.

— В общем, зря я радовалась, — закончила свой рассказ Мила. — На поверку выяснилось, что стреляла в меня таки не Софья.

— Тебе надо было стать десантницей, — с отвращением сообщила Ольга. — На ее жизнь дважды покушались, а она поехала в лес за травой, одна, никому ничего не сказав... Боже мой, какой же надо обладать смелостью!

По ту сторону двери скрипнули половицы. Подозревая, что это Николай подслушивает их разговор, Мила громко спросила:

— А где твой молодой нахлебник? Обложился шелковыми подушками и прямо в постели составляет бизнес-план грандиозного проекта?

— Почему ты не оставишь в покое бедного Николая? — изумленно спросила Ольга. — Он ведь даже не попадается тебе на глаза!

— Здесь витает его дух, — с отвращением сказала Мила. — От него столь явственно веет бездельем, что это душит меня.

— А ведь ему обидно, что ты о нем такого ужасного мнения!

Половицы скрипнули еще раз, и Мила добавила:

— Ну, если он хочет задержаться в нашем доме, — она вдохновенно махнула рукой, — пусть начинает зарабатывать. Хотя бы себе на носки и лезвия для бритвы. Кстати, Ольга, от него вечно пахнет какой-то дрянью с мятным привкусом.

— А зачем ты его нюхаешь? — равнодушно спросила та. — Ему нравится дурацкая туалетная вода, и даже я ничего не могу с этим поделать.

— Боже мой, Ольга, как у меня болит голова!

— Нет, пить я тебе больше не советую.

— Зачем я вчера влила в себя столько алкоголя?

— Ты убивалась по невинно убиенному Хлюпову. Благородный человек! Когда он догадался, где наелся отравы, мог настучать на тебя в милицию.

— За что?! — возмутилась Мила. — Не я же предложила ему отведать поганок!

— Кстати, а что у нас Глубоководный? Какую версию он теперь разрабатывает?

— Не знаю, он мне не докладывал. Но какой же он молодец! Поймал Софью. Да как вовремя! В противном случае я могла бы остаться без глаз. И главное, совершенно ни за что.

— Но ты же целовалась с Аликом! — уличила ее Ольга.

— Дорогая, мы же не в седьмом классе. Из «целовалась» дела о супружеской измене не скроишь, не правда ли?

— Надеюсь, Софья больше не станет за тобой охотиться.

— Ей некогда, она сидит у постели поверженного Алика.

— Как он себя чувствует?

— Потерянным. У него поникли крылья. Софья убила его мечту.

— Какую мечту? — с недоумением переспросила Ольга.

— Как какую? Изменить ей по-тихому.

— Ничего себе мечта!

— Ольга, если бы ты знала, какие у большинства людей низкие мечты, ты бы поняла, что эта — одна из самых романтических. Ты сама, например, грезишь об иномарке.

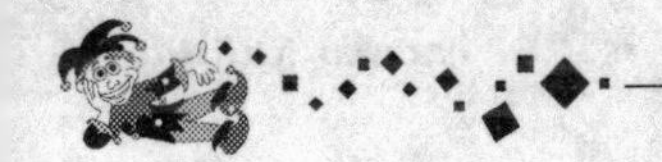

— Тю, так это только сейчас!

— Ага. А раньше ты мечтала о том, как бы женить на себе Николая. А перед этим — как скрыть от него свой подлинный возраст.

— Тише, Милка! — рассердилась та. — Хоть у нас и толстые стены, я не хочу, чтобы даже они слышали такие откровения.

— Как ты думаешь, — с неожиданно проснувшимся любопытством спросила та. — Если он узнает, сколько тебе на самом деле лет, он сбежит?

— Интересно, кто же ему скажет? — поинтересовалась Ольга, вперив в сестрицу подозрительный взгляд.

— Мало ли! Сорвется у кого-нибудь с языка...

— Только *вместе* с языком, — безапелляционно заявила сестрица.

— Знаешь, я тебе завидую. Хотела бы я влюбиться так, как ты. На старости лет...

— Т-с-с! Милка, еще одно слово — и я тебя задушу.

— Молчу, молчу. Кстати, Глубоководный приставил ко мне своего помощника. Зря я ему не доверяла! Думала, что, кроме выпендрежа, там ничего нет. Но это оказалось не так! Теперь его Саша сопровождает меня повсюду.

— Саша? Вот так так! А где он сейчас? — полюбопытствовала Ольга.

— Наверное, сидит внизу, в машине. Ждет меня.

— Со вчерашнего вечера?!

— Ну... — неопределенно протянула Мила, которая заехала к Ольге ненадолго и неожиданно для себя напилась в стельку пьяной, после чего, как повелось, заночевала в своей старой комнатке. — Наверное, он тоже вздремнул.

Ольга выпятила вперед нижнюю губу и свела брови на переносице.

— Милка, — понизив голос, сказала она, — тут что-то не то.

— Что не то?

— Что-то не то с этим Глубоководным. Не может человек за сто рублей в день предоставлять такие услуги клиенту. Поставь себя на его место. Да этой сотни в день хватит только на бензин и чашку кофе. Даже не смешно!

— Меня тоже посещала эта мысль, — тут же согласилась с ней Мила. — Только она как-то заблудилась в голове в связи с последними событиями.

— А давай позвоним в какое-нибудь детективное агентство и узнаем, какие у них расценки!

— Давай, — согласилась Мила.

После того как сестры узнали цены на услуги, у обеих резко испортилось настроение.

— У меня есть две версии, — сделала вывод Ольга. — Или это не частный детектив, а бандит, который зачем-то втерся к тебе в доверие... Или это настоящий частный детектив, только работает он не на тебя. И нормальные гонорары платит ему кто-то другой. Ну, как тебе мои рассуждения?

— Я должна срочно вернуться домой! — засобиралась Мила, вскакивая на ноги. — Мне нужно варить мазь. Много мази!

— Кажется, я понимаю твою мысль. Чтобы выручки от нее хватило на настоящего частного детектива.

— Но что мне теперь прикажешь делать с этим типом, который спит в машине у подъезда?

— Не думаю, дорогая, что, засветившись повсюду, они станут тебя убивать! Конечно, Глубоководный знает больше, чем говорит. Вероятно, он в курсе того, кто объявил на тебя охоту. Но почему-то ему невыгодно ставить тебя об этом в известность. Возможно, это кто-то из твоего самого близкого окружения. И если ты узнаешь имя, то чем-нибудь себя выдашь раньше времени. Наверное, они расставили силки...

— Он и не обязан сообщать мне имя, — буркнула

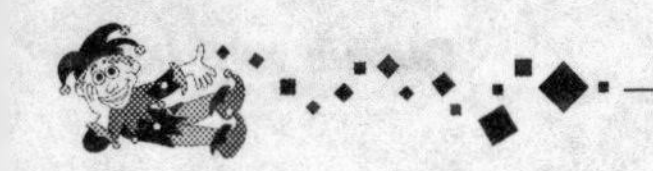

Мила, сикось-накось накрашивая губы. — Ведь не я его настоящая клиентка. Вот как мне теперь с ним себя вести?

— Обыкновенно. Не вздумай показывать, что ты о чем-то догадываешься. Тогда лишишься вообще какой бы то ни было защиты. В конце концов, какая разница, кто ему платит! Главное — тебе сейчас это выгодно.

— Пока выгодно. Но что, если обстоятельства изменятся? Ты помнишь, — внезапно всполошилась она, — этот тип в самом начале проболтался, что дело может быть связано с наркотиками?

— Какой ужас! — почти без выражения сказала Ольга, едва не откусив фильтр от очередной сигареты. — Если ты попала в сферу интересов наркодельцов, я, Милка, за твою шкурку не дам и тех ста рублей, которые ты платишь Глубоководному.

— Но как я могла попасть?! — Мила лицом и руками изобразила полное недоумение. Обе сестры любили жестикулировать. Ольга время от времени делала мягкие выразительные пассы, кисти же Милы пребывали в постоянном движении, как у карточного шулера. — Я ничего не брала на хранение, я...

— Милка! — совершенно неожиданно выдала очередную грандиозную идею Ольга. — А что, если тебя использовали втемную? Когда ты ездила к ребенку в Берлин? Допустим, всю кашу заварил твой Орехов. Подложил тебе что-нибудь в чемодан, дал сигнал своим людям, объяснил, в какой гостинице ты остановишься... Там, в Берлине, они проникли в твой номер и вытащили у тебя из-под подкладки плаща свой товар. Или из чемодана, у которого есть второе дно. Это ведь ваш общий с Ореховым чемодан, сечешь?

— Орехов! — недоверчиво сказала Мила. — У него и так все классно. Он не станет заниматься наркотиками. Зачем? Он может делать бешеные деньги на легальных вещах. Он их и делает.

— Но если ему хочется больше? — В глазах Ольги сверкнула жадность. Она могла войти в какой угодно образ. Сейчас, вероятно, она пребывала в образе алчного Орехова.

— Не забудь, дорогая, что к Лешке я ездила не так давно, Орехов уже ушел от меня. Впрочем... подожди! Он хотел вернуться. Кажется, как раз накануне поездки. Он очень хотел вернуться! Помнишь, я рассказывала тебе обо всех его ухищрениях? Сначала-то он вообще был уверен, что я буду прыгать до потолка. Явился с букетом цветов, со своим любимым ноутбуком и сменой белья. Когда я не кинулась ему на шею, он просто обалдел. Две ночи провел на кушетке в маленькой комнате. Потом оскорбился по-настоящему и ушел навсегда.

— Вот так вот! — сказала Ольга. — Поэтому ты и попала в поле зрения наркодельцов.

Она говорила с такой уверенностью, будто у нее уже были неопровержимые доказательства.

— Но за что меня хотят убить? — продолжала недоумевать Мила. — Раз я доставила наркотики по назначению?

— Может быть, они думают, что ты обо всем догадалась?

— Полагаешь, они используют курьеров один раз, а потом убивают? И Орехов пожертвовал мной, невзирая на то, что я мать его сына?

— Да, как-то все нескладно, — вынуждена была согласиться Ольга. — Что же делать? Что делать?

— Заняться бизнесом, — решительно ответила Мила.

— Только не вздумай затевать варить свою мазь завтра с утра.

— Почему? Я как раз хотела утром.

— С ума сошла? У прадеда юбилей, съедутся Лютиковы со всего мира. Родители тебе не простят, если ты не появишься в ресторане.

— Да, да, конечно! — хлопнула себя по лбу Мила. —

У меня ведь по всему дому прилеплены записки о дне и часе мероприятия!

— Надеюсь, ты Гуркина предупредила заранее?

— Еще бы, куда я без него? Слава богу, с ним не стыдно показаться на людях.

— Да, я тебя понимаю, как никто. Хотя мой Николай, конечно, будет поглавнее твоего Гуркина.

Мила поглядела на нее с сожалением.

— И сладость заблуждений горячит мне рот, — пробормотала она.

Половица за дверью снова чуть слышно скрипнула.

12

— Как мы станем действовать дальше? — поинтересовалась Мила у Листопадова, когда они достигли площадки второго этажа и остановились возле двери в ее квартиру.

— Пока шеф ведет расследование, я намерен охранять вас днем и ночью.

— А где вы будете спать?

— Подремлю в кресле, если вы не возражаете.

«Откуда он знает, что у меня есть кресло?» — испугалась Мила.

— У вас есть кресло? — тут же спросил Листопадов.

— Да, но...

— Вы ведь не стремитесь остаться ночью одна?

— Нет! — вскрикнула Мила. — Заходите поскорее. Только... только... Завтра после обеда придет мой, ну, как бы это сказать, бойфренд. Я не хочу ему рассказывать о Софье, покушениях, пистолете. Он такой впечатлительный!

Листопадов кивнул. В его глазах мелькнуло пренебрежение к впечатлительному Гуркину. На самом деле Мила не стремилась ничего рассказывать ему, чтобы не напугать. Может быть, Гуркин — трус, каких поискать? У нее никогда не было случая проверить на деле, каковы его бойцовские качества.

Гуркин был просто сопровождающим, ширмой, за которой Мила прятала от всех свою женскую неустроенность. Расскажи она ему, что за ней охотится убийца, Гуркин может сбежать. Придумает предлог — сколько можно нагромоздить врак! — и смоется. Займет выжидательную позицию. А Мила просто не переживет, если ей придется появиться в ресторане в гордом одиночестве. Даже будучи замужем, она всегда чувствовала себя неполноценной, если вдруг Орехов сражался за очередной проект и ей приходилось всем и каждому объяснять, почему она разгуливает одна среди сонма гостей.

На следующий день перед приходом Гуркина Мила бестрепетно выставила Листопадова на лестничную площадку. Тот поднялся на один пролет и затаился там, поглядывая в окно подъезда. Гуркин, который появился ровно в пять, ему откровенно не понравился. Несмотря на спортивную фигуру и бравую осанку, у него были суетливые глаза и мягкий подбородок. И принадлежал он к той породе мужчин-симпатяшек, у которых чересчур розовая кожа и весьма неопределенные контуры лица. «Странно, — подумал Листопадов. — Этот тип вовсе не подходит такой женщине, как Лютикова. Она не тянет на роль лидерши, он же — явный подкаблучник».

Тем временем Гуркин вторгся на территорию, охраняемую Листопадовым, привычным жестом нажал на кнопку звонка и, когда ему открыли, ласково сказал:

— Здравствуй, Тыквочка! А вот и я!

Несмотря на то, что никто его не видел, Листопадов закатил глаза, решив поделиться впечатлением хотя бы с самим собой. Тыквочка! Застрелиться можно.

Гуркин тем временем втиснулся в коридор и широко улыбнулся невыспавшейся Миле. Ночное дежурство Листопадова в кресле не только не успокаивало ее, но, напротив, заставляло нервничать еще больше. Ей показалось, что он заснул, как только погасили свет. Бегать к окнам при нем было стыдно, но и на него полагаться не получалось. Кроме того, зная теперь о том, что Глубоководный работает на самом деле на кого-то другого, Мила вообще сомневалась в безвредности Листопадова. Короче говоря, ночь прошла нервно.

— Ты плохо выглядишь, — заметил Гуркин, стаскивая куртку. Сегодня на нем был лучший его костюм и шелковый галстук в благородную крапинку. — Сколько у нас до выезда?

— В ресторане надо быть в семь, времени вагон, так что я ухожу в ванную.

В этот момент зазвонил телефон. Мила бросилась к нему. Каждый звонок теперь ее тревожил. На проводе был Орехов.

— Алло! Э-э-э... — Он на секунду замялся, раздумывая, как ее назвать. Потом наконец добавил: — Милочка, это я.

— Ну? — спросила та, втайне надеясь, что Орехов раскаялся и сию секунду предложит ей защиту и покровительство.

— За тобой заехать?

— Заехать? Что ты имеешь в виду?

— Юбилей твоего прадеда, разумеется.

— А какое ты *теперь* имеешь к нему отношение? — рассердилась Мила.

— Иван Евгеньевич меня пригласил.

Мила тотчас же вознегодовала:

— Ивану Евгеньевичу, если ты запамятовал, сегодня исполняется сто лет! Он, конечно, мог тебя пригласить, потому что у него склероз и он забыл, что мы с тобой разводимся.

— Он не забыл, — хмыкнул Орехов. — И пригласил меня, невзирая на то, что мы разводимся. Я не смог ему отказать.

— Ах, ты не смог! — ехидно ответила Мила и подумала: «Со мной-то ты обошелся по-другому!»

— Так за тобой заехать? — спросил Орехов уже более нетерпеливо.

— Не стоит, я ведь теперь не одна.

— Да-да, мне, кажется, рассказывали что-то про юношу, которого ты от расстройства допустила до тела.

— Я не от расстройства допустила! — возразила Мила, запыхтев от неудовольствия. — Он меня соблазнил! Красиво ухаживал, пал к ногам. Я просто не устояла, и так поступила бы на моем месте любая женщина.

— Кажется, падение произошло сразу после того, как ты узнала про нас с Ларисой? — съехидничал Орехов.

— Послушай, ты меня пугаешь, — сказала Мила. — Судя по всему, ты все еще испытываешь ко мне сильный интерес.

Орехов злобно гавкнул:

— Тебе показалось.

— Нет, ну как же? Мне лично уже наплевать давно и на тебя, и на твою Ларису...

— Тыквочка! — раздался за спиной Милы истерический крик Гуркина. — Ты забыла про ванную! Там настоящий потоп! Что делать?! Все плавает!

Тут же изо всех сил застучали по батарее, раздались неясные крики и даже приглушенный визг.

— Ах, Орехов, у меня наводнение! Так что прощай, встретимся в ресторане! — воскликнула Мила и бросила трубку.

Тут же телефон взорвался снова, и одновременно раздалась трель входного звонка. Не обращая на них внимания, Мила бросилась на место происшествия и увидела, что из крана хлещет вода и, перетекая через бортик наполнившейся ванны, красиво ниспадает вниз широкой радужной занавесочкой. Все, что было на полу, теперь погрузилось под воду и плавало внутри, как в аквариуме.

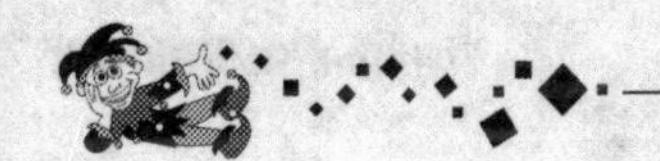

— Что же ты кран не закрыл? — закричала Мила, сердясь на Гуркина.

— Но я же в костюме! — возразил тот, отступая подальше. — Как я потом поеду?

Сорвав с себя халат, Мила полезла двумя руками в ванну, вырвала затычку и прямо в комбинации побежала открывать дверь. На пороге стояла миниатюрная девушка, свежая, словно цветок ландыша, с огромными глазами олененка Бэмби и прижимала к груди маленькие ладошки.

— Людмила Николаевна! — выдохнула она. — Вы затопили Капитолину Захаровну!

— Я знаю, милая, знаю! Видите, что у меня!

Мила кинулась обратно в ванную и начала вычерпывать воду тазиком.

— Ах, ах! — запричитала девушка. — Я вам помогу!

Она сбросила шлепанцы и босиком вошла в воду, подхватив стаканчик из-под зубных щеток.

— А вы кто? — спросила Мила, жмурясь от летящих во все стороны брызг, которые сама же и поднимала.

— Я медсестра. Из фирмы «Для бабушек и дедушек». Меня зовут Жанна. Прихожу к Капитолине Захаровне несколько раз в неделю. Делаю ей уколы, приношу продукты, убираю иногда. Выполняю все, в чем она нуждается.

В этот момент на пороге ванной появился Гуркин в трусах и майке.

— Я готов! — сказал он и, увидев Жанну, густо покраснел. — Извините. Я не знал, что у нас гости.

— Это не гости, — отрывисто бросила Мила, мельком полюбовавшись спортивной фигурой Гуркина, которую он максимально обнажил для работы с водой и тряпкой. — Это медсестра, которая ухаживает за Капитолиной Захаровной, соседкой снизу.

— Очень приятно познакомиться, Андрей! — сказал Гуркин, скромно потупясь.

— Жанна, — тоже потупясь, ответила медсестра и вылила воду из стаканчика мимо ванны.

«Господи, какие страсти-мордасти! — подумала невольно уязвленная Мила и принялась возить тряпкой по полу. — В конце концов, Гуркину нет еще тридцати, почему бы ему и не обалдеть от столь очаровательного существа, как эта медсестра?» Тут же ей в голову пришла идея нового рассказа. Гуркин на роль главного героя, конечно, не годился. «Пусть будет роман между медсестрой с первого этажа и частным детективом с третьего. Надо приплести сюда какое-нибудь преступление и ревнивого молодого человека», — рассуждала Мила.

Вытерев досуха пол, она полезла в душ и долго лила себе на голову горячую воду, в надежде, что начавшаяся мигрень капитулирует. Вымывшись и надев чистый халат, Мила обнаружила полуголого Гуркина и ясноглазую Жанну в коридоре возле приоткрытой двери. Оба были возбуждены сверх меры и чирикали о каких-то глупостях.

— Спущусь к Капитолине Захаровне, — сообщила Мила. — Извинюсь и оценю хотя бы приблизительно причиненный ущерб.

«Нет-нет, срочно нужно варить бабкину мазь, — думала она, мчась по ступенькам вниз. — Деньги нужны, как воздух. Деньги требуются каждый день, и много. Столько, сколько мне надо, я не зарабатываю. Придется напрячься по-настоящему. Скоро очередная выплата Гуркину, и теперь наверняка придется раскошеливаться на побелку потолка у Капитолины Захаровны».

Могучая, усатая и громогласная Капитолина Захаровна громоздилась в кровати, задрапированная пледом, и смотрела телевизор. Узрев Милу, она подмигнула ей и весело гаркнула:

— Ну что, растяпа Николаевна, кран забыла выключить?

Покойный муж соседки, так же, как и обретавшийся где-то на Севере сын, служили военными. Вся семейка была шумлива и отличалась посконной простотой. Болезнь, свалившая Капитолину Захаровну с ног, не испортила ее веселого нрава.

— Взгляну на потолок, если не возражаете, — промямлила Мила и шмыгнула в кухню. Здесь было довольно чисто, только кухонный стол загромождали баночки, коробочки и бутылочки из-под лекарств. «Надо будет спросить, нет ли у нее пустых, — подумала Мила, прикидывая, сколько мази удастся изготовить из того пакетика корешков, который она притащила домой из Митяева. — Может быть, здесь найдется что-нибудь от головной боли?»

С потолка падали крупные звонкие капли. Почти повсюду медсестра Жанна подставила под струйки ведерки и тазики. Недолго думая, Мила выхватила из общей кучи подходящую коробочку и, достав таблетку, запила водой прямо из-под крана. Как раз в этот момент в кухне появилась пунцовая Жанна. «Видно, ей неловко, что она кадрила моего Гуркина, — подумала Мила. — По идее, я должна быть недовольна этим обстоятельством». Впрочем, она на самом деле была недовольна. Она как-то уже привыкла считать Гуркина своей собственностью. Кроме того, молодой ловелас обязан помнить, за что ему платят деньги. А если он будет терять голову от каждой медсестры, забежавшей в квартиру, то может свою роль благополучно провалить.

— Вот, — сказала Жанна, с грустью взирая на потолок. — Что теперь будет, Людмила Николаевна?

— Будет ремонт. Пусть потолок сначала подсохнет, потом я рабочих пришлю, — вздохнула Мила и направилась к выходу.

Попрощавшись по дороге с Капитолиной Захаровной, которая, увлекшись телевизионным действом, даже не делала попыток ее задержать и втянуть в беседу, Мила вышла на лестничную площадку. Когда она уже подходила к собственной двери, сверху высунулся взволнованный Листопадов.

— Что у вас произошло? — сдавленным голосом спросил он.

— Забыла кран закрыть и протекла на соседку. Ходила извиняться и оценивать материальный ущерб.

Листопадов вслух посочувствовал, а про себя подумал, что во всем виноват приход Гуркина. «Они наверняка целовались в коридоре и забыли про включенную воду», — решил он. Почему-то ему было досадно, что его подопечная без ума от этого типа. «Вероятно, он безмозглый болван», — мстительно подумал Листопадов и удивился самому себе.

Между тем Константин Глубоков, у которого закончились отгулы, разговаривал с Борисом по телефону.

— Что мне делать? — спрашивал он. — Лютикова через некоторое время потребует отчет, и я буду иметь бледный вид. Настоящий частный детектив к этому времени уже выяснил бы массу нужных вещей.

— Господи! Запудри ей мозги, скажи, что прорабатываешь разные версии... Ты не обязан отчитываться за каждый шаг.

— Но она хочет узнать, кто на нее покушается!

— Я уверен, что эти покушения как-то связаны с нашим «невидимкой». Узнаем, во что впутался дед, раскроем и покушения, точно тебе говорю!

— Но как мы можем что-то узнать, если ничего не делаем?

— Как это мы ничего не делаем? За Лютиковой следит наш человек!

— Но ведь он ее просто охраняет!

— Ему велено подслушивать разговоры, запоминать гостей и немедленно сообщать нам обо всех подозрительных деталях.

— Это может длиться вечно, — рассердился Константин.

— А чего ты хочешь? Большей близости к Лютиковой? Женись на ней!

— Я подумаю, — буркнул тот и положил трубку.

13

Мила тем временем мучила волосы, пытаясь своими силами уложить их в вечернюю прическу. Виноватый Гуркин снова надел костюм и теперь делал вид, что читает газету.

— Как я поеду в ресторан с такой мигренью? — рассердилась Мила, отбрасывая расческу. — Нет ли у тебя, Андрюша, таблеточки от головной боли? Капитолинзахаровнина мне что-то не помогла.

— Таблетка у меня есть, но лучше выпить горячего чаю с медом. Ты ведь наверняка начнешь вечер с алкоголя. А мешать алкоголь с обезболивающим — последнее дело.

Когда Гуркин удалился на кухню готовить обещанный чай, Мила бросилась к его пиджаку.

— Дурак, — шепотом обругала она его. — Если бы головная боль проходила от чая, половина фармацевтических фирм разорилась бы.

Обнаружив во внутреннем кармане пиджака трубочку с таблетками, она подумала: «Да-а... Непросто дается аспирантам наука. Небось мозги егозят днем и ночью». Когда она клала таблетки на место, то услышала, как в другом кармане звякнули ключи. Невинное любопытство повело ее руку в нужном направлении, и через секунду она разглядывала то, что извлекла на свет божий. Это, без сомнения, были ключи от машины. «Вот так номер! — опешила Мила. — Как такое может быть? Бедствующий Гуркин, который за полторы тысячи рублей готов тратить на меня пропасть времени, оказывается, имеет машину? И зачем-то скрывает это от меня».

Она положила ключи назад в карман и после некоторого размышления решила, что на самом деле все наверняка не так, как выглядит. «Кажется, я и сама могу придумать ответ на свой вопрос, — рассудила она. —

Наверняка машина не его. Или друга, который одолжил ее Гуркину для того, чтобы тот встретил кого-то из родственников на вокзале, или вообще казенная. Возможно, завтра Андрюше придется с самого утра возить профессоров по городу на разные заседания. Есть и третий вариант — Гуркин подрабатывает где-то еще. Допустим, несколько дней в неделю он возит по магазинам какую-нибудь фифу из богатых, которая сама водить не умеет». Успокоенная, Мила вернула ключи на место и отправилась на кухню пить чай.

Памятуя, что в ресторан явится Орехов, все оставшееся время она усердно трудилась над собой и в конце концов добилась потрясающих результатов. Даже обычно сдержанный Гуркин несмело присвистнул, когда она предстала перед его взором.

Первым в ресторане, куда они прибыли, им повстречался как раз Орехов. Он со сдержанной усмешкой кивнул Гуркину и сейчас же обратился к Миле:

— Мне кажется, Милочка, нам следует подойти к прадедушке вместе.

— Втроем? — изумилась та. — Не думаю, что это хорошая идея.

— Зачем втроем? Только мы с тобой. Ты и я. В конце концов, мы еще не разведены.

— Если ты хочешь рассердить Андрея, то у тебя не получится. Он выше ревности и мелких дрязг, правда, дорогой?

Гуркин победоносно улыбнулся, вскинув голову и придав подбородку некоторое подобие твердости.

— Может быть, ты познакомишь нас, как полагается? — сладенько улыбнулся Орехов, с преувеличенной торжественностью протягивая Гуркину руку. — Илья. А вы, кажется, Андрюша?

— Друзья зовут меня Андреем. Но если вам нравит-

ся все уменьшительно-ласкательное, я не против Андрюши, — ответствовал тот, напыжившись.

— А ты бледна, — снова обратился Орехов к жене, изображая всем лицом тревогу и заботливость.

— Всего лишь мигрень. А ты что подумал? Что на меня подействовала встреча с тобой?

— Трудно так не подумать, — пожал плечами Орехов. — В прошлое наше свидание ты тоже выглядела не лучшим образом.

— Потому что у меня были серьезные проблемы.

— Кстати, ты их уже решила?

— Решаю, — неопределенно ответила та и, взяв Гуркина под руку, плавно обвела его вокруг Орехова.

Они направились к имениннику вручать подарок. Гостей в банкетном зале было много, как раз в этот момент они начали усаживаться за столы, смеясь и переговариваясь. Дамы все поголовно были декольтированы и надушены. Именно они рождали вокруг себя оживление и держали в тонусе казавшихся издали почти одинаковыми мужчин.

— Тебе не кажется, что для прадедушки этот праздник слишком многолюден? — спросил подкравшийся сзади Орехов, воспользовавшись тем, что Гуркин отвлекся. — Вот, выпей, голова пройдет. — Он протянул ей фужер с красным вином. — Или ты после нашего разрыва уважаешь только очень крепкие напитки? Такие, которые напрочь отшибают память?

Мила рассердилась. Уж не намекает ли гнусный Илья на то, что она безутешна? И топит свое горе в сорокаградусной? Приняв фужер, она мелкими глотками расправилась с его содержимым, не останавливаясь, чтобы передохнуть.

— Умница, — похвалил Орехов, отнимая у нее пустую посудину. — Вот увидишь, очень скоро ты почувствуешь себя совсем по-другому.

Он оказался прав. Через некоторое время, когда народ наелся и пошел плясать и вовсю общаться, Мила ощутила внутри себя первые симптомы неблагополучия. Гуркина увели на перекур две ее двоюродные тетки. Он преподносил им огонек и дежурно улыбался. А они бегали вокруг него и гладили по рукавам пиджака.

— Мама, — сказала Мила, пробравшись к сидящей неподалеку от задремавшего прадедушки матери. Та была окружена горсткой стариков и старушек, носивших фамилию Лютиковы. — Мама, со мной что-то не так.

— Дорогая, не комплексуй, ты потрясающе выглядишь! — мельком глянув на нее, ответила та.

— Дело не в этом, мама. Мне совершенно внезапно стал нравиться Николай.

Мила неотрывно глядела на Ольгиного мужа, стоявшего в самом темном углу банкетного зала. Он что-то подбирал с большой тарелки, которую держал на весу.

— Не понимаю, чем ты так расстроена, — ответила мама в промежутке между репликами своих дряхлых собеседников. — Вся семья будет только рада, если ты прекратишь его третировать.

— Мама, он мне больше чем нравится, — пробормотала Мила, делая первый неуверенный шаг в сторону Николая. — Он выглядит божественно. Странно, почему я не замечала этого до сих пор?

Ей показалось, что в зале стало гораздо жарче, чем раньше, и еще откуда-то неожиданно зазвучал внутренний голос. Он стал поспешно нашептывать ей, что с Николаем непременно следует познакомиться поближе. Ведь недаром же от него тащатся все женщины. Разве она не такая, как все? Чем она хуже?!

Дальнейшее ей помнилось достаточно смутно. Вроде бы подходил к ней Орехов с длинным жеребячьим лицом и подносил новые фужеры красного вина. Еще она помнила близкие глаза Николая, и его калиброванные зубы, и разъяренную физиономию Ольги, которая держала перед ее глазами пальцы щепотками, как будто собиралась царапаться. Потом появился пахнущий болгарским табаком Гуркин, он что-то приговаривал, словно воркующий голубь, и прижимал голову Милы к своей груди.

Ее почему-то начал вдруг страшно раздражать его крапчатый галстук, и она вцепилась в него зубами и принялась терзать, истекая слюной. Потом ей стало смешно, потому что все вокруг сделалось размытым и звуки куда-то провалились. Гости открывали рты и ожесточенно размахивали руками, как онемевшие спортивные болельщики. Мир начал вращаться — сначала медленно, но с каждой минутой все быстрее и быстрее, и Мила по этому поводу хохотала так, что на глазах выступили слезы.

Очнулась она от страшного сотрясения и, приоткрыв глаза, увидела над собой широкое лицо Листопадова.

— Жива, кажется, — сказал Листопадов странным голосом и зачем-то потянулся к ней ртом.

Поскольку Мила не чувствовала в себе никакого желания до такой степени с ним сближаться, она согнула ноги в коленях и изо всех сил выпрямила их. Издав тихое хрюканье, Листопадов куда-то улетел. Взору Милы открылось бездонное черное небо без звезд. Скосив глаза, она увидела с краешка этого неба светящуюся вывеску ресторана. Значит, они все еще гуляют на столетии прадеда?

В этот миг над ней кверху ногами появилась физиономия Гуркина. У него был фингал под глазом и изорванный галстук.

— Тыквочка! — дрожащим голосом попросил он. — Не бей меня!

— Бить тебя? — удивилась Мила, почувствовав, что лежит ни больше ни меньше как на холодном асфальте. — Разве у меня может подняться рука?

— По моим наблюдениям, — робко сообщил Гуркин, — она должна была уже устать. Вставай, Тыквочка!

Он перебежал на другую сторону и, схватив Милу за руки, изо всех сил потянул ее вверх.

Приняв вертикальное положение, Мила увидела согнувшегося пополам Листопадова.

— Что это с ним? — спросила она, тряхнув головой.

— Не знаю, — пробормотал Гуркин. — Кажется, кто-то ударил его ногами.

— Ах! — сказала Мила. — Досадно, что так получилось. Листопадов! — позвала она. — Садитесь за руль, мне срочно нужно домой. Писать рассказ о медсестре Жанне.

— Зачем о Жанне? — почему-то испугался Гуркин.

— Она вся такая розовая, как будто бы ее вылепили из жвачки, — охотно пояснила Мила. — Должно получиться очень красиво. Жвачная история! Детектив с верхнего этажа прилипает к медсестре с первого.

— Почему ты на «вы» со своим братом? — продолжал допытываться Гуркин, схватив Милу в охапку и двигая ее в направлении машины.

— Кто такой у меня брат?

— Саша, — мотнул Гуркин головой на продолжавшего скакать в сложенном состоянии Листопадова.

— Никакой он мне не брат! — возмутилась Мила. — Он мой хыр... хыр...

— Что-то я не могу придумать родственников, начинающихся на «хыр».

— Телохранитель, — выговорила наконец Мила.

— Откуда у тебя телохранитель? — не отставал Гуркин, запихивая ее на заднее сиденье и загружаясь следом. — Зачем?

— Мне прислали его сверху, — пробормотала Мила, чувствуя, что ее начало клонить в сон. — Все так сложно объяснить, Андрей. Это все очень глубоко... Глубоководно!

Впоследствии ей вспоминалось, что будто бы, приехав домой, она действительно уселась за письменный стол и сочиняла длинный, путаный рассказ о медсестре Жанне, потом совала его в большой конверт, надписывала адрес редакции и требовала у Листопадова, чтобы он немедленно бежал на улицу к почтовому ящику и опустил этот шедевр в него. Когда за ним захлопнулась входная дверь, Мила окончательно провалилась в пустоту.

14

Первое, что она увидела, открыв глаза, была ледяная физиономия Ольги.

— Сестра! — проблеяла Мила, исторгнув пробный стон из пересохших внутренностей. — Воды!

— Я не работаю в Красном Кресте, — холодно ответила Ольга, продолжая морозить ее взором.

— Что со мной? — просипела Мила, попытавшись приподняться и тут же ощутив, что тело ее многократно бито. — Отчего мне так некомфортно, так... хреново, я бы сказала? Где я вчера была?

— На столетии прадедушки, — коротко ответила Ольга, не пожелав ничего добавить.

— Разве праздник уже состоялся? — пробормотала Мила, выстраивая брови в сплошную линию.

— Хочешь сказать, что ты ничего не помнишь? — спросила Ольга, с деланым безразличием принимаясь разглядывать свои ногти.

— А что? На юбилее случилось что-то интересное?

— Рассказать? — дернула та щекой.

Мила в ответ издала низкий тягучий звук. Приняв ее мычание за поощрение, Ольга оторвалась от ногтей и, закинув левую ногу на правую, стала нервно покачивать ею. Тут ей отказала выдержка, и она злобно выплюнула:

— Ты целовалась с Николаем!

Мила некоторое время молчала, переваривая информацию, потом вяло отмахнулась:

— Не может быть. Для этого надо было наливать мне как минимум керосин или технический спирт.

— Целовалась! — завизжала Ольга, сжав кулаки и потрясая ими в воздухе. — Не только я видела! Гуркин тоже видел! И Орехов! Ты утащила его на служебную лестницу и там... там... — Ольга задохнулась, не в силах вымолвить самое страшное.

— Это *у него* изо рта пахнет ментолом? — наморщила лоб Мила, и Ольга тут же бросилась на нее, взревев, словно стартовавший бульдозер.

Когда сестрица пару раз ударила ее по ребрам, Мила попыталась откатиться и свалилась с кровати на пол. Грохот вышел страшный, как будто бы упал мешок с камнями.

— Не убивай меня! — закричала Мила голосом Золотой рыбки, попавшейся в сети жадного и голодного старика.

— На черта ты мне нужна? — немного поостыла Ольга. — Только руки марать.

— Ольга, я была пьяная! — заскулила Мила, кутаясь в упавшее сверху одеяло. — Ты же знаешь, что я терпеть не могу твоего Николая!

— Откуда я могу это знать? — ехидно поинтересовалась та. — На словах выходит одно, а на деле...

— Ольга, я ничего не помню! — взмолилась Мила. — Я с таким же успехом могла целовать не Николая, а какого-нибудь официанта!

— Официанта ты тоже целовала, — как будто смягчилась та. — Рассказать, что ты еще делала?

Мила не отвечала, неподвижно глядя перед собой. На Ольгу, впрочем, это не произвело особого впечатления, поэтому она продолжила:

— Сначала ты рассказала прадедушке про то, как хо-

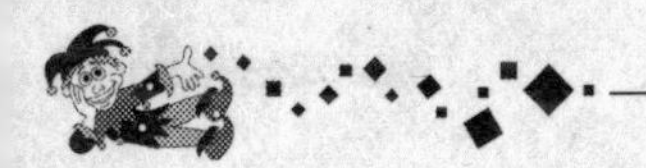

дила в секс-шоп, и в подробностях ознакомила его с ассортиментом товаров.

— Не может быть.

— Еще ты поведала маме, как недавно целовалась с Аликом Цимжановым, после чего Софья охотилась за тобой, чтобы выжечь тебе кислотой глаза. Орехову ты наконец-то призналась в супружеской измене, подробно рассказав про Толика Хлюпова, при этом не забыла осветить подробности его недавней кончины.

— Я все разболтала? — изо всех сил зажмурилась Мила.

— Да. Еще ты напала на Гуркина и хотела перегрызть ему горло. Благо он отделался одним галстуком. А в заключение всего, — голос Ольги отчетливо зазвенел, — ты принялась бегать вокруг меня, тыкать пальцем и кричать: «Слушайте все! Ей сорок шесть лет!» При этом хохотала, как гиена.

После этих слов Мила попыталась заползти под кровать, но Ольга проворно схватила ее за ногу.

— Нет-нет, останься, дорогуша, — потребовала она. — Тебе придется посмотреть мне в глаза!

— Я не знаю, почему все это сделала! — зарыдала Мила, скомкав одеяло и уткнувшись в него носом и ртом. — Это было наваждение!

— А Гуркину ты выболтала, что Листопадов тебя охраняет! — добила ее Ольга. — Теперь твой поклонник постоянно звонит мне и пытается выяснить, что у тебя происходит. Довольна? Ну?

— Боже мой! Я падшая женщина! — ревела Мила, не жалея одеяла.

— Надеюсь, ты пала не с моим мужем? — с подозрением спросила Ольга.

— Я ничего не помню!

— Николая я простила, — сообщила сестра почти нормальным тоном. — Ладно, прощу и тебя. Видимо, твои страдания как-то влияют на мои гены, не могу спокойно слышать этот рев.

— Так твой муж жив? — выпрастываясь из одеяла, радостно воскликнула Мила, ожидавшая, что скоро услышит ни больше ни меньше, как о дне похорон Николая.

— Он сказал, что ничего не сделал. Что это ты его прижала к стенке. Честное слово, я бы ему не поверила, если бы своими глазами не видела, как ты кидаешься на Гуркина. Это выглядело так отвратительно! Ты кусала его за галстук, он бегал кругами, а ты бегала за ним, отплевываясь клочьями...

— Ольга! Наверное, меня опоили! — внезапно догадалась Мила и проворно поднялась на ноги. — Я просто не могла выделывать все эти вещи, находясь под мухой. Ты когда-нибудь видела, чтобы я при всех так бесчинствовала?

— Честно говоря, нет, — заинтересовалась новой версией происходящего Ольга. — А чем тебя могли опоить? И главное, кто? Вспоминай, что ты вчера употребляла?

Мила напыжилась, пытаясь сообразить, что же она пила.

— Орехов, как только мы приехали, заставил меня выпить целый бокал красного.

— Орехов? Интересно... У нас ведь уже была версия, что ты возила для него наркотики через границу.

— А перед этим, еще дома, я выпила две таблетки. Одну без спросу взяла в квартире соседки снизу, Капитолины Захаровны, а вторую, тоже без спросу, вытащила из пиджака Андрея.

— Может быть, одна из этих таблеток была наркотиком? — предположила Ольга.

— Ольга, мне нужно попить! — заскулила Мила, устремившись на кухню. Сестра потопала за ней, задумчиво пожевывая нижнюю губу.

— А что, если главный наркоделец — это Капитолина Захаровна? — внезапно воскликнула она. — Я сто раз читала в книжках про инвалидов — главарей мафии. Их никто не подозревает, потому что они парализованы и вообще такие с виду бедняжки. И только в конце выясняется их подлинная сущность!

— Точно, — мрачно подхватила Мила, залпом проглотив чашку воды из-под крана. — Капитолина Захаровна орудует вдвоем с медсестрой Жанной. У той и внешность подходящая — сущий ангел, только крылышки присобачить. Кстати, Гуркин от нее без ума.

— Ты за это изгрызла его галстук?

— Ольга, я не ревнива. Говорю тебе, это было какое-то зелье.

— А что, если Орехов решил приворожить тебя? — ахнула Ольга, сверкая глазами. — Сходил к какой-нибудь бабке, и та всучила ему жидкость, которую Илья подлил в то самое вино?

— Ну да.

— Что — ну да? Он ведь хотел вернуться? Хотел?

— Мало ли, чего он хотел, — проворчала Мила. — Оставь свои романтические сопли. Если это что и было, то наркотик, а не приворотное зелье. Меня так заглючило — не приведи господи. Впрочем, ты сама видела. Если уж меня потянуло на Николая... Как ему в глаза теперь смотреть? Слушай, а что, если наркотик был у Гуркина в кармане? Замаскированный под таблетки? Я проглотила таблетку, а ведь он не знал. Он хотел отпаивать меня чаем! Сказал, что не надо мне пить ничего обезболивающего. Это несмотря на то, что у меня началась жесточайшая мигрень!

— Милка, ты так рискуешь! — покачала головой Ольга. — Надо срочно заявить в милицию. Срочно. Или взять денег у папы. Ну, на коммерческую команду сыщиков. Мы с тобой уже это обсуждали! Но лучше все-таки в милицию.

— И слышать не хочу! Меня сразу посадят за поганки. Хотелось бы тебе оказаться в каталажке и месяцами ждать, пока следователи чего-нибудь нароют в твою пользу? А если они не захотят? Если станут меня подозревать? Меня вообще сошлют в Сибирь!

— Ну, как хочешь, — сказала Ольга, поднимаясь. — Я уезжаю. Не могу жить только твоей жизнью. Теперь, когда Николай знает, сколько мне лет, я должна особенно тщательно следить за своей внешностью.

— А где мой Листопадов? — неожиданно спохватилась Мила, озираясь так, словно Листопадов был собакой, которая обычно болтается под ногами.

— Не знаю, не знаю. Вероятно, где-то прячется. Может быть, в подъезде, может, на балконе. Позвони Глубоководному и спроси. В конце концов, если уж он валяет ваньку, так пусть делает это как следует. Требуй у него отчета. Что-то же он должен рассказать тебе о ходе расследования! Даже если он расследует на самом деле не для тебя.

Проводив Ольгу, Мила бросилась к холодильнику заедать вчерашние приключения. К счастью, внутри хранилось много сладкого, что ненадолго ее утешило. Перед тем, как засовывать очередную сладость в рот, она тщательно проверяла, не нарушены ли упаковки. Потом, исполненная энтузиазма, прибралась на кухне, приняла душ и приготовила все для создания знаменитой бабушкиной мази. Почистила добытые с риском для жизни корешки и разложила на столе другие заготовленные заранее ингредиенты.

Волшебной мази получилась целая кастрюлька, и Мила с удовлетворением поставила ее на подоконник остужаться. На ее объявление о продаже баночек до сих пор никто не откликнулся, поэтому пришлось озаботиться еще и подходящей тарой. «Надо продавать дорого и маленькими порциями. Тогда будет полный шоколад», — подумала она, искренне веря в успех.

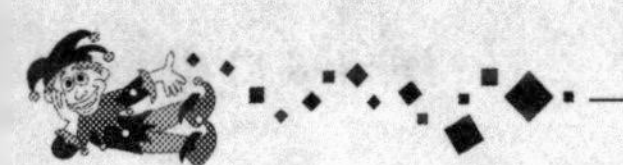

В дверь позвонили — три коротких резких звонка. Никто из ее знакомых так весело к ней не просился. Неслышно подкравшись к двери и заглянув в глазок, Мила увидела на лестничной площадке совершенно неожиданную гостью. Это была Леночка Егорова, супруга сбежавшего ореховского партнера. Прежде они с Милой часто встречались как жены бизнесменов, владевших одной фирмой. До дружбы дело не дошло, до вражды, к счастью, тоже. «Может быть, Егоров отколол номер и вернулся?» — подумала Мила и распахнула дверь.

— Леночка! Какими судьбами? — воскликнула она, делая щечки булочками. — Заходи, заходи, раздевайся.

— У тебя найдется для меня полчаса? — поинтересовалась та, внимательно озираясь по сторонам.

— Конечно. Не беспокойся, я одна.

Леночка Егорова была крашеной блондинкой с почерневшим пробором и наполовину умершей «химией». Жесткие кудельки уныло свисали с ее головы, устав надеяться на лучшее. Она была из тех женщин, которые бестрепетно сочетают плохой маникюр с золотыми кольцами и шикарные туфли с поехавшими колготками. При этом имела замечательную мордочку. Мужики сбегаются к таким, стоит им только постучать ладонью по бедру. Круглый обиженный ротик в мгновение ока умел превращаться в узкую извилистую щель, через которую слова цедятся по одному. Сейчас, однако, Леночка явно пребывала в хорошем настроении и губки держала бантиком.

— О! Тортик! — сказала она, увидев уставленный яствами стол. — Угостишь? Как только я перестаю думать о похудании, тотчас же худею. Господь не дает мне растолстеть. Только я начала расплываться, как сбежал Павел. Нервная система мгновенно вытряхнула из меня весь лишний жир. Я снова стройна и готова к новым похождениям.

— Так быстро? — не поверила Мила и принялась ее угощать.

Во время чаепития говорили о всякой ерунде. Наконец Леночка отставила в сторону десертную тарелку и потянулась за пепельницей.

— Как у тебя с Ореховым? — спросила она, безуспешно щелкая зажигалкой и этим страшно напоминая ей Ольгу.

— Мы разводимся, ты разве не знаешь?

— Слышала от него. Но заявления мужчины — это одно, а замысел женщины — совсем другое. Тут все зависит от твоих намерений. Ты действительно хочешь с ним развестись?

— Действительно, — неохотно кивнула Мила.

Может быть, Леночке приятно узнать, что не только она остается без мужа, но Мила не любила, когда из нее вытягивали сведения личного характера.

— Ума не приложу, почему ты его отпускаешь! Если бы Павел не улизнул, я бы никогда не дала ему развода. Он был очень удобен.

— У вас ведь маленький Мишенька! — воскликнула Мила. — А наш Лешка уже вырос, ему можно все объяснить.

— А что — все? — спросила Леночка, пытливо глядя на хозяйку дома.

— Что ты хочешь от меня услышать? — нетерпеливо спросила та. — Подробности скандала?

— Не сердись. — Леночка принялась вертеть в руках сигарету. — Не могу понять, почему сбежал Павел. Ночами не сплю, всю голову сломала.

— Как — почему? — опешила Мила. — Надоело рисковать, крутиться, нести бремя забот. Кроме того, секретарша Вика вскружила ему голову. Ты же помнишь ее! Роскошная девка, к тому же шальная. Она его и подбила бежать в теплые страны, точно тебе говорю.

— Нет, Милочка, ты не понимаешь. Думаешь, эта

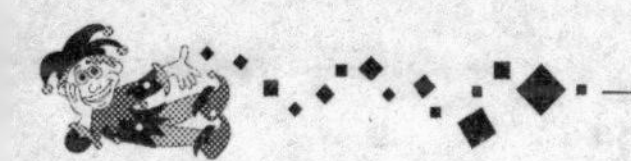

Вика у Пашки первая была? Дудки. Сто сорок первая! Он мне обо всех своих пассиях рассказывал. Я разрешала ему разнообразить личную жизнь.

Мила разинула рот. Ничего себе откровение! Такого она от Леночки не ожидала. И могла бы поклясться, что та — жестокая ревнивица, которая держит муженька в постоянном страхе.

— Да-да, дорогая, — подтвердила Леночка, скорбно качнув головой. — Вот я и подумала: что, если Павел разругался с Ореховым? Возможно, у них были какие-то трения, о которых ты знаешь, а я — нет?

— Идешь по ложному следу, — тут же сообщила Мила. — Не было между ними никаких трений.

— Убеждена?

— Сама посуди: за день до Пашкиного бегства они мирно веселились на даче. Если ты помнишь, там у меня на втором этаже оборудован кабинет. Я еще оттуда не вывезла ни компьютер, ни принтер, ни стеллаж из «Икеи». Добра, одним словом, — пруд пруди. И вот приезжаю я туда и застаю там мальчишник. Твой Пашка был пьяный, как свинья, лежал на кровати, свернувшись калачиком, Орехов танцевал с каким-то типом с поросячьим рылом, а шофер Володя вообще валялся на полу и храпел. Был там еще один товарищ... ах, кажется, теперь я поняла — кто! Дивояров! Ты знаешь Дивоярова?

— Недавно познакомилась, когда я заходила в офис к Орехову.

— Я тоже недавно. Тоже когда заходила в офис! — вскричала Мила. — То-то я удивилась: откуда он меня в лицо знает!

— Значит, — вернулась к интересующей ее теме Леночка, — за день до исчезновения Павла на даче Орехова шло веселье? А что был за день? Может быть, праздник?

— Да нет, — пожала плечами Мила. — Ничего такого. Впрочем, ты что, мужиков не знаешь? У них тогда и праздник, когда выпить охота.

— Я тут кое о чем подумала, — сказала Леночка, глядя в окно невидящим взором. — А ты сейчас только утвердила меня в моем подозрении.

— Что такое? — насторожилась Мила.

— Мне кажется, Орехов знал, что Пашка собирается бежать. То есть на самом деле он вовсе не бежал, а с согласия партнера вышел из дела. А этот мальчишник...

— Был их прощальной вечеринкой?

— Орехов с самого начала вел себя не так, как я лично от него ожидала. Не так, как, например, повел бы себя Пашка, поменяйся они ролями. Ты понимаешь, о чем я говорю?

— В общих чертах. Ведь мы с Ореховым уже не жили вместе, когда все это случилось. Я, по большому счету, и не видела его реакции.

— Кроме меня, моего мужа никто толком не искал, — пояснила Леночка, принимаясь истреблять очередную сигарету.

— Ты что же, — догадалась Мила, — рассчитываешь, что мне удастся вытрясти из Орехова правду? Напрасно. Ты обратилась не по адресу. Шла бы лучше к его Гулливерше. Теперь Орехов *с ней* делится своими секретами.

— Ну, тут ты ошибаешься, — возразила Леночка, укладывая в сумочку свои курительные принадлежности. — Между ними наступил арктический холод.

— Так скоро? Ты ничего не путаешь?

— Ничего, — мотнула та головой, встряхнув кудельками. — Но тебе ведь это, кажется, все равно? — пытливо посмотрела она на Милу.

— В таких вещах я не вру, — гордо заявила та. — Раз сказала, что между нами все кончено, значит, так оно и есть.

Леночка собралась уходить и перед дверью по максимуму обнажила зубки в улыбке:

— Я рада, что мы подруги и смогли поболтать по душам.

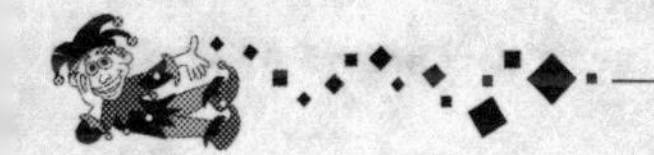

Подруги? Мила закрыла дверь и хмыкнула. Пожалуй, они не поболтали, а просто обменялись информацией. И вообще: храни господь от таких подруг. Конечно, версия Леночки не выдерживала никакой критики. Если бы фирме что-то угрожало, то исчезнуть пришлось бы обоим совладельцам сразу. В противном случае, возжелай Егоров расторгнуть партнерство, это можно было бы сделать открыто и цивилизованно. Допустим, он хотел уехать с секретаршей в жаркие страны и начать новую жизнь. С женой в таком случае достаточно было просто развестись. Не мог же Егоров так бояться свою Леночку, чтобы устраивать подобное светопреставление только ради того, чтобы запудрить ей мозги?

Однако после визита Леночки Егоровой Мила забеспокоилась. Беспокоила ее быстрота смены событий. Сначала появляется Гулливерша, из-за которой они с Ореховым решают разводиться. Потом исчезает Егоров, судя по всему, вместе с секретаршей. А спустя некоторое время начинается охота за Милой. Потом появляется подставной частный детектив со странной теорией относительно наркотиков... Да... Конечно, в милицию обратиться было бы умнее всего. Но какова вероятность того, что ее дело попадет в руки честного, неподкупного, умного и непредвзятого следователя? Такой набор качеств встречается, пожалуй, только в мечтах вляпавшихся в неприятности граждан.

В задумчивости сунула Мила палец в кастрюльку с мазью и, посчитав, что та уже достаточно остыла, принялась делить ее на порции. Потом позвонила Татьяне.

— Шестерых клиентов я тебе нашла, — оживленно сообщила та. — Правда, есть одна загвоздка. Все они сегодня приходили в поликлинику, а значит, не слишком хорошо себя в настоящий момент чувствуют. Если ты хочешь совершить сделки быстро, придется тебе доставить мазь каждому на дом.

— Я бы с радостью! — воскликнула Мила. — Но у меня проблема: Листопадов. Он будет следовать за мной, а потом доложит Глубоководному, что я шастала по частным квартирам. Тот, естественно, привяжется с ножом к горлу — зачем. Ведь я же якобы его клиентка, не так ли? Не могу же я сказать ему правду? Что занимаюсь индивидуальной трудовой деятельностью с целью заработать денег и нанять настоящего частного детектива, потому что догадалась, что он — ненастоящий.

— Я бы предложила тебе свою помощь, — откликнулась Татьяна, — но не могу. Я же работаю не в районной поликлинике. Ты ведь в курсе: она принадлежит большому фонду. А у нас порядки знаешь какие? Если кто-нибудь из больных проговорится, что я частным путем приторговываю сомнительными лекарствами...

— Ты называешь мазь моей бабушки сомнительным лекарством?! — возмутилась Мила.

— Именно так подумает мое руководство, если история всплывет. Ты же знаешь этих стариков и старушек — они болтают, словно очумевшие диджеи.

— Что же прикажешь мне делать? Ольга легла на два дня в клинику приводить в порядок лицо. Николай узнал, сколько ей лет, и теперь она одержима идеей омоложения. А больше я никому не доверяю.

— Ну, я не знаю... — промямлила Татьяна. Несмотря на ее вялый тон, было понятно, что сдаваться она не собирается. — Ты же в курсе, что я одна тащу ребенка и мать. Как я могу рисковать приличной зарплатой? У меня же нет бабушкиного рецепта, который выручит меня в сложной ситуации.

— А что, если мы Листопадова обманем? Я ускользну от его наблюдения, но не внаглую, так, чтобы он бегал и искал меня по городу. Я его обману. Причем с твоей помощью. Таня, ты мне друг?

— А что? — с подозрением спросила та.

— Можешь пойти на жертву?

Татьяна молчала, вероятно, прикидывая, какого рода жертва от нее потребуется.

— Только если это не что-нибудь криминальное, — наконец ответила она.

— Да что ты! Какое криминальное! Я хочу, чтобы ты постриглась и покрасилась под меня. Мы встретимся с тобой в кафе, поменяемся верхней одеждой и сделаем так, чтобы Листопадов нас перепутал. Пока он будет следить за тобой, я отвезу клиентам мазь. Ты согласна? — спросила она, горя энтузиазмом.

— Нет, не согласна.

— Ага! — рассердилась Мила. — Значит, на самом деле тебе не нравится мой цвет волос, так же как и стрижка! Ты врала самым наглым образом! И после этого ты — подруга?!

— Чего ты кричишь? — остудила ее пыл Татьяна. — Я всего лишь боюсь, что меня убьют вместо тебя. Ты не забыла, что в тебя стреляли? Хотели отравить поганками? Брызнуть в лицо кислотой? Нет?

— Хорошо, хорошо, давай пойдем на компромисс. Ты пересидишь необходимое время у меня в квартире.

— Как это?

— Да просто, Таня! Просто, как дважды два! Листопадов дежурит на третьем этаже в подъезде. Ты приходишь ко мне в гости, а потом якобы уходишь. А на самом деле ухожу я в твоей одежде.

— И Листопадов тебя не узнает?

— Конечно, нет! Мы возле открытой двери пощебечем, попрощаемся, вот он и подумает, что ты — ушла, а я — осталась. Здорово?

— Здорово, — мрачно сказала Татьяна. — Ладно, уговорила. Сейчас я в парикмахерскую — и к тебе.

— Да ладно, не надо тебе в парикмахерскую, — смилостивилась та. — Накинь на голову косынку, тем более холодно уже, многие женщины в головных уборах.

— Нет уж, я хочу тебе доказать, что мне нравится и твой цвет волос, и твоя стрижка. Не слишком приятно, когда лучшая подруга считает тебя обманщицей.

Борис Глубоков шествовал к дому Лютиковой, чтобы сменить Листопадова на боевом посту. Листопадов хотел спать, есть и психологически расслабиться. Завернув за угол, Борис увидел, как из знакомого подъезда, топоча модными сапожками, выскочила Лютикова и, слегка ссутулившись, двинулась в сторону метро. На ней было огромное зеленое пальто с начесом и шелковая косынка, завязанная на деревенский манер.

«Где же Листопадов? — подумал Борис, волнуясь. — Может быть, заснул? Или что-то с ним случилось страшное?» Оглядываясь на дверь подъезда, Борис вприпрыжку припустил за Лютиковой. Вот они вошли в метро и купили карточки. Вот прошли турникеты. Листопадова все не было. Лютикова тем временем стащила с себя косынку и повязала ее вокруг шеи. «Маскировалась она с ее помощью, что ли? — недоумевал Борис. — Но так просто обвести Листопадова вокруг пальца?»

Тем временем Лютикова доехала до нужной станции, поднялась на поверхность и, сверяясь с бумажкой, потопала к торчавшей неподалеку двенадцатиэтажке. Борис отстал и, вытащив телефон, позвонил Листопадову на мобильный.

— Саша, ты что?! — зловещим шепотом спросил он. — Ты где?

— Как где? Вас жду, — отозвался тот, недоумевая. — Чтобы смениться.

— Где ты меня ждешь?

— Знамо дело, где. В подъезде.

— А ты в курсе, где сейчас Лютикова? — продолжал допытываться Борис, прибавляя шаг, чтобы не потерять беспокойную клиентку из виду.

— Знамо дело, где. В квартире сидит.

— Это ты, Саша, пургу гонишь. Лютикова сейчас на другом конце Москвы. Я иду прямо за ней, что называется, наступая в следы от ее сапог.

— Не может быть, — хмыкнул Листопадов. — Вы ее с кем-то перепутали.

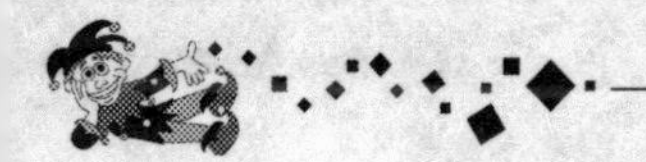

— Да? А может, это не я перепутал, а ты ее упустил?

— Только если она выбралась через балкон, — мрачнея, ответил горе-телохранитель.

— Ничего подобного! Она спустилась по лестнице и вышла из подъезда прямо у меня на глазах.

— Ерунда какая-то! — распереживался Листопадов. — Сейчас спущусь вниз и проверю. Потом вам перезвоню.

— Нет, я сам тебе перезвоню! — возразил Борис и, отключив телефон, спрятал его поглубже в карман.

Лютикова тем временем вошла в подъезд. Борис почти тотчас же нырнул следом за ней и на цыпочках поскакал вверх по лестнице, останавливаясь на каждом этаже, чтобы не выскочить прямо на нее. Вот наконец двери лифта открылись, и Лютикова, потоптавшись на площадке, нажала на кнопку звонка.

— Мне Шпатцикова Леопольда Вельяминовича, — сказала она, отзываясь, по всей видимости, на голос из-за двери. И более тихо добавила: — Я от Капельниковой.

Спешно защелкали замки, загремела цепочка, и через минуту по лестничной площадке разнесся жалобный шепот:

— Вы — Лютикова?

— Так точно, — тоже переходя на шепот, ответила та.

— Спасительница! Голубушка! — принялся стенать невидимый Шпатциков. — Не обессудьте, деточка, но я через минутку выйду к вам на лестницу. Возьму мусорное ведро, чтобы жена ни о чем не догадалась. Она не должна знать! Даже заподозрить не должна!

— Я понимаю, — пробормотала Лютикова.

«Значит, она все-таки замешана! — ахнул про себя Борис. — Смылась из-под наблюдения Листопадова и отправилась самолично доставлять «невидимку» клиентам. Вот это да!»

Прошла минута, и возбужденный сверх меры Шпатциков снова выскочил на площадку.

— Сначала, вот, держите деньги. Прячьте их, прячьте, а я сейчас.

Он поднялся к мусоропроводу и, погромыхав ведром, просеменил обратно.

— Вы себе не представляете! — вновь зашептал он. — Я никогда даже не подозревал, что испытаю подобные ощущения! Всю жизнь дружил со спортом. Сплавлялся на байдарках по бурным рекам, покорял горные вершины! А теперь... Ну, давайте, давайте сюда!

— Здесь немного, — сдавленно произнесла Мила. — Но это очень дорого. Вы ведь понимаете?

Борис внизу закусил палец, чтобы не закричать от радости.

— Вот мой телефон и адрес, — сказала между тем Лютикова. — Когда доза закончится, сразу звоните и приезжайте. Я вам помогу.

При слове «доза» Борис облегченно закатил глаза. Итак, Лютикова почти разоблачена! Константин, конечно, сразу ему не поверит, будет выспрашивать все в подробностях. Надо записать адреса всех, кому Лютикова сегодня еще доставит наркотик. Для этого придется продолжать слежку, чего бы это ему ни стоило. Они накроют сразу всю сеть.

15

Тем временем озадаченный Листопадов остановился возле двери Лютиковой и прислушался. Внутри было тихо. Потоптавшись некоторое время на резиновом коврике, он набрал номер ее телефона и услышал, как тот зазвонил в глубине квартиры. Однако трубку никто не снял. «Но я же не сошел с ума!» — рассердился Листопадов и нажал на кнопку звонка дрогнувшим пальцем. В ответ внутри что-то грохнуло.

Услышав звонок в дверь, Татьяна, которая валялась на тахте и жевала печенье, всполошилась и, попытав-

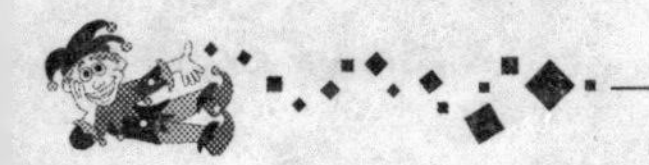

шись молниеносно выкрутиться из пледа, только еще больше запуталась и свалилась на пол. Мила, возвратившись, должна была открыть дверь ключом. О гостях они обе как-то не подумали. Кое-как поднявшись, Татьяна прижала пакет печенья к груди и двинулась в сторону двери. Звонок прозвонил еще раз — долго и настойчиво. Он был старый, дешевый, а потому издавал довольно противный и нервирующий звук.

— Людмила Николаевна! — громко спросил из-за двери какой-то мужик. — С вами все в порядке? Вы там?

— Там! — ответила Татьяна. Рот ее был набит печеньем, поэтому она надеялась, что гость, кем бы он ни был, не заподозрит подмены.

— Почему вы не отвечаете на телефонные звонки? — продолжал допытываться тот. — Откройте дверь! Я должен убедиться, что вы в порядке.

«Наверное, это и есть Листопадов, — догадалась Татьяна. — Что же делать? Что делать?» Она засунула в рот еще одно печенье и промямлила:

— Я не могу.

— Почему? — рассердился Листопадов.

— Я ем, — невнятно ответила Татьяна.

— Ну и что?

— Я голая.

— Но... Людмила Николаевна! — захлебнулся возмущением тот. — Почему бы вам не одеться?

— Я не штану, — уперлась Татьяна, прожевывая размокшее во рту печенье и громко чавкая.

— Не станете?!

— Нет.

— Людмила Николаевна! Мне придется взломать дверь.

— Жачем? — спросила Татьяна, убежденная, что еще немного — и Листопадов догадается, что она не та, за кого себя выдает.

— Я должен убедиться, что вы не заложница.

— Только попробуйте! — предостерегла Татьяна, отчаянно шурша пакетом. Печенье ужасно некстати заканчивалось.

Панически озираясь по сторонам, она вспомнила, что продовольственные запасы Мила хранит в кладовке. Вход туда находился как раз рядом с ней, в коридоре. Обычно на полках там стояли банки и коробки, среди них вполне могло заваляться что-нибудь подходящее, чем можно снова набить рот. Метнувшись к кладовке, Татьяна распахнула дверь, и на нее в ту же секунду обрушились старые одеяла. От неожиданности она коротко вскрикнула и тут же подавилась печеньем.

— Людмила Николаевна! — забился в тревоге Листопадов, на пробу ударив в дверь плечом. — Что у вас происходит?

Татьяна прыгала на одном месте, высунув свернутый трубочкой язык, и сдавленно кряхтела, выплевывая изо рта крошки. Когда Листопадов покусился на дверь, она в последний раз отчаянно крякнула и наконец вздохнула полной грудью.

— Людмила Николаевна! — в голосе Листопадова появились по-настоящему угрожающие нотки. — Как хотите, а я ломаю дверь.

Татьяна, путаясь в одеялах, валяющихся под ногами, схватила с полки пачку «Геркулеса» и, растерзав ее, набила рот овсяными хлопьями.

— Мы-ма-да, — низким голосом попросила она, лихорадочно думая, как выйти из положения. Милка не простит ей, если все сорвется. — Ме ломайте.

Листопадов не послушался и ударил в дверь с гораздо большей силой и мощью, чем в первый раз. Татьяна тотчас же почувствовала себя одним из трех поросят, который не озаботился соорудить себе надежный дом.

— Вы не шмеете ломать эту дверь! — с возмущением закричала она, пытаясь подражать истерическим интонациям подруги.

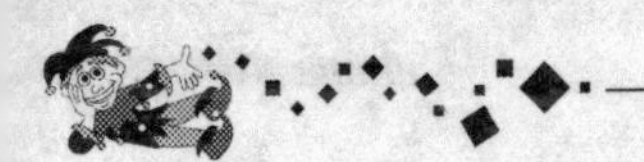

— А почему это вы не можете открыть? — тоже закричал Листопадов.

— Я... Я... Потому што я жанимаюсь шекшом! — неожиданно нашлась Татьяна.

— Чем-чем?

— Шекшом.

— Это сексом, что ли? — Листопадов на какое-то время заткнулся, потом странным голосом спросил: — А с кем?

— Да вы што?! — вскричала Татьяна, чувствуя, что этого противного типа ничто не остановит. — Будете мне швечку держать?

«Геркулес» у нее во рту размок и превратился в отвратительную кашу. Предчувствуя, что Листопадов вот-вот разбежится и вышибет дверь с одного удара, Татьяна лихорадочно искала выход из положения. «Что, если мне раздеться догола? — придумала она. — Отойду подальше, встану в дверях кухни спиной к входной двери. Волосы у меня теперь как у Милки, издали не различишь. Конечно, я пожирнее, но разве в суматохе разберешь? Этот тип ворвется, увидит голую женщину, сразу же зажмурится или отвернется, я завизжу, и мы разойдемся, к обоюдному удовольствию».

Татьяна бросилась на кухню и прямо в дверях принялась стаскивать с себя одежду. На это у нее ушло довольно много времени, потому что проворством она никогда не отличалась. Листопадов медлил выбивать дверь, поэтому у нее были все шансы подготовить ему сюрприз. Обнажившись наконец, она схватила со стола чашку и принялась выплевывать в нее противный клейкий «Геркулес». В разгар этого увлекательного занятия ей снова послышался голос Листопадова, который очередной раз вопросил:

— Людмила Николаевна?!

Чтобы окончательно поразить Листопадова, дабы он воздержался от вышибания дверей, Татьяна между очередными плевками издала сладострастный стон. Листопадов молчал. Тогда она издала еще один стон и подумала: «Авось ему станет неловко, и он отвяжется!» Войдя во вкус, она принялась расхаживать голышом по кухне и стонать на все лады, громко дыша. Через некоторое время краем глаза она заметила в окне какое-то движение. Резко повернувшись в ту сторону, увидела, что на балконе стоит незнакомый мужик с вытаращенными глазами и отвисшей челюстью. Сказать, что он был изумлен, значило ничего не сказать. На его лице был написан подлинный ужас.

Ахнув, Татьяна присела, закрывшись руками, потом встала на четвереньки и со скоростью застигнутого врасплох таракана заползла под кухонный стол.

— Убирайтесь! — крикнула она, высунув из-под стола голову и положив подбородок на подоконник. Поскольку форточка была открыта, мужик должен был хорошо ее слышать.

— А где Людмила Николаевна? — голосом полного дебила повторил свою коронную фразу Листопадов.

— Она... Она там... Она... Занята.

Листопадов попятился к перилам балкона и, достав сотовый, быстро набрал номер.

— Алло! — сказал он. — Борис? Это я. Значит, так. Лютикова дома. Они с подругой занимаются сексом. Нет, сам я не видел... Нет, внутрь меня не пускают. Помилуйте, они в таком виде... Не знаю, не знаю. Вроде бы подруга ушла, но, как выяснилось, это был просто обман. Она осталась, чтобы... Ну, вы понимаете. Нет, со мной все в порядке. Хорошо, буду ждать.

Он убрал мобильный и покосился на окна Лютиковой, покраснев до ушей.

Борис тем временем по пятам следовал за Милой. Все ее клиенты сосредоточились в одном районе, что он не преминул взять на заметку. Возможно, в этом кроет-

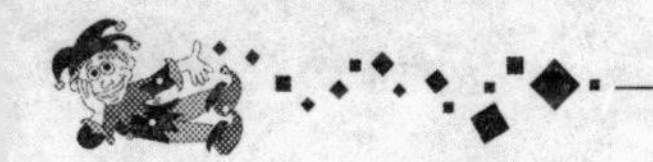

ся какой-то особый смысл? Наконец повеселевшая Лютикова свернула пустой пакет, где раньше лежали баночки, и засунула его в карман. Потом замахала рукой частнику и, наклонившись к открывшемуся окошку, назвала свой домашний адрес.

«А я не поеду сейчас за ней! — рассудил Борис. — Вместо этого пойду-ка я к самому пугливому клиенту, тому, первому, Шпатцикову, и попробую взять его на понт». Он вернулся к двенадцатиэтажке, с которой начинались их приключения, и, гонимый возбуждением, взбежал по ступенькам наверх. Потом, недолго думая, нажал на кнопку звонка.

— Кто там? — спросил его из-за двери уже знакомый дребезжащий голос.

— Это от Татьяны Капельниковой, — тотчас же выдал памятливый Борис. — Откройте, пожалуйста, Леопольд Вельяминович!

Через мгновение Шпатциков уже возник на пороге. Это был невысокий жилистый старикан с бородой-лопаткой и седыми усами, похожими на постриженную малярную кисть. На нем был длинный вытертый халат и шерстяные носки.

— Да? — спросил он, опасливо щурясь на молодого сильного Бориса.

— Леопольд Вельяминович, миленький! — сложив перед собой руки, чтобы обезоружить старикана, воскликнул тот. — Капельникова обещала мне помочь. Ну, тем же, чем и вам. Но только дома ее сейчас нет, а мне просто зарез. Не могли бы вы, как клиент, порекомендовать меня Людмиле Николаевне Лютиковой? Умираю, просто сил нет!

Шпатциков боязливо оглянулся назад и, петушиным шажком переступив на коврик, прикрыл за собой дверь.

— Понимаю, батенька! — сказал он, сочувственно похлопав Бориса по руке. — Ах, как я вас понимаю! Пока Людмила Николаевна не принесла мне *это*, я буквально на стенку лез. Поверите — ни сесть, ни встать, ни лечь. Хоть волком вой! И чего я только не перепробовал! Ну, из того, что продают в аптеках. Ничего не помогало! А это... Просто божественно! Такое чувство, будто заново родился! Вот вам адрес, переписывайте скорее с моей бумажки.

Борис, дрожа от предвкушения, взмолился с новой силой:

— Леопольд Вельяминович! А не могли бы вы прямо сейчас позвонить Лютиковой, а? Скажите, придет, мол, страждущий, Борис Иванов. Готов заплатить двойную... Да что там: тройную цену!

— Скажу вам по секрету: оно того стоит! Ни минутки не пожалеете! Уже через пятнадцать минут почувствуете себя на седьмом небе!

«Точно, нашего деда работа, — подумал Борис, распрощавшись со стариком, который пообещал в ближайшие полчаса дозвониться до Лютиковой. — Когда он берется за дело, так уж и делает на совесть!» Борис испытал даже некоторую гордость за деда. Правда, это чувство быстро ушло, уступив место другому, менее приятному. И чем приходится заниматься! Да уж, решать семейные проблемы — все равно что зубы лечить: очень надо и очень не хочется.

Вернувшись домой и обнаружив там совершенно потерянную Татьяну и выпотрошенную кладовку, Мила здорово испугалась.

— Таня! — закричала она. — Что случилось?

— Ничего такого, из-за чего стоит бледнеть.

— Ну, ты, мать, даешь! Нельзя же так пугать! Я уж было подумала, в дом залезли бандиты. В коридоре черт знает что! Кто кладовку выпотрошил? И почему «Геркулес» рассыпан по полу? Мышей приманивала?

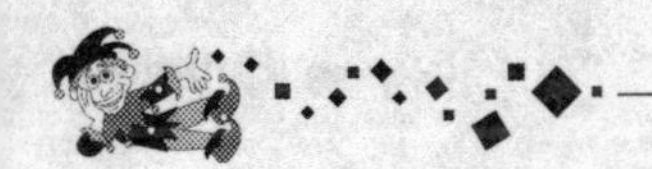

— Ты не знаешь, что здесь было! — Татьяна, кряхтя, уселась на табурет. — Делай чай, я сейчас расскажу.

— Так ты не тяни, рассказывай скорее, я же волнуюсь!

— Листопадов мылился ворваться в квартиру, дверь ломал. Думал, тебя взяли в заложницы.

— Да ты что?!

— Я его не пускала, тогда он полез с балкона. Такой настырный, просто жуть!

— И чем дело кончилось?

— Чем, чем? — пробормотала Татьяна. — Увидел меня в натуральном виде и убежал.

— Так он догадался, что меня дома нет? — испугалась Мила.

— Не знаю. Я сказала, что ты принимаешь ванну.

— Ты с ним что, голая разговаривала?

— Голая, только из-под стола.

— А у меня, Таня, так все здорово! Благодаря тебе, конечно. Клиенты все меня встречали на «ура», я целую кучу денег заработала. Сколько ты хочешь: двадцать пять процентов? Или половину?

— Я хочу домой, — сказала Татьяна. — Из-за тебя столько всего пережила. Даже постриглась в честь нашей дружбы. А деньги ты лучше потрать так, как планировала. Если твои приключения закончатся, мне же легче будет.

— Слушай, а ведь Листопадова на лестнице нет, — внезапно вспомнила Мила. — Я открывала дверь, он даже не выглянул. Что бы это значило?

— Ну... Возможно, он в шоке, — задумчиво предположила Татьяна. — Конечно, неприятно думать, что мое тело настолько отвратительно, что лишает мужчину способности выполнять свой профессиональный долг. Однако ничего другого на ум просто не приходит. Давай поглядим, может, он без чувств валяется на балконе?

Листопадов действительно был там. Он затаился в

самой дальней части крыши. Мила сплюснула нос о стекло и, улыбнувшись во весь рот, помахала ему рукой. Татьяна выглянула из-за ее плеча и тоже помахала рукой. Листопадов явственно вздрогнул.

— Отлично! Пока он в отдалении, я выскочу, — засобиралась Татьяна. — И, пожалуйста, сделай что-нибудь решительное для того, чтобы тебя не прихлопнули.

Мила клятвенно ей пообещала и, заперев дверь, уселась считать деньги, вырученные за продажу мази. Не успела она расправить и сложить в нужном порядке первые купюры, как раздался звонок.

— Что-нибудь забыла! — проворчала Мила, пробираясь между одеялами по коридору.

Заглянув в глазок, она увидела незнакомого мужчину с открытым лицом и веселым круглым носом. Это был Борис Глубоков, для нее, впрочем, оставшийся незнакомцем, поскольку в момент первой встречи он прятал лицо под воротником.

— Вы кто? — настороженно спросила Мила, проверив, накинута ли цепочка.

— Борис Иванов, — заговорщическим тоном ответил тот и принялся грызть ноготь. — Вы меня пустите?

— С какой это стати? — озадачилась хозяйка: поистине день полон сюрпризов!

— Вам разве Шпатциков не звонил? — с отчаянием в голосе воскликнул Борис. — Он обещал! Он дал мне ваш адрес и рекомендацию.

— Ах, Шпатциков! — выдохнула Мила, почувствовав, как уходит напряжение и стало легко дышать, как будто с нее сняли корсет. — У вас что, те же самые проблемы, что и у дедушки? — сочувственно спросила она.

— Те же самые! — закивал Борис. — Так у вас найдется для меня, ну, средство от моего недомогания? Я много заплачу.

Услышав последнюю фразу, Мила радостно распахнула дверь. Мысль о том, что в тылу находится Листопадов, да еще надежда обогатиться заставили ее проявить некоторую беспечность.

— Входите, входите, — предложила она. — Давайте на кухню, у меня все там.

Борис перепрыгнул через одеяла и спросил:

— Занимаетесь генеральной уборкой?

— Генеральной, точно.

Оценив наметанным глазом дорогую одежду посетителя, Мила внезапно почувствовала себя настоящей акулой капитализма и нахально спросила:

— Какой суммой вы располагаете?

Борис сделал серьезное лицо и, понизив голос, спросил:

— Сколько выйдет на двести «зеленых»?

— Столовая ложка, — не моргнув глазом, ответила акула. И поспешно добавила: — С верхом.

— Это ведь у вас что-то новенькое, — закинул удочку Борис.

— Точно. Впервые на рынке.

«Конечно, это «невидимка»! — возликовал тот. — Первая дедова партия».

На кухне Мила со всей возможной торжественностью протянула ему пластмассовую баночку из-под витаминов.

— Простите, — замялся Борис. — Поскольку я в первый раз... Как это нужно употреблять? Нюхать?

— Нюхать?! — опешила Мила, на секунду задумавшись. — Ну... Если только тем местом, которое страждет.

Она принужденно улыбнулась, рассчитывая, что посетитель наконец раскошелится. Словно почувствовав немой призыв, Борис тут же полез за бумажником. Выложив на стол деньги, он отвинтил у баночки крышку и сунул внутрь нос.

— Так это крем? — тут же удивился он, подняв на Милу по-детски ясные глаза.

— Мазь. А что, вы никогда ничего подобного не применяли? — не меньше его удивилась Мила.

Борис честно пытался сообразить, как можно словить кайф от мази, но в голову ему что-то ничего не приходило. «Дед явно выдал ноу-хау», — подумал он. А вслух робко спросил:

— Ее что, нужно размазывать под носом?

Мила задумчиво поглядела на него и напряженным голосом переспросила:

— Под носом? Слушайте, ну и фантазия у вас! Или ваш нос напрямую связан с прямой кишкой?

Теперь уже надолго задумался Борис.

— Первый раз слышу, — наконец сообщил он, — чтобы наркотики употребляли другой стороной туловища!

— Наркотики? — обомлела Мила.

— А что же, по-вашему, я у вас покупаю? — рассердился Борис.

— Как — что? Мазь от геморроя!

— Это шутка? — зловещим шепотом спросил Борис. — Ведь Шпатциков говорил о дозе!

— Наверное, у него сильное обострение, — предположила Мила. И, поглядев на деньги, с сожалением произнесла: — Так у вас что, совсем не бывает запоров?

— Не бывает.

— Не верю!

— Ну, может, время от времени, — огрызнулся Борис.

— И, несмотря на опасный симптом, вы не будете покупать эту чудесную мазь, чтобы ухаживать за одним из важнейших органов своей выделительной системы?!

— Ну, хорошо, — прошипел Борис. — Я возьму.

— Всю столовую ложку?

— Всю.

Захлопнув за Борисом дверь, Мила по очереди поцеловала обе стодолларовые купюры и спрятала их в железную банку из-под чая. Дальнейшие перспективы с каждым часом теряли мрачность.

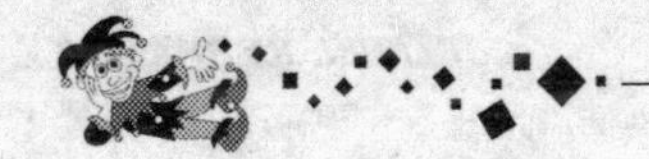

16

— Хочешь сказать, ты даже не поинтересовалась, почему он решил, что ты торгуешь наркотиками? — не поверила Ольга, нагоняя тучи на свое помолодевшее лицо.

— Я была слишком возбуждена, чтобы сообразить, — оправдывалась Мила. — Мужик дал мне двести долларов! Я хотела как можно скорее от него избавиться, пока он не передумал. — Тут же ее тревога сменилась оживлением. — Если дело так и дальше пойдет, я стану богатой женщиной, Ольга! Мне надо еще раз выехать за город! Я готова перекопать каждую поляну! Я готова...

— У меня нехорошие предчувствия, — перебила ее Ольга. — Ты связывалась с Глубоководным?

— Связывалась. Дома его постоянно нет, я позвонила на мобильный. Он что-то мямлил, мол, расследование движется, мол, не надо волноваться... Ты же понимаешь, мне нечем ему пригрозить. Разве что лишением ста рублей в день. Но теперь, когда мы знаем, что сумма не тянет на гонорар, я даже разговор заводить не рискнула.

— Я из-за тебя стала плохо спать, — заявила Ольга. — Как ты сама-то засыпаешь ночью? — И, посмотрев на Милу, добавила с неудовольствием: — Впрочем, ты почти всегда пьяная, что с тебя взять?

— Я уже привыкла к опасности, — объяснила Мила. — Говорят, что это защитная реакция организма. Поскольку он не может постоянно находиться на пределе сил, мозг дает команду телу не напрягаться. Все происходящее уже не кажется мне смертельным. В конце концов, до сих пор никого не убили.

— Да? — искренне изумилась Ольга. — А Толик Хлюпов? На месте которого должна была оказаться ты? Ведь ты жуешь тушеные овощи днем и ночью! Счастливый случай, что ты не схрумкала ту опоганенную упаковку!

Упустившая Хлюпова из виду Мила густо покраснела.

— Ну ладно, — сказала она. — Уговорила. Займи для меня денег у папы. Я пока еще заработала недостаточно.

— Как ты себе это представляешь? — надменно спросила Ольга. — Я ведь только что занимала у него на пластическую операцию. — Мила помрачнела, а Ольга добавила: — Ты сама виновата! Не надо было выкрикивать при всех сколько мне лет. Надеюсь, теперь, когда моя кожа снова стала упругой, все будут считать, что ты соврала.

— Как ты можешь жить, думая только о своей внешности?! — возмутилась Мила.

— А о чем мне думать? О твоей внешности?

— Вот чем я забыла с тобой поделиться! — внезапно воскликнула Мила. — Вчера мне звонил Гуркин. Его снедает беспокойство. Прямо не знала, как от него отвертеться. Его страшно напряг Листопадов. Все допытывался: зачем мне нужен телохранитель?

— И что ты ему сказала?

— Сказала, что это причуда Орехова. Что после бегства партнера ему повсюду видятся засады.

— И Гуркин поверил?

— А что еще ему оставалось делать? Он же не знает характер Орехова. Кроме того, Андрей достаточно молод, чтобы верить в благородство других людей.

— Так-так, — пробормотала Ольга и, наклонившись вперед, сначала поиграла лицом, но потом вспомнила, что богатая мимика провоцирует появление морщин, и тут же перестала кривляться. — А что, если Гуркин и есть убийца? — воскликнула она. — Мало ли, что мы не можем придумать для него мотива? Если преступление не рядовое, а у нас как раз такой случай — чего стоят одни поганки! — тогда до мотива следователи докапываются только в самом конце, когда всех главных действующих лиц уже схоронили.

— Хватит меня пугать! — рассердилась Мила. —

Я скоро перестану доверять даже тебе. Перестану есть деликатесы, которыми ты меня потчуешь, боясь, что в них отрава...

Мила внезапно ахнула и хлопнула себя ладонью по лбу:

— Ах, Ольга! Почему я раньше не обратила на это внимания!

— На что?

— Гуркин, когда бывает у меня, никогда ничего не ест. По крайней мере, в последнее время. Я начинаю припоминать: сколько я ему всего предлагала! Но он — ни в какую. Бывает, просидит у меня полдня, в рот маковой росинки не возьмет.

Про себя Мила подумала: «Может быть, ему стыдно поедать мои продукты плюс к тем деньгам, которые я ему плачу?»

— В самом деле подозрительно, — пробормотала Ольга. — Если бы я отравила кому-нибудь жратву в холодильнике, то тоже отказалась бы утолять голод из продуктов, которые лежат по соседству. Подозрительно, Милка, подозрительно. Ты вообще многое о нем знаешь?

— О Гуркине? Почти ничего.

— В общем, на другой ответ я даже не рассчитывала. Кстати, ты так ни разу и не призналась, где его подцепила.

— Да просто на улице! Нет, в магазине. Точно, я ходила в супермаркет, у меня развязался поясок на платье и замотался вокруг колеса тележки. Гуркин оказался поблизости, помог мне освободиться, потом слово за слово...

— То есть инициатором знакомства был он? — уточнила Ольга.

— Знаешь, ты слишком прямолинейна. Не знаю я, кто был инициатором знакомства. Может, и он. Но я тоже очень этого хотела.

— Ты ведь не любишь, когда с тобой заигрывают, — напомнила Ольга. — Особенно в общественных местах. Что же тебя заставило в тот раз изменить привычке?

— Орехов, конечно! Его Гулливерша меня страшно раздражала. Мы тогда еще вынуждены были часто встречаться, она действовала мне на нервы. Я сходила с ума от злости, а тут как раз подвернулся Гуркин.

— На твоем месте я попыталась бы накопать о нем побольше информации.

— Ха! Много ты знаешь о своем Николае!

— Я знаю о нем все, — гордо заявила Ольга. — У меня даже есть копия его медицинской карты.

Мила вспомнила, что в последний раз обнаружила в пиджаке у Гуркина ключи от машины, и решила в спор не вступать. Кстати, сегодня у Андрея как раз был, так сказать, присутственный день. Он собирался прийти в пять и, как всегда, провести в ее квартире время до вечера. Мила поглядела на часы и засобиралась:

— Все, я отчаливаю. Хочу сегодня попасть в больницу к Алику. Надеюсь, Софья не задушит меня одной из резиновых трубок, которых там в избытке.

— Думаешь, она постоянно сидит возле постели мужа?

— Я просто убеждена. И спит, наверное, где-нибудь поблизости, чтобы не пропустить ни одного посетителя. Вряд ли у нее претензии только ко мне. Алик — человек контактный, обаятельный и любит флиртовать.

Алик выглядел весьма неплохо. Голова его была перевязана, как у красного командира в кино, и на фоне повязки темные глаза выглядели особенно выигрышно. Он сидел в кровати, откинувшись на подушках, коих вокруг него было несметное количество. Мила не сомневалась, что это постарались потерявшие голову медсестры.

— А где Софья? — спросила она вместо приветствия.

— Она так долго меня сторожила, что впала в состо-

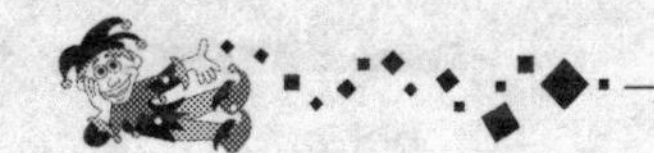

яние прострации, — усмехнулся Алик. — Ей сделали укол, и теперь ее безнадзорное тело покоится в одной из палат второго этажа. Сказать по правде, она всем тут изрядно надоела.

Мила хмыкнула и, усевшись в ногах кровати, подала Алику пакет:

— Я принесла тебе все, что полагается: фрукты и свежие журналы — на случай, если тебе голодно и скучно.

— Милочка! — воскликнул Алик и, по сложившейся традиции схватил ее за руку. Только на сей раз пошел дальше и, поднеся ладонь к лицу, прислонился к ней пылающими губами.

— Ах, Алик! — укоризненно воскликнула Мила, решительно вырываясь. — Разве ты не знаешь, что у меня уже есть мужчина?

— Этот молодой пижон? — Алик скорчил такую физиономию, будто в нос ему ударил уксусный запах. — Он тебя недостоин.

— Как так — недостоин? — улыбнулась Мила. — Почему недостоин?

— В свободное от тебя время он катает по ресторанам девочек, — заявил коварный Алик. — При этом надевает бесстыдные штаны и вешает на себя вульгарные золотые цепи.

— Ты клевещешь на нуждающегося аспиранта, — погрозила ему пальцем Мила. — Преследуя собственные корыстные интересы.

— Говорю тебе, я пару раз видел его то тут, то там. Ты же знаешь, что я частенько приглашаю партнеров на ужин. И твой Гуркин мне встречался. Кстати, всегда с разными девками.

— Алик, ты его с кем-нибудь перепутал. Ну, сам посуди: ты с ним и виделся-то пару раз по случаю.

— Я его отлично запомнил, — повел бровями Алик и многозначительно добавил: — Потому что ревновал. Ты мне не веришь?

— Судя по блеску твоих глаз, тебе уже лучше? — оставила вопрос без внимания Мила, а про себя подумала: «С Гуркиным надо разобраться как можно скорее».

— Если бы не Софья, я бы уже выписался и вернулся домой. Но она так агрессивна, что я опасаюсь оставаться с ней наедине. Обычно люди в таком состоянии, как она сейчас, совершают бытовые преступления.

— Боишься, что теперь она *тебя* опылит каким-нибудь химикатом? — не удержалась от иронии Мила. — Надо было сдать ее суток на пятнадцать мести дворы.

— Если бы я знал, что она ударит меня в лоб, загодя позвонил бы в милицию, — с сожалением вздохнул Алик. — Надеюсь, из-за нее ты не изменила своих планов?

— Каких это? — не поняла Мила.

— Ну... Когда я выйду отсюда, мы пойдем в ресторан?

— Ты что? — опешила та. — Из-за чего так рисковать? Если Софья пронюхает...

— Мы будем очень осторожны, — интимным голосом сказал Алик и, завладев обеими руками Милы, прижал их к своей груди.

Тут в палату вошла медсестра и со вздохом произнесла:

— Опять, Альберт Николаевич, ваша жена разгуливает по коридорам. Бледная, словно привидение. Наверное, подглядывала за вами. Отправьте вы ее, в самом деле, домой, всем легче станет.

Алик позеленел и, отбросив руки Милы, начал судорожно хватать ртом воздух.

— Вам плохо? — подпрыгнула сестричка, обеспокоившись.

— Не волнуйтесь, — усмехнулась Мила. — Это просто синдром обманщика.

Она подула на Алика, потом легонько похлопала его по щекам.

— Послушай, дорогой, если ты так боишься свою жену, то будь с ней честен.

— Она все равно ревнует! — вскричал взбешенный Алик. — Есть повод или нет, я страдаю одинаково!

— Ах да, я уже, кажется, знакома с этой точкой зрения, — пробормотала Мила.

— Я объясню ей, что мы занимались литературными делами, — заметался тот и промокнул салфеткой капельки пота, выступившие над верхней губой.

— Конечно-конечно, — приободрила его Мила. — Скажешь, что я приехала, чтобы поделиться с тобой замыслом нового рассказа.

— Кстати, Милочка, — внезапно спохватился Алик. — Как ты можешь объяснить вот это?

Свесившись с кровати, Алик открыл тумбочку и нырнул в нее головой. Выдернул оттуда пластиковую папку и, снова приняв вертикальное положение, торжественно вручил Миле.

— Что это? — спросила она. — Кажется, мой почерк? — И, достав криво исписанные от руки листы, начала читать, шевеля губами.

— Этот опус мне принесла секретарша. Говорит, только что получила по почте. На конверте стояло твое имя. Да и рука, мне кажется, тоже твоя.

— «Люди влюбляются, люди слипаются, женятся», — прочитала заголовок Мила.

— Ну, как? — спросил Алик. — Признаешь авторство?

— Дай-ка я дальше посмотрю, — покраснела Мила. — «Частный детектив Батискафов влюбился в медсестру с первого этажа. Она была такая розовая, словно фруктовая жевательная резинка, и он приклеился к ней навсегда. Встречаясь после работы на лестничной площадке, они начинали безоглядно целоваться, превращаясь на это время в один большой жеваный комок». Боже мой, что это?! — испугалась она. — Как это к тебе попало?

— Я же говорю: пришло по почте.

— Вероятно, я написала это в тот вечер, когда находилась под действием наркотиков! — воскликнула Мила.

Алик уронил на пол несколько подушек. Глаза его сделались туманны:

— Милочка! Ты глотаешь «колеса»? Или покуриваешь «травку»? Или, боже упаси, колешься?

— Не волнуйся, я съела или выпила наркотическое вещество по ошибке, — сказала Мила. — Я, конечно, заберу у тебя папку. Постарайся забыть, что ты это видел.

— Но если ты заберешь, что я скажу Софье? Как оправдаюсь перед ней? Она спросит, что мы делали. И что отвечу я?!

— Боже мой, Алик! Признайся: в чем секрет ее успеха? Когда я найду себе подходящую партию, я попытаюсь использовать методику твоей жены.

— Это не тема для шуток, — надулся Алик, складывая руки на груди.

— Я и не шучу! Ты взрослый независимый мужчина! Почему ты так боишься свою жену? Что она может тебе сделать?

— Она может меня убить, — шепотом ответил тот.

«Все говорят об убийствах, словно их запрограммировали, — сердито думала Мила, шагая по тротуару. — Или это я первая начала, а остальные подхватили эстафетную палочку?» Листопадов вел себя корректно и болтался где-то сзади, не приставая с разговорами. Через некоторое время его корректность стала действовать Миле на нервы. «Если меня пырнут в толпе ножом, он, конечно, догонит преступника, — с неожиданным раздражением решила она. — Но разве можно предотвратить убийство, плетясь в хвосте нога за ногу?»

Очутившись дома, она отправилась на кухню и стала готовиться к встрече с Гуркиным. Часа через полтора

квартира наполнилась запахами, способными свести с ума всякого плохо обеспеченного холостяка. Когда ровно в пять раздался звонок в дверь, Мила внутренне напряглась.

Гуркин возник на пороге, изрядно обношенный, но красивый и гордый, словно русский крейсер, переживший революцию, войну и несколько финансовых кризисов. Мила рассчитывала, что он скажет что-нибудь типа: «О! Как восхитительно пахнет! Ты, верно, приготовила что-нибудь божественное!» Вместо этого наемный ухажер произнес дежурную фразу:

— Здравствуй, Тыквочка! Я жутчайше по тебе соскучился!

Он поцеловал ее в щеку — звонко, так, чтобы слышали все окрест — и, просочившись в коридор, аккуратно повесил куртку на крючок.

— Мы сегодня никуда не идем? — продолжил он, делая вид, что у него отсутствует обоняние. — Нет? Тогда я немного вздремну на диване? Меня всю ночь мучили интегральные уравнения.

— А у меня готов потрясающий обед! — сообщила Мила, полюбовавшись зубами Гуркина в тот момент, когда он широко и сладостно зевнул, зажмурив глаза. — Может быть, перед тем как прилечь, ты составишь мне компанию за столом?

— Но я абсолютно не голоден! — заявил тот с легкостью бедного, но чертовски гордого аристократа.

«Что же это получается? — испугалась Мила. — Гуркин и есть тот злодей, который отравил овощную смесь?»

— Все продукты свеженькие, — поощрила она его. — Только что с рынка.

— Тыквочка, но я правда не хочу кушать! — испугался ее настойчивости Гуркин и даже слегка побледнел. — Я всегда прихожу к тебе после обеда в столовой. Там потрясающе сытные пельмени.

— Разве их сравнишь с цыплятками табака? С маринованными огурчиками?

— Я не люблю чеснок, — пробормотал Гуркин.

— А в ресторане на юбилее прадедушки ты ел сырную пасту! — уличила она его. — И от тебя несло чесноком за три километра!

— Ты перепутала меня с Николаем.

Возможно, он хотел ее уколоть, а возможно, просто изо всех сил отпирался.

— Как же так? Ты молод, полон сил, что для тебя какие-то там пельмени? — не желала сдаваться Мила. — Они усвоились, пока ты ехал в общественном транспорте. Толпа наверняка помогала процессу пищеварения, перетирая пищу путем массирования твоего живота локтями.

Гуркин опустил глаза и побегал ими по сторонам, придумывая, вероятно, новую отговорку. Наконец Мила решила оставить его в покое, и тот радостно потрусил за пледом. «Мужчина и диван — близнецы-братья», — подумала Мила. В бытность мужем Орехов тоже любил лежать на диване и посвящал этому львиную долю своего свободного времени.

«Ну, допустим, поганок насобирал Гуркин, — не веря сама себе, подумала Мила. — Но ведь не он же стрелял в меня на балконе редакции? Мне до мелочей знакомы его фигура и манеры. Его я бы сразу узнала, даже надень он на голову не колготки, а кастрюлю». Размышляя так, она прикончила цыпленка и решила, что обязательно проследит за Гуркиным, когда тот покинет ее квартиру.

Наступил вечер — время выйти на улицу праздношатающейся публике. Гуркин тепло распрощался с Милой, снова обозвав ее Тыквочкой, и двинулся вниз по лестнице. Мила мгновенно напялила на себя верхнюю одежду и выскользнула следом. Когда она достигла пер-

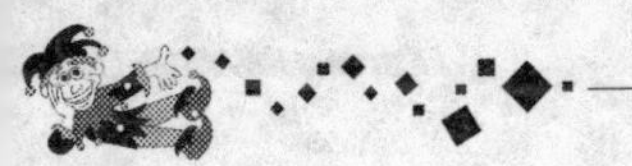

вого этажа и, приоткрыв щелку, выглянула на улицу, сзади нее раздалось покашливание Листопадова.

— Боюсь, этот тип что-то скрывает, — пояснила Мила. — Хочу немного последить за ним. Ты садись в машину и езжай за мной на некотором расстоянии, хорошо? — Она решила быть с Листопадовым на «ты».

Не дожидаясь ответа, она просочилась на улицу и редкими мягкими прыжками последовала за Гуркиным, который, насвистывая, уходил в темноту. Возле супермаркета он свернул на автостоянку и, достав из кармана ключи, нажал на кнопочку брелока. На его зов откликнулся, громко пискнув и мигнув фарами, жемчужного цвета автомобиль с элегантно вытянутым носом. Пока Гуркин устраивался за рулем, слегка обалдевшая Мила бросилась на обочину ловить Листопадова. Тот подкатил к ней на своем не слишком презентабельном авто и распахнул дверцу.

— Я потрясена! — воскликнула Мила, плюхаясь на переднее сиденье. — Я считала, что мой друг — почти что голодранец!

— Это только справедливо, — откликнулся недовольный Листопадов, — что женщины тоже иногда ошибаются в мужчинах. Не одним же нам накалываться.

— Да нет, я просто киплю негодованием, — Мила не обратила на его слова внимания. — Смотри, Саша, не потеряй его из виду. Господи, почему я не курю, как Ольга? Мне так надо снять стресс!

Листопадов сунул руку за пазуху и достал из внутреннего кармана куртки блестящую плоскую фляжку.

— Вот, — сказал он. — Вернейшее средство. Если, конечно, вы не боитесь спиться, — добавил он с неудовольствием. — Глушите каждый день.

— Но вокруг столько стрессов! — оправдалась Мила, сноровисто откручивая пробочку и присасываясь к фляжке. — Боже мой, что там внутри? Это пойло выжгло мне все внутренности!

— Дорогой коньяк, — обиделся Листопадов. — А если вам не в кайф, покупайте для себя сами.

Гуркин тем временем подъехал к шикарному многоэтажному дому с башенками и охраняемой стоянкой, бросил машину у подъезда и взбежал по ступенькам. Листопадов приткнул машину неподалеку, не въезжая за ограду.

— Он что, здесь живет?! — во весь голос возмутилась Мила, разогретая коньяком. — Да великий обманщик Гудвин перед ним — просто щенок! А я-то была убеждена, что он голодает!

— Может быть, поедете выражать свои чувства домой? — спросил Листопадов. — Мне стремно вас охранять, когда вы гоняетесь по городу за любовниками.

— За любовниками? Да что ты знаешь о моей личной жизни? — с горечью спросила Мила и снова припала к фляжке.

Они еще некоторое время препирались, и тут из подъезда вышел Гуркин, ведя под руку потрясающую блондинку. С ним самим произошла грандиозная метаморфоза: из симпатичного, но простенького блондина он превратился в шикарного мужчину, похожего на героя фильма, снятого по женскому роману. В нем изменилось все: он был по-другому причесан, по-другому одет, по-другому держал голову. Блондинка с забранными в низкий пучок волосами, облаченная в красное пальто, казалась феей, по странному недоразумению попавшей на городскую улицу.

Иномарка, в которую загрузилась парочка, заурчала мотором и, тихо шелестя шинами, проехала мимо. Мила рухнула вниз и положила голову Листопадову на колени.

— Вот этого я не люблю, — сказал тот, дрыгнув правой ногой. — Давайте играть в Джеймса Бонда, исключив из сюжета все любовные линии. Не дышите в меня, из-за вас я перепутаю педали.

Всклокоченная Мила послушно приняла вертикальное положение. Фляжку она со страстью прижимала к груди. Иномарка Гуркина развернулась носом в центр и поехала в сторону кинотеатра «Ударник».

— Кажется, парочка отправляется в ресторан, — заметил Листопадов, припарковавшись довольно далеко от входа в заведение для гурманов. — Остановитесь на этом или будете терзаться дальше?

— Может быть, я тоже хочу есть? — гордо сказала Мила. — Я что, недостойна того, чтобы мне подавали еду официанты?

Листопадов, сообразив, что у нее приступ вредности, вздохнул и пробормотал:

— Достойна, достойна...

— Ты останешься здесь, — приказала она, ткнув нетвердым пальчиком куда-то внутрь его расстегнутой куртки. — Обещаю, что, если сегодня вечером и произойдет убийство, жертвой буду не я, а кое-кто другой.

Она вылезла из машины и чересчур плавной походкой направилась в сторону ресторана, изредка взмахивая руками на неровностях асфальта, словно маленький лебедь. Войдя в холл, она сразу же нырнула к конторке посмотреть меню, однако глазом все время косила в сторону интересующей ее парочки.

— Добро пожаловать, Андрей Валентинович! — негромко поздоровался с Гуркиным метрдотель. — Прошу вашу одежду. Вы сразу пройдете за столик или?..

— Нет, мы ненадолго в бар, — тоном, не допускающим возражений, заявила вместо Гуркина блондинка.

Вблизи она оказалась ароматной и холодной, словно шарик ванильного мороженого. Мила потянула носом ей вслед, но так и не смогла определить, какими духами она пользуется. Впрочем, судя по всему, сама Мила вряд ли к таким когда-нибудь даже приценивалась.

Гуркин вел себя спокойно, по сторонам не озирался, поэтому Мила не боялась, что он неожиданно обнаружит ее в непосредственной близости. Впрочем, даже если бы и обнаружил. Ей сейчас море по колено!

«Что, если устроить этому бонвивану сцену? — подумала она. — Конечно, я не жена и даже не любовница, а, так сказать, работодательница. Но он зачем-то водит меня за нос. Зачем? Я имею право знать». Она бросилась к большому зеркалу, чтобы переместить помаду с подбородка на ее законное место. Метрдотель материализовался возле ее правого локтя и приветливо склонил голову, очевидно, ожидая каких-нибудь нужных слов с ее стороны.

— Я с Андреем Валентиновичем, — противным голосом заявила Мила. И когда тот поднял брови в немом вопросе, добавила: — Я его жена.

«Он вплывает со своей отмороженной феей в зал, подходит к столику... А там сижу я! Вот это будет фишка! А если он выкажет недовольство, я при всех заплачу ему его полторы тыщи. Интересно, как отреагирует блондинка?»

Эти мысли едва успели пронестись в голове Милы, как человек, стоявший по левую руку от нее и пропускавший волосы сквозь расческу с микроскопическими зубчиками, услышав слово «жена», обернулся к ней. Он радостно разинул большой рот, предназначенный для нерусской артикуляции, и возопил:

— Мадам Гуркин? О! Какая встречья!

Мила, не умевшая различать иностранцев по акценту, внимательно посмотрела на его отражение в зеркале и принужденно улыбнулась.

— Прошью вас, мадам Гуркин, мы вас ждьем!

С проворством и силой иноземец схватил Милу за руку и потащил в зал, кинув метрдотелю ее куртку. По дороге Мила сосредоточенно повиляла задом, оправляя слишком тесное платье. Про себя она порадовалась, что дома встречает Гуркина не в самом затрапезном виде. Переодеться-то времени не было. К тому же, кто мог

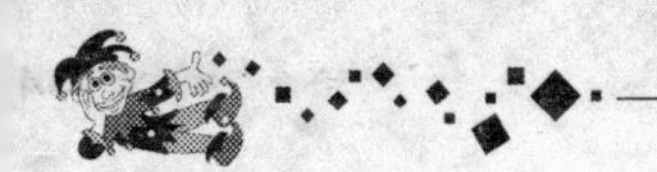

предположить, что он, словно заколдованный царевич, по вечерам совершенно преображается и гуляет по ресторанам? Впрочем, Алик говорил что-то в этом роде. Но разве Мила могла поверить в подобное безобразие, не увидев всего собственными глазами?

За столом коротали время в ожидании неизвестно чего еще один иностранец и переводчик с такой кислой физиономией, как будто его заранее предупредили, что еды он не получит. Переводчик был осыпан веснушками и болезненно худ. Иностранец же, напротив, казался колобком, в который щедрые дедка да бабка переложили масла. Несмотря на оптимальную температуру в зале, он активно потел, вытирая круглые лоснящиеся щеки огромным клетчатым платком. Со стороны казалось, что он сочится жиром.

— Мадам Гуркин! — торжественно представил Милу большеротый и отодвинул для нее стул.

Переводчик поднял на нее мученические глаза и без выражения сказал:

— Господа рады приветствовать вас сегодня вечером.

— Ты что, белены объелся? — приблизив к нему голову, шепотом спросила Мила. — Они еще ничего не сказали. Ну-те-с, ребята, — обернулась она к иностранцам и, потерев руки, схватилась за меню, которое поднес подоспевший официант. — Поглядим, чем тут можно заморить червячка.

Переводчик вяло заговорил по-французски.

— Ага! — обрадовалась Мила. — Я вас вычислила. Раз вы из Парижа, сжалимся над вами и французского заказывать ничего не станем.

— Это японский ресторан, — скучным голосом подсказал переводчик.

— Тут что, подают ядовитую рыбу?

— Может быть, у вас есть что сказать господам? — поинтересовался тот, не моргнув глазом.

— А что они хотят услышать? — вперив взор в меню, между делом спросила Мила.

— Хотят услышать, что вы принимаете их условия.

— Ха! Да о чем разговор! — обрадовалась она. — Скажи им, что принимаю. — Повернувшись к иностранцам, она с широкой улыбкой повторила: — Конечно, принимаю! Такие обаятельные люди! Чего ж не принять?

Она огорчилась, вспомнив, что фляжка Листопадова осталась в кармане куртки. Впрочем, был шанс, что кто-нибудь из мужчин закажет выпивку. Те уже оживились, толстый мигом перестал потеть и раздвинул, насколько мог, маленький красный ротик, чтобы при помощи улыбки показать, как он доволен и рад. Они наперебой принялись делать Миле комплименты, которые переводчик неохотно и коряво воспроизводил на русском языке.

— Хочу «нидзимасу насу хасамияки», — сказала Мила. — Не знаю, что это, но хочу.

— Это жареная форель с баклажанами, — пояснил кислый переводчик.

— Вы и японский знаете?

— Да нет, просто часто приходится болтаться по ресторанам. На вашем месте я заказал бы якитори, дешевле выйдет.

— Что значит — дешевле? — насторожилась Мила. — Мне-то какое должно быть дело? Разве господа не собираются оплатить ужин?

— Так это ж вы их пригласили! — удивился переводчик.

— Да? Ну, хорошо, хм. Я просто забыла. — Мила прикинула, что лучше подобру-поздорову смыться, хотя форель с баклажанами ее очень привлекала. Надо сказать, ей совершенно расхотелось устраивать Гуркину сцену. Почему-то Миле стало казаться, что в таком месте хорошего скандала не получится. Здесь слишком ти-

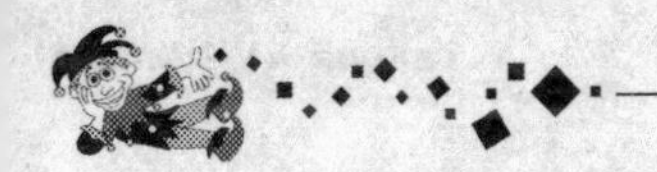

хо, слишком цивильно и полно людей, которые смогут задушить этот скандал на корню.

Она поднялась на ноги, громко отодвинув стул, и сказала:

— Извините, пардон, но мне нужно ненадолго отлучиться.

Французы тоже вскочили, переводчик же остался сидеть, глядя на нее с нескрываемым подозрением. Миле предстояло пройти через весь зал, поскольку их столик находился возле самого окна. Но едва она сделала несколько шагов по проходу, как увидела Гуркина и блондинку, которые медленно двигались в сторону зала через холл. Блондинка задержалась перед зеркалом, чтобы поправить прическу. Этой минуты Миле хватило для того, чтобы принять стратегическое решение. Она уронила сумочку на пол и, тихонько ойкнув, присела на корточки. Потом сделала рывок влево и нырнула под соседний столик, с которого почти до пола свисала скатерть.

Под столом обнаружились мужские ноги в блестящих ботинках и женские в красных сапожках. Ноги в сапожках были изящно скрещены, ботинки же стояли параллельно друг другу и нервничали, мелко притопывая. Усаживаясь за стол, их обладатель как следует поддернул брюки, открыв взору Милы шикарные носки. За резинку правого была заткнута свернутая стодолларовая купюра. «Вот где мужчины прячут заначки! — обрадовалась своему открытию та и, недолго думая, ласкающим движением положила руку на коленку «лаковым ботинкам». Ботинки дрогнули. Уверенная, что верхняя часть мужчины сейчас пожирает глазами свою спутницу, Мила осторожно вытащила деньги из носка и, стуча локтями и коленями по полу, переползла под соседний столик.

Здесь было гораздо теснее. Кроме того, компания подобралась явно не слишком дружественная. Когда

Мила втиснулась в пространство между нижними конечностями ужинающих, задев всех по очереди, те стали боязливо поджимать ноги.

Перебежка из-под второго столика под третий прошла с осложнениями. Какой-то тип приподнял скатерть и заглянул под нее.

— Салют! — сказала Мила. — Я уже уползаю. Ничего страшного. Просто не хватило десятки заплатить за ужин. Слишком разыгрался аппетит.

Она изобразила светскую улыбку и отправилась дальше. Блондинка все еще прихорашивалась, когда к стоявшему в ожидании Гуркину бесшумно подплыл вездесущий метрдотель и, понизив голос, сказал:

— Простите, Андрей Валентинович, у нас тут возникли кое-какие проблемы.

Он сделал преувеличенно скорбное лицо, и Гуркин тут же насторожился.

— Что такое? — спросил он, хмурясь.

— Ваша, гм... жена бегает по залу на четвереньках. Это, конечно, не украшает вечер и пугает гостей. Пока мы не рискнули ее остановить...

Гуркин мгновенно обернулся, посмотрел на блондинку, которая сосредоточенно склеивала и расклеивала губы, чтобы наилучшим образом распределить помаду, и медленно начал наливаться краской. Метрдотель правильно оценил произошедшую в нем перемену и поспешно добавил:

— Ваша *вторая* жена. По крайней мере, она так представилась. Вон-вон, глядите, — оживился он, мотнув головой в сторону зала. — Она снова пробежала.

— Если это шутка, — начал Гуркин таким сдавленным голосом, словно галстук на его шее был затянут слишком туго, — то она зашла слишком далеко.

— Помилуйте, какие уж тут шутки! Она ужинала с иностранцами, с французами... И переводчик с ними.

— Элла! — позвал Гуркин, повернувшись к блондинке. Та подошла и взяла его под руку. — Пойдем к французам, они, оказывается, давно уже там.

— Ну, подождали немного, — равнодушно ответила та. — Ничего страшного не случилось.

— Надеюсь, — пробормотал Гуркин и с тревогой посмотрел на метрдотеля.

Тот тоже отправился в зал, пристроившись у парочки в хвосте. Как только они миновали первый столик, из-под него выскочила Мила и метнулась в холл. Гардеробщик, уверенный, что Гуркин заплатит за всех своих женщин, только саркастически ухмыльнулся и подал ей верхнюю одежду.

— Послушайте, — сказала Мила, воровато озираясь по сторонам. — Не могли бы вы кое-что для меня прояснить?

Она расправила украденную стодолларовую бумажку и протянула гардеробщику. Тот поднес ее к глазам и внезапно принюхался.

— Она немного пахнет мужскими ногами, — сообщила Мила. — Но при этом, безусловно, настоящая.

Гардеробщик сделал незаметное движение кистью, и бумажка исчезла навсегда.

— Что вас интересует?

— Не что, а кто. Андрей Валентинович. Гуркин. Он, как я поняла, тут частый гость?

— Раз в неделю точно появляется, — согласился гардеробщик.

— А эта блондинка?

— Его жена. Элла Гуркина. Не знаю, сколько зарабатывает сам Андрей Валентинович, но супруга его стоит очень дорого. У нее собственный бизнес. Железная женщина, скажу я вам. Частенько ведет здесь деловые переговоры.

— Что еще вы про нее знаете?

— Ничего, — пожал плечами гардеробщик.

— А про него?

— Он неравнодушен к блондинкам, — тонко усмехнулся тот.

— И это все?!

— А вы на что рассчитывали? На милицейское досье? — оскорбился гардеробщик.

Увидев краем глаза, что метрдотель возвращается обратно, Мила только махнула рукой и поспешила ретироваться. На улице было холодно, Листопадов бродил возле двери ресторана и гонял камушек.

— Он женат! — бросилась к нему Мила. — Он отвратительно, подло женат! Причем его жена — богатая женщина! Ты бы видел, Саша, его костюм! Его рубашку! Его туфли стоят примерно столько, сколько подержанная машина! От него пахнет «Черутти»! А когда он приходит ко мне, от него несет дешевым мылом и бедностью!

Захлебнувшись восклицательными знаками, Мила упала Листопадову на грудь. Тот похлопал ее по спине и, взяв за шиворот, повел к машине.

— Умоляю вас страдать дома! — прокряхтел он, запихивая Милу на переднее сиденье. — Сейчас отвезу вас обратно. И не обижайтесь на добрый совет — незачем следить за мужчинами. Чем меньше о них знаешь, тем крепче спишь.

— Какой сон! — воскликнула Мила, нащупывая в кармане фляжку Листопадова. — Без снотворного я сегодня, конечно, не засну.

— А вот снотворное я, пожалуй, заберу обратно, — не согласился тот, косясь на фляжку. — Уверен, что оно не понадобится, и, как только вы коснетесь головой подушки, тут же заснете.

— Сначала мне нужно повидать Глубоководного, — скорбно сказала Мила.

Листопадов усмехнулся. Его забавляла фамилия, которую соорудил Константин на базе собственной.

Константин оказался дома. Вернее, в квартире на третьем этаже, которую они с Борисом сняли для проведения своего кустарного расследования. Распахнув дверь и увидев на пороге взволнованную Милу в куртке нараспашку и в обтягивающем платье, он сильно смутился и даже на секунду потупился.

— Послушайте, Константин, — решительно сказала она, переминаясь с ноги на ногу. — Мне нужно сказать вам кое-что важное.

Глубоков потер подбородок указательным пальцем и сообщил:

— Я сейчас немного занят. — Он понимал, что, попади Мила в его гостиную, она сразу же догадается, что там никто не живет. — Ничего, если я спущусь минут через пятнадцать?

— Да-да, конечно. Спускайтесь, когда вам удобно, — тоже вдруг засмущалась она.

Глубоков оказывал на нее странное действие. Вероятно, ее волновала его красота да еще тот факт, что они провели вместе ночь, о которой она ничего не помнила.

Едва она зашла в квартиру, как позвонила подруга Татьяна.

— Ты сварила мазь? — спросила она с места в карьер без всяких «здравствуй» и «как дела».

— У меня же не осталось больше сырья! — тут же ощетинилась Мила. — И сегодня не было возможности съездить в лес. Я даже еще не убрала одеяла, которые ты раскидала по коридору. И Листопадов по-прежнему следит за мной, — добавила она, понизив голос, как будто охранник мог слышать сквозь стены.

— Ну, ладно, — смилостивилась Татьяна. — Я пока буду набирать заказы. Только учти, тебе придется накопать целый мешок корней. Впереди зима, а, судя по всему, мазь твоей бабушки действительно нечто из ряда вон выходящее. Шпатциков сказал, что он мажет ей не только то, что предписано, но еще и вены на ногах. А его жена лечится твоей мазью от отита. Судя по всему, первая баночка у них скоро закончится.

— Таня! Это просто замечательно. Только учти: с сегодняшнего дня ты — в доле. Не желаю бесплатно эксплуатировать твой труд. Главное в торговле — наличие покупателей. Можно сидеть на золоте и не суметь продать его.

Татьяна фыркнула и положила трубку. Мила же заметалась по квартире, вспомнив, что с минуты на минуту появится мнимый частный детектив с синими глазами и чудесным ртом, обещающим рай на земле всякой женщине, которая ему понравится. «Сколько дел, сколько дел! — бормотала Мила, загребая веником рассыпанный «Геркулес». — И все требуют денег. Боже мой! Мне же нужно еще оплатить побелку потолка у Капитолины Захаровны! Почему получается так, что, когда нет денег, срочные дела терпят, а как только деньги появляются, становится невозможно ничего отложить?»

Глубоков явился к ней в голубых джинсах и черной вельветовой рубашке, неотразимый, как молодой Делон.

— Угостите чашечкой чаю? — спросил он, неуверенно улыбаясь. — Или дело слишком срочное, чтобы заниматься чайной церемонией?

— Я должна сообщить вам о себе кое-что шокирующее, — выдавила из себя Мила, ведя его на кухню и принимаясь тереть тряпкой чистый стол. — В последнее время у меня возникли кое-какие подозрения относительно Гуркина.

— Гуркин — это ваш бойфренд? — уточнил Глубоков.

— Все дело как раз в этом, — вздохнула Мила, наливая полный чайник и водружая его дрожащими руками на плиту. — На самом деле он мне никакой не бойфренд. Он не влюблен и даже не увлечен. А просто находится у меня на денежном довольствии. Я плачу ему деньги.

Константин дернул щекой, потом, криво ухмыльнувшись, сказал:

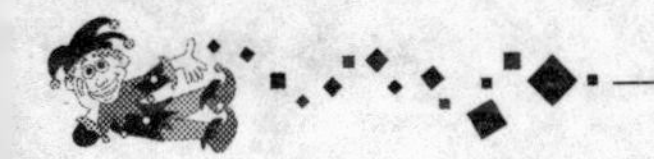

— Я обратил внимание, что вам нравится именно такой стиль отношений.

Вспомнив их совместную «сторублевую» ночь, Мила побледнела от унижения.

— Вы меня неправильно поняли, — процедила она сквозь стиснутые зубы. — Я плачу ему только за то, чтобы он играл роль моего сердечного друга. На самом деле — мы совершенно чужие друг другу люди.

— Вот это да! — оживился Глубоков и ляпнул: — Я так рад! Ну, то есть, что вы не... зашли слишком далеко, чтобы платить мужчинам за то, чтобы они не просто изображали, что они что-то делают, а делали это на самом деле... — запутался он в собственной фразе.

Мила его не слушала, она была чересчур возмущена.

— Гуркин лгал, что он одинокий бедный ученый, которому до зарезу нужен необременительный приработок. Я платила ему полторы тысячи в месяц и чувствовала себя благородной, как фон Мекк. А сегодня выяснилось, что этот драный павлин женат на красивой и богатой молодой женщине, ездит в роскошном автомобиле, постоянно ужинает в ресторанах и одевается так, словно какой-нибудь Армани — его добрый дорогой друг. Возникает вопрос: зачем ему я? Зачем он тратит на меня свое свободное время, когда мог бы проводить его гораздо более интересно?

— Может быть, — неуверенно предположил Глубоков, обводя всю Милу внимательным взглядом, — он все же питает к вам некие чувства? И, изображая бедного ученого, надеется привлечь к себе ваше внимание?

— Да ничего подобного! — горячо возразила Мила. — Приходя ко мне, он ведет себя, словно пенсионер. И самым приятным времяпрепровождением считает отдых на диване.

— Да, действительно, поведение чертовски подозрительное! — повеселел Глубоков, понимая, что Лютикова нравится ему, несмотря ни на что — ни на свою

6 - 8264 Куликова

взбалмошность, ни на ситуацию, в которую она попала, ни на возможную свою причастность к распространению «невидимки». Хотя Борис, доставивший домой знаменитую бабушкину мазь, здорово поколебал версию о ее причастности.

— Можете придумать хоть одну правдоподобную причину, по которой Гуркин все это проделывал? — спросила Мила, разливая по чашкам чай.

— Зачем мне придумывать? — вопросом на вопрос ответил Константин. — Я узнаю все доподлинно. Если не получится сделать это тихо, я вытрясу из вашего Гуркина правду!

В его голосе была такая уверенность, а во взгляде такая мужественность, что Мила ему даже поверила.

— Знаете, я хотел вам кое-что сказать касательно той ночи, — неожиданно перескочил на другую тему Глубоков. — Ну, той, когда мы с вами заключили дополнительное соглашение...

— Я помню, — торопливо перебила его Мила, снедаемая, помимо стыда, неопознанным томительным чувством.

— Дело в том, что...

Константин не успел договорить — телефон, прицепленный к его поясу, принялся подавать громкие сигналы. Он раздраженно чертыхнулся и, извинившись, приложил трубку к уху. На связи был Борис.

— Дедушку украли! — тонким, не своим голосом сообщил он и издал восклицание, похожее на всхлип.

— Что?! — зловещим шепотом переспросил Константин. — Украли человека, находящегося в коме? Из хорошо охраняемой клиники?

— Это не обычное похищение, — зачастил Борис. — Врачи эвакуировали его в Швейцарию. В тамошнюю клинику. Кто-то оплатил не только дорогу, но и лечение. Это он, нынешний хозяин «невидимки». Тот, кто

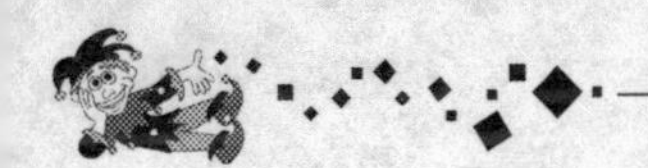

купил наркотик. Наверное, дедушкина жизнь для него очень дорога.

— Но как позволила бабушка?!

— Бабушка улетела вместе с дедом. Она думала, что это наша инициатива — отправить старика за границу.

— Она думала! А почему не связалась с нами, прежде чем давать согласие?

— Все произошло слишком стремительно. Я только что разговаривал с ней по телефону...

— Ты сможешь отследить, кто произвел выплаты?

— Смогу, наверное, но ни секунды не сомневаюсь, что ниточка не приведет ни к кому конкретному. Дело, судя по всему, крупнее, чем мы думали вначале.

— Мне нужно бежать, — с сожалением глядя на Милу, заявил Константин, закончив переговоры.

— Вы не выпили чай, — застенчиво сказала та. Покраснела и добавила: — И не договорили.

— Обещаю, — поклялся Константин, — что при первой же возможности мы продолжим наш разговор.

— А Гуркин?

— Гуркина я беру под личный контроль. Кстати, забыл спросить: Листопадов отвечает вашим требованиям?

— Да, конечно, — пробормотала Мила и неожиданно вспомнила: — Я забыла отдать ему фляжку из-под коньяка.

Константин рассердился.

— Он что, спаивает вас?

— Да что вы, что вы! Просто я замерзла, сделала глоточек...

— Мне хочется, чтобы ваша жизнь как можно скорее вошла в привычную колею, тогда и моя жизнь, скажем так, облегчится. И мы с вами сможем, не оглядываясь на обстоятельства, пить вместе чай сколько вздумается.

После этой высокопарной речи Константин выскочил на лестничную площадку словно ошпаренный. «Боже мой, я стал изъясняться, как интеллигент из плохой пьесы. Надо прекратить думать об этой женщине днем и ночью. Ни к чему хорошему это все равно не приведет, виновна она в чем-нибудь или не виновна».

17

Покормив Листопадова, Мила предложила ему ночевку на диване, но он отчего-то отказался и сообщил, что проведет ночь на лестничной площадке. Часа в два пополуночи Мила для контроля покрутила изнутри замок на входной двери и увидела в глазок, что Листопадов тут же высунулся сверху. Успокоенная, она отправилась спать и впервые за последнее время заснула сразу и надолго. Из царства сновидений ее вырвал настойчивый трезвон, который кто-то поднял, звоня в ее входную дверь. Взглянув на часы, она обнаружила, что стрелка только что сползла с семи утра.

Протирая глаза кулаками, Мила походкой пьяного матроса дошла до коридора и обнаружила на лестничной площадке Ольгиного мужа Николая. Его внешний вид просто вопил о неприятностях. Расхристанная куртка, шарф на спине, словно высунутый язык, никакого пробора — волосы встрепаны и торчат в разные стороны, будто их специально распушали феном.

— Что? — мертвым голосом спросила Мила, распахивая дверь.

Николай ворвался в коридор, не видя ничего вокруг себя.

— Ольгу похитили! — плачущим голосом воскликнул он. — Стукнули по голове, засунули в машину и увезли в неизвестном направлении!

— Ты сам видел? — ахнула Мила.

— Видел. Меня тоже стукнули по голове. А потом

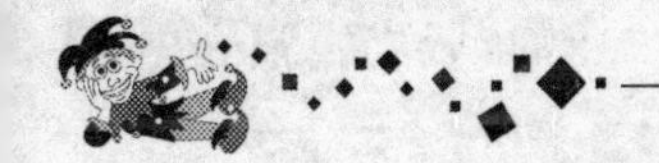

наступили черным сапогом на горло и сказали: «Позвонишь в милицию, ее убьют!»

Николай пробежал в комнату и принялся кружить по ней, словно игрушка на батарейках.

— И ты, конечно, не позвонил в милицию? — уточнила Мила, начиная бегать за ним.

— Конечно, не позвонил. Как я мог?! Она моя жена, и я хочу, чтобы она вернулась обратно!

— Кому ты сказал о случившемся? — допытывалась Мила, подтягивая пижамные штаны повыше.

— Никому. Сразу же, как очухался, поехал к тебе.

— Почему ко мне? — хмуро спросила та.

— Ну как же? — растерялся Николай. — Вы с ней так близки, так откровенны. Я подумал, может, ты знаешь, из-за чего все это случилось?

— Ничего я не знаю! — огрызнулась раздавленная известием Мила. — И что теперь делать, не знаю. Господи, какой ужас!

Она плюхнулась на разобранную постель и в буквальном смысле слова схватилась за голову. Николай тотчас же рухнул поблизости на ковер и уткнул буйную голову Миле в колени. Плечи его вздрагивали. Мила краешком сознания отметила, что даже в горе от него несет любимой туалетной водой отвратительного качества.

— Успокойся, успокойся, — дрожащим голосом попыталась утешить Николая Мила и даже погладила его по затылку — осторожно, словно чужую собаку.

Николай зарыдал еще сильнее, орошая ее пижаму всамделишными слезами. Ей это не понравилось, поэтому она взяла его за волосы и, потянув за них, приблизила к себе его жалкое лицо.

— Успокойся! — приказным тоном велела она. — Давай еще раз, только подробно и по порядку. Как вы с Ольгой очутились на улице рано утром?

— Мы... Мы возвращались из ночного клуба. — Николай неуклюже поднялся на ноги и плюхнулся рядом с Милой на кровать. — Это не так далеко от дома. И Ольга захотела прогуляться. Заставила меня идти с ней пешком.

— Она здорово перебрала? — уточнила Мила, читая правду по бегающим глазкам Николая.

— Как ты догадалась? — удивился тот.

— Кто бы на моем месте не догадался? Итак...

— Она громко пела и требовала, чтобы я подпевал.

Мила мрачно кивнула. В прошлый раз, когда ей довелось гулять вместе с сестрицей, та во время прогулки не только пела, но и плясала, и их остановил милицейский патруль, который, правда, позже еле унес ноги от обнаглевшей Ольги.

— Так в каком месте на вас напали? — не сдавалась Мила.

— Во дворе, неподалеку от дома. Знаешь, там есть такая арка...

— Знаю. И что ты можешь сказать о нападающих?

— Я видел только одного. Он был огромного роста, заросший щетиной, в черной бандане и чернокожий.

— Негр?! — изумилась Мила.

— Нет-нет, не негр. Я имею в виду — на нем были кожаные штаны и кожаная куртка.

Мила тотчас же представила, как ее сестру увозит небритый байкер, перекинув через седло мотоцикла.

— У него была машина, — словно подслушав ее мысли, продолжал Николай. — Стекла были темные, поэтому я не видел, кто за рулем. А может быть, за рулем никто вообще не сидел и этот тип был один!

— А какая машина?

— Какая-то, я не знаю. Я... Я не слишком хорошо разбираюсь в моделях автомобилей.

— Странно и глупо. Почти все мальчишки разбираются в моделях.

— Когда я был маленьким, — без тени сарказма от-

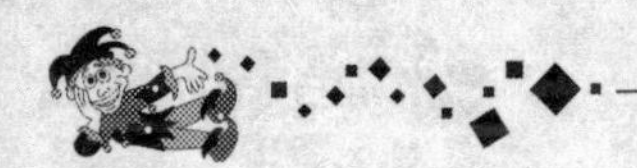

ветил тот, — ничего подобного по улицам не ездило. Мила! — тут же жалобно добавил он. — Я бы выпил чего-нибудь горячего, чаю или кофе...

Мила повела его на кухню и одновременно допытывалась:

— Не понимаю тебя, Николай! Тебе не велели звонить в милицию, пообещав, что в этом случае с женой ничего не случится. Но что-то же они должны потребовать взамен?

— Ты думаешь, выкуп?

— Я не знаю, но ты должен был ехать домой и сидеть возле телефона! Это логично — ждать звонка от похитителей. Ты же летишь ко мне, бросив Ольгу, что называется, на произвол судьбы.

— Но как ты не понимаешь — я в трансе! — обиделся Николай, глядя на нее полными боли глазами. — Я испуган, растерян... Я раздавлен, наконец!

«Может быть, обратиться к Глубоководному? — подумала Мила. И тут же отказалась от этой идеи. Даже если он согласится что-то делать, то розыски затянутся на неопределенное время. — А что, если похитители потребуют взамен Ольги мою шкуру? — пришла ей в голову неожиданная и неприятная мысль. — Так сказать, баш на баш. Не может быть, чтобы каким-то темным силам одновременно потребовались мы обе. Хотя... Может быть, это как-то связано с папой? С его бывшей службой?»

Мила тут же себя одернула. Папа сто лет уже не работал, да и в лучшие времена не обладал никакой особо ценной информацией, разве что о внутрипартийных делах. Вряд ли верные ленинцы до такой степени злопамятны. Кроме того, по описанию Николая, похититель выглядел скорее как настоящий головорез и не походил на приверженца идеям Ильича.

Когда Мила соорудила две большие кружки с молоком, Николай жалобно попросил колбасы.

— Наверное, голод напал на меня из-за потрясения, — предположил он.

Мила молча наделала для него бутербродов, изумляясь матушке-природе.

— Боже, что же теперь будет? — спросил Николай с набитым ртом. — Может быть, все-таки обратиться в милицию?

Мила не успела ничего ответить, потому что в дверь снова позвонили. Она вскочила на ноги, едва не опрокинув табурет, и метнулась в коридор. Однако это был всего лишь водопроводчик Митяй, который явился проверять отопление. Он был мелким, но кряжистым мужчиной неопределенных лет. Скорее молодым, чем старым, но за это голову на отсечение Мила давать бы не стала.

— Я только на момент, — пообещал он, бочком протискиваясь мимо нее в квартиру. — Потрогаю батарею на кухне, ладно? Ты, хозяйка, того, не волнуйся.

Видимо, у Милы был еще тот видок. Николай, услышав их диалог, заранее скрылся в комнате. Митяй же, потрогав батарею, принюхался к витавшим по кухне запахам и спросил:

— Арабика?

— Чего? — не поняла Мила.

— Значит, мокко, — вздохнул знаток кофе и показал заскорузлым пальцем на Милину кружку: — Можно?

— Валяйте, — мрачно разрешила она.

Митяй в два глотка расправился с напитком и, крякнув, как после приема «на грудь», вытер тыльной стороной ладони рот и отправился восвояси. Мила бросила опустевшую кружку в раковину и налила себе новую. Потом двинулась в комнату искать Николая. За это время он снял с себя свитер, оставшись в футболке, обтянувшей все выпуклости его молодого торса. «Тоже мне, атлет, — с неожиданным раздражением подумала она. —

С такими бицепсами не смог защитить собственную жену».

Когда Мила думала о судьбе Ольги, у нее внутри все леденело. В подсознании постоянно крутилась мыслишка о том, что похищение как-то связано с покушениями на нее саму. Но как? Она до сих пор не находила в этих покушениях рационального зерна, не могла понять, кому и почему стала помехой? В последнее время у нее вообще стала появляться мысль, что все как-то само собой утряслось — ведь попыток убить ее больше не было. И вот теперь нападение на Ольгу, которое вообще спутало все карты. «Почему меня хотели убить, а Ольгу похитили? — размышляла Мила. — Почему Ольга им нужна живая, а я была нужна только мертвая?» На эту загадку не было ответа. Размышляя таким образом, Мила впала в прострацию. Она сидела на кровати, так и не удосужившись сменить пижаму на что-нибудь более цивильное.

Николай тем временем побывал на кухне, допил там кофе, доел бутерброды и снова появился в комнате. Сытость никак не повлияла на его плаксивое настроение. Он снова начал нудить, чем страшно Милу разозлил. Впрочем, она ни разу его не одернула, изо всех сил заставляя себя уважать его чувства.

— Мила! — позвал Николай после того, как она связалась с родителями и сбивчиво поинтересовалась, не звонил ли кто рано утром. Никто не звонил, и она потерянно уронила лицо в ладони. — Мила! — повторил Николай.

— Чего? — сквозь пальцы отозвалась она.

— Мила, мне страшно, — шепотом сказал тот. — У меня нехорошее предчувствие. И даже руки дрожат, погляди.

Мила посмотрела, как дрожат его руки, но говорить ничего не стала. Ей бы самой впору пасть кому-нибудь на грудь. Николай для этих целей явно не годился, его надо утешать, как ребенка. Он ныл, скулил, стенал и в конце концов оказался-таки у Милы в объятиях. Потом как-то так получилось, что в объятиях оказалась она у него.

Только почувствовав во рту знакомый запах зубной пасты, Мила поняла, что события разворачиваются как-то не так, как надо. Она замычала и изо всех сил отпихнула от себя Николая. Как ни странно, это не произвело на него никакого впечатления. Из рук он ее не выпустил, напротив, еще теснее прижал к себе, так сильно, что Мила в кои-то веки почувствовала себя тощей и хрупкой. «У меня будет деформация позвоночника! — в панике подумала она. — Один диск сместится, после чего начнет развиваться патология. Я останусь инвалидом!» Взбрыкнув еще раз, Мила поняла, что подлый Николай вовсе не ищет утешения, а самым наглым образом пользуется ее беспомощностью.

Тогда она пошла на хитрость: сначала расслабилась, как будто сдалась, а потом несильно укусила гада-свояка за язык. Он, как и планировалось, невольно отпрянул, довольно громко взвизгнув при этом. Пытаясь отдышаться, Мила в бешенстве смотрела на него. Николай закрыл рот двумя руками и подпрыгивал на кровати, как ребенок, пробующий упругость матраса.

— Ты! — воскликнула Мила, вскочив на ноги, и, схватив подушку, в сердцах огрела его по голове. — Гадкий, низкий, похотливый павиан! Твою жену, может быть, в этот момент режут на кусочки!

— А что я могу сделать? — довольно злобно ответил Николай, вырвав у нее подушку и промокнув наволочкой капельку крови, выступившую на губе. — Если я обращусь в милицию, ее убьют. А так, может, нет. Остается ждать и верить. Я надеялся, мы скрасим друг другу трудное ожидание.

— У меня просто нет слов, — сказала Мила и обессиленно откинулась назад, упав на кровать. Матрац под-

бросил ее вверх, но расслабиться ей не удалось — Николай снова оказался тут как тут и возобновил свои приставания.

— Послушай, — держа ее за руки, выдохнул он. — Неужели у тебя нет потребности сбросить стресс? Мы могли бы отлично утешить друг друга!

— Я все расскажу Ольге, когда она вернется!

— А я расскажу свою версию, — неприятно ухмыльнулся он, снова дохнув на нее мятой. Вероятно, его слюнные железы вырабатывали ментол. — После того, как ты напала на меня в ресторане, Ольга поверит мне, а тебе не поверит!

В его голосе заранее звучали победные нотки. Мила втайне согласилась с тем, что он прав.

— Я с самого начала поняла, что ты крыса. — Она согнула коленку и изо всех сил ударила туда, куда положено бить женщинам в таких случаях.

На этот раз Николай заорал на всю вселенную, словно раненый осел. Мила была уверена, что его слышно не только на лестничной площадке, но и на улице. Сейчас прибежит Листопадов и ворвется с вопросами. Безо всякого сожаления глядя на свернувшегося клубочком Николая, она пошла в коридор, ожидая звонков и нетерпеливого стука в дверь.

Однако ничего подобного не произошло. Листопадов или не слышал воплей, доносящихся из подведомственной ему квартиры, или временно покинул свой пост. «Вот был бы удар по его профессиональной чести, — не без ехидства подумала Мила, — если бы меня пристукнули, а он в самый ответственный момент сидел бы в туалете».

Несолоно хлебавши она возвратилась в комнату и сказала краснощекому после пережитого Николаю:

— Немедленно выметайся из моей квартиры и возвращайся домой. Не вздумай улизнуть, сиди и жди телефонного звонка. И никакой самодеятельности — инициатива будет исходить только от меня.

— Ты чокнутая, — процедил Николай, хватая свой свитер. — Нормальная женщина на твоем месте...

— Покончила бы с твоей потенцией раз и навсегда, — отрезала Мила. — Убирайся! Считаю до десяти.

Она еще не добралась до трех, а тот уже вылетел на лестничную площадку и загремел вниз по лестнице.

Мила остановилась на пороге. Дождавшись, пока внизу хлопнула дверь, она негромко позвала, задрав голову:

— Эй!

Никто не откликнулся. Замирая от недоброго предчувствия, Мила на цыпочках взбежала по лестнице вверх, ожидая увидеть буквально что угодно. Но наверху никого не было. «Куда же подевался мой верный страж? — забеспокоилась она. — Может быть, Глубоководный дал команду снять с меня наблюдение? И он просто-напросто ушел домой и лег спать? Нет-нет, — тут же одернула она себя. — Листопадов хороший мужик, он бы меня предупредил!»

Запершись на все замки, часа два она занималась накопившимися домашними делами, пытаясь выбросить из головы страхи по поводу Ольги. У нее ничего не получалось. От волнения за жизнь сестры ее начало тошнить. Она решила, что ждет еще два часа, а потом берет Николая под мышку и идет в милицию. Появится хоть какой-то шанс на ее спасение.

И Листопадов тоже. Вот куда он подевался? В конце концов Мила не выдержала и набрала номер телефона Константина. Приятный голос сообщил, что в настоящий момент абонент недоступен. Ясное дело: когда он нужен позарез, его не достать.

Едва определенные ей самой два часа прошли, Мила двинулась к телефону с твердым намерением звонить Николаю, чтобы активизировать его для решительных

действий. Но, как только она подняла трубку, ожил дверной звонок. От неожиданности Мила подпрыгнула и уронила трубку обратно. «Наверное, это Листопадов», — подумала она. Когда она распахивала дверь, на лице ее было написано оживление. Однако оно тут же испарилось, когда Мила увидела, кто стоит на пороге.

А стоял на пороге милиционер с печальным лицом. Когда Мила шепотом поздоровалась, милиционер вздохнул и сказал:

— Можете уделить мне немного времени? У вас в подъезде человека убили.

18

Листопадов умер, не приходя в сознание, после того, как ему разбили голову неизвестным тяжелым предметом и затащили в подвал. Дверь была открыта в связи с тем, что водопроводчик Митяй занимался там своими прямыми водопроводческими обязанностями. Сам Митяй лежал поодаль от тела и, хотя был жив, не реагировал ни на голоса, ни на свет. Его отправили в больницу, и врачи сообщили, что Митяй проглотил большую дозу снотворного. Милиции предстояло выяснить, какое отношение имеет водопроводчик к смерти Листопадова. Пока они опрашивали соседей, и Мила была второй после Капитолины Захаровны. Она понятия не имела, что говорить. Рассказать правду? Про то, как все началось? Про человека в черных колготках, про отравленную «мексиканскую смесь», про исчезновение Ольги, про частного детектива, снимающего квартиру наверху...

Мила отлично понимала, что, если она вывалит все это на следователя, ее надолго заберут из дома. И уж тогда у нее не будет возможности позаботиться о сестре, да и вообще она может не выпутаться из неприятностей без потерь. А то еще ее саму заподозрят в убийстве. Но сказать, что она вообще не знает Листопадова?.. Нет, так поступить она не могла. Даже не потому, что кто-нибудь из соседей обязательно ее уличит, а из чисто человеческих соображений.

Узнав, кого убили, Мила не сдержала чувств и сильно плакала.

— Это... Это мой друг, — соврала она, немного успокоившись. — Интимный. Я встречалась с ним. Недолго. Почти ничего про него не знаю. Так, всякую ерунду.

— Ну-ну, — сказал милиционер, облегченно вздохнув. — Личность, стало быть, установлена. — Придется вам, гражданочка, рассказать нам о своем знакомстве с убитым во всех подробностях.

«Только бы Глубоководный меня нечаянно не выдал! — подумала Мила, кусая губы. — Если он неожиданно возвратится в квартиру и напорется на милицию, то может запросто рассказать правду. Если это, конечно, ему выгодно».

Проведя некоторое время в милиции, Мила возвращалась домой в состоянии, близком к истерике. Она ведь так и не успела позвонить Николаю. А вдруг с ним уже связались похитители и, пока она давала показания, Николай начал действовать самостоятельно? Один, без поддержки, этот хлюпик мог здорово напортачить.

Когда Мила уже подошла к подъезду, дверь неожиданно вылетела наружу, и на улицу, словно дикая пантера из клетки, вырвалась живая и невредимая Ольга. Вид у нее, правда, оказался изрядно потрепанным, но ни синяков, ни следов пыток заметно не было. Одета она была ужасно странно — в большие не по размеру джинсы, стянутые на талии кожаным ремнем, и мужскую водолазку, от которой воняло аптекой. Сверху на ней красовалась дешевая куртка из кожзаменителя с подвернутыми в три раза манжетами.

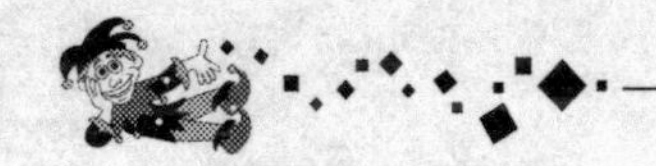

Сестры одновременно издали по восторженному воплю и бросились друг другу на шею.

— Как же ты меня испугала! — кричала Мила, ощупывая сестру.

— Да я сама испугалась, — призналась та.

— Как ты вырвалась на волю? — накинулась на нее Мила. — Николай заплатил выкуп?

— А за меня что, требовали выкуп? — оживилась Ольга.

— Пока не знаю. А ты виделась с Николаем?

— Его нет дома. А ты с ним виделась?

— После того, как тебя вырвали прямо у него из рук, он прилетел ко мне и рыдал, словно мальчик, — сообщила Мила ту часть информации, которая могла бы, безусловно, порадовать сестру. — Похититель сказал ему, что, если он обратится в милицию, тебе кранты. Мы никак не могли решить, верить ему или не верить. И вот собирались все-таки не поверить, но тут такое произошло! Я потом тебе расскажу. Но что случилось, Ольга? Почему ты на свободе? Ты сбежала?!

— Ах, Милка! Это большая человеческая драма! Так просто не расскажешь. Пойдем к тебе, тяпнем по маленькой...

Мила в ужасе отпрянула:

— Нет, дорогая, давай обойдемся без «тяпнем». И ко мне не пойдем. Лучше в какое-нибудь кафе.

— Только если ты заплатишь. Сумку у меня украли! Ту, двухцветную, с замочком-поцелуйчиком, помнишь? Мою любимую. Она стоила больше ста баксов!

— Считай, что дешево отделалась, — сказала Мила, потащив ее прочь от подъезда. — Уйдем отсюда поскорее.

Они спрятались в крошечном кафе на пять столиков, и Ольга первым делом потребовала у бармена за стойкой пачку сигарет. Придвинув к себе пепельницу, она принялась чиркать спичками, но, поскольку страшно нервничала, головки отламывались и разлетались в разные стороны, словно маленькие болиды. Наконец ей удалось поджечь первую сигарету, после чего последовала минута молчания. Пока сестрица наслаждалась куревом, Мила принесла поднос с кофе и ватрушками.

— Ах, я только сейчас почувствовала, что проголодалась! — воскликнула Ольга. Вообще-то аханье было не в ее стиле. Вероятно, на нее так подействовало похищение.

— Ну, теперь рассказывай поскорее! — потребовала Мила, расправляясь с первой ватрушкой. Когда она нервничала, то всегда старалась наполнить желудок пищей, чтобы не заработать гастрит.

— Мы с Николаем решили отправиться в ночной клуб...

— Это ты очень издалека начала, — перебила ее Мила. — Давай сразу по существу. Когда подъехала машина...

— Это тебе Николай рассказал про машину?

— Ну, да!

— Я не видела никакой машины. В тот момент я кружилась, раскинув руки, и представляла, что я лечу. Над головой было бездонное небо... И тут меня кто-то треснул по башке. Все. Я больше ничего не помню.

Мила застыла с недожеванным куском во рту.

— Как ничего? — даже рассердилась она. — А как ко мне приехала — тоже не помнишь?!

— Да нет, ты не поняла. Я, конечно, через некоторое время пришла в себя. Это было так... так... невероятно! — наконец подобрала она нужное слово. — Как в кино, ей-богу! Я чувствую, у меня все заклеено — глаза, рот, руки, ноги... Все! И кто-то — наверное, похититель, понимаю я, — разрезает на мне одежду острым ножом. Сверху донизу!

Мила проглотила остаток ватрушки и с ужасом поглядела на сестру.

— Так он что, оказался насильником?!

— Да нет, просто извращенцем, — махнула та рукой.

— Что же он с тобой сделал? — шепотом уточнила Мила.

— Раздел до трусов, привязал к дереву и смылся! — с ноткой обиды в голосе ответила та. — Можешь себе представить такое зверство? На улице страшный холод, я вся затвердела, словно пластилиновая ворона, и поняла, что приму смерть от переохлаждения. Не знала, где я. Подать голос не могла, только мычала.

— Куда он тебя увез? Где ты оказалась? — с замиранием сердца переспросила Мила.

— В лесу. В темном холодном лесу, — с надрывом ответила Ольга. — Это я узнала буквально через пять минут. На мое счастье, неподалеку от того дерева, к которому меня привязали, находилась деревня. А в этой деревне жил доктор. Он, Милка, так похож на тебя!

— Да? — с подозрением спросила та. — Чем же, интересно? Белокур и страдает целлюлитом?

— Нет-нет, он до первого снега собирает корешки, представляешь?

— Хочешь сказать, местный доктор отправился в лес копать корешки и наткнулся на тебя?

— Точно! Можешь себе представить сцену? Я, практически голенькая и беспомощная, мычу, мотаю головой! Доктор, когда увидел это, долго в себя прийти не мог.

— Это и есть большая человеческая драма? — осторожно уточнила Мила.

— Ну, что ты! Большая человеческая драма началась тогда, когда доктор меня расклеил — рот, нос, ноги... Знаешь, это была такая широкая клейкая лента. Но едва он только принялся за руки, появилась — кто бы ты думала? Его жена!

— В лесу?

— Именно что в лесу. Ну, не верила она мужу. Не

верила, что он каждый день с огромным упорством собирает в лесу корешки. Заподозрила глупая баба, будто свидания у муженька. И решила за ним проследить. И надо же ей было выбрать для этого именно сегодняшнее число! В общем, я, синенькая от холода, словно баклажан, со все еще спутанными руками подпрыгиваю на месте, пытаясь согреться. Доктор сопит от напряжения, торопясь освободить меня от последних пут, и тут раздается истошный вопль, от которого у меня кровь застывает в жилах. Я спрашиваю: «Это что, местная собака Баскервилей?» Доктор отвечает: «Что-то вроде того. Это моя жена. Не обращайте внимания. Кажется, она немного расстроена». Не знаю, почему он сказал «немного». Я уверена, что от ее воплей в радиусе километра передохли все белки.

По счастью, доктор успел освободить мне руки, прежде чем фурия бросилась на меня. Ну, я тебе скажу, это был бой! Тетка оказалась маленькой, но сильной. Если бы я вовремя не схватила ее за волосы, думаю, она прокусила бы мне живот. Ее зубы клацали в трех миллиметрах от моей печени!

— А доктор что? — с замиранием сердца поинтересовалась Мила. — Неужели не мог вмешаться?

— Он не знал, сколько времени я торчала возле этого дерева. Боялся, что если я сразу же не начну активно двигаться, то подхвачу воспаление легких. Это он уже мне потом объяснил, когда мы встретились во второй раз.

— Приятный человек! — с сарказмом заметила Мила.

— Доктор не продумал всего одной детали: как остановить собственную дражайшую половину. С меня уже пена падала хлопьями, когда он наконец посоветовал мне спасаться бегством. Женушка его оказалась хрома на правую ногу. Вероятно, он женился на одной из своих пациенток.

— И что ты?

— Что я? Я дернула прочь.

— Голая? — испугалась Мила.

— Зришь в корень. У доктора я из одежки ничегошеньки позаимствовать не успела. Но самое забавное было то, что я бежала, не оглядываясь. Я была уверена, что фурия гонится за мной по пятам. Мне даже казалось, что я слышу за собой ее дыхание! Увидев просвет среди деревьев, я рванула туда и очутилась на шоссе местного значения.

Ольга принялась раскуривать вторую сигарету от окурка предыдущей, втягивая щеки внутрь. Несмотря на ужасную одежду и растрепанную голову, выглядела она по-прежнему потрясающе. Жену деревенского доктора, в принципе, можно было понять.

— Так ты бежала практически голая по шоссе? — не поверила Мила.

— Чего ты удивляешься? Не могла же я по собственной воле снова свернуть в лес! Меня бы ждала там неминуемая гибель!

— Кто же тебя одел? — Мила подбородком указала на сестрицын наряд.

— Добрые люди, — повела бровями Ольга и, повесив сигарету на край пепельницы, взялась за свою ватрушку.

— Вижу, — с определенной долей сарказма заметила Мила, — что все добрые люди были мужчинами.

— Ну, это само собой разумеется. Возможно, какие-то женщины тоже хотели проявить отзывчивость, но они просто не успели.

— Ага! Мужики были проворнее.

— Так точно. На шоссе меня догнал местный автобус. Поскольку ходит он раз в четыре часа, народу в нем было набито предостаточно. Завидев меня, шофер не стал сигналить, а пристроился в хвосте и сбавил скорость. Вероятно, пытался сообразить, спортсменка я, нудистка или просто сумасшедшая. Потом решил, что это не его ума дело, и пошел на обгон. Ну, тут я проявила сообразительность. Закрыла лицо руками и сделала вид, что рыдаю. Автобус остановился, пассажиры высыпали наружу, а тут и доктор подъехал.

— Какой доктор? Тот, из леса?

— Ну, конечно! Не подумала же ты, что он позволил убежать голой женщине в неизвестность?

Положа руку на сердце, Мила именно так и подумала.

— Он меня одел, обул и привез в Москву. Кстати, очень обаятельный мужчина. Если бы я была одинока...

— Ольга, но ты не одинока, поэтому не отвлекайся.

— Не застав Николая, я позвонила тебе, но трубку никто не брал. Я подумала: вдруг ты в ванне или стираешь, и дернула прямо сюда.

— Ты с ума сошла? — удивилась Мила. — Как ты себе это представляешь: я узнаю, что мою сестру увезли неизвестные, и принимаюсь за стирку?

— Но я ведь не знала, что случилось с Николаем! — возразила Ольга. — Если бы он, допустим, тоже не вернулся домой, нас бы с ним хватились ой как не скоро.

Ольга была права на сто процентов. Однажды она прямо с улицы увезла Николая за границу на уик-энд просто потому, что бедняжка заскучал. И при этом никого из родных не предупредила.

— Ольга, а зачем тебя похитили? — с тревогой в голосе спросила Мила. — С какой целью?

— Откуда мне знать? Я же тебе говорю: сначала меня лишили сознания, а очнулась я уже в лесу с заклеенными глазами.

— Это был здоровый мужик в бандане и кожаных штанах, — сообщила Мила то, что узнала от Николая.

Вполне оклемавшуюся Ольгу это сообщение, пожалуй, даже восхитило.

— Вот это да! — воскликнула она. — Могу себе представить, как чувствовал себя мой бедный муж!

— Он чувствовал себя отвратительно, — не погрешила против истины Мила.

— Не смотри на меня с таким подозрением. У меня нет знакомых парней, которые ходят в косынках и кожаных штанах. Я давно уже вышла из того возраста, когда тянет на молодых бандитов.

— По-моему, ты как раз в него только входишь. Сопляк Николай, можно сказать, — первая ласточка.

— Ой, Милка, а ты-то сама как неважно выглядишь!

— Еще бы, — скорбно ответила та. — Новости у меня ужасные. Сашу Листопадова убили. Прямо у меня в подъезде.

Ольга закрыла рот обеими руками.

— Когда? — наконец выдохнула она.

— Прямо сегодня.

— А милиция? Ты милиции все рассказала? — напряженным голосом спросила Ольга.

— Ничего не рассказала. Даже не знаю, что на меня нашло. Придумала, будто Листопадов за мной ухаживал. Недавно, мол, познакомились. Может быть, не надо было врать? И я все только усложнила? Но ведь, Ольга, если я начну громоздить правду, мне никто не поверит. Тут уже столько всего переплелось!

— Но теперь тебя вообще некому защищать! — воскликнула Ольга. — Мила, это ужасно! Иди в милицию, пусть тебя даже арестуют на какое-то время, зато ты будешь в безопасности.

— Я сделала ставку на Глубоководного, — заявила Мила, с громким стуком бросив чайную ложечку в блюдце. — Хоть он и темная лошадка, но он мне нравится.

— Одной твоей симпатии недостаточно для того, чтобы защититься! Происходят убийства, Мила! Меня ведь тоже могли сегодня убить!

Мила побледнела, но ничего не ответила.

— Кстати, — перешла на более спокойный и мрачный тон Ольга. — Почему же меня все-таки не убили?

Если похититель рассчитывал на то, что я замерзну и умру, то он здорово рисковал, выбрав дерево, которое растет так близко к дороге и к деревне.

— Может быть, он не знаком с местностью? — предположила Мила.

— Ну да! Говоришь, это огромный детина? Мог бы занести меня поглубже — десять минут хода, — и все!

— Думаешь, он хотел, чтобы тебя нашли?

— Ничего конкретного я не думаю. Потому что не вижу во всем этом смысла.

— Но какой-то смысл есть! — горячо возразила Мила. — Просто так людей не хватают на улицах.

— Кстати, — спохватилась Ольга. — Надо позвонить домой. Вдруг Николай уже объявился? Он ведь продолжает переживать.

— Интересно, куда его понесло в такой важный момент? — рассердилась Мила. — Сказала же ему: сиди на телефоне. Все-таки он болван.

— Но он мой болван, — с нежностью в голосе возразила Ольга. — Поэтому оставь ему шанс хотя бы на твою симпатию.

Мила вспомнила, как Николай приставал к ней утром, и сделала кислую физиономию.

19

Мила издали наблюдала за воссоединением супругов.

— Ольга! — дико вскрикнул встрепанный Николай и, рыдая, бросился жене на грудь. Плечи его вздрагивали, а из покрасневших глаз падали большие прозрачные слезы. «Может быть, он потер их мылом?» — подумала недоверчивая Мила и, гневно фыркнув, отвернулась.

Ей предстояло найти Константина и сообщить об убийстве Саши Листопадова до того, как об этом ему

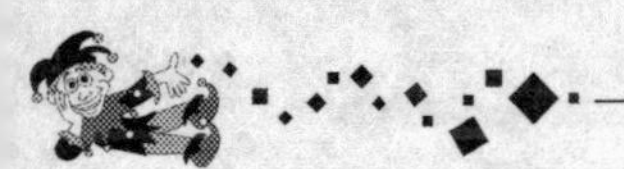

сообщит милиция. Иначе могут случиться неприятности. Однако в квартире наверху по-прежнему никого не было, молчал и мобильный телефон. «Как он мог бросить меня на произвол судьбы? — досадовала Мила. — Если он решил делать вид, что работает только на меня, то ведь должен держать марку!»

Братья Глубоковы между тем были заняты поисками человека, отправившего их деда в клинику в Швейцарии. При этом о Миле они вовсе не позабыли. Константин думал о ней постоянно и очень переживал. Борис же, уверенный, что за ней присматривает Листопадов, был абсолютно спокоен. Первые признаки беспокойства он проявил тогда, когда Листопадов не вышел на связь в положенное время. Вечером Борис сам позвонил ему на мобильный, но трубку взял посторонний человек, и он тут же прервал звонок.

— Костик! — взволнованно сказал Борис, срочно связавшись с братом. — Сегодня вечером надо встретиться. Приезжай на нашу квартиру. Что-то я соскучился по Лютиковой. — И многозначительно добавил: — Ты понимаешь?

Жена Бориса Ася, обеспокоенная его последними длительными отлучками из дому, подслушивала разговор. Сделав из него неверные выводы, она сначала недолго побыла в шоке, потом пришла в ярость и решила выследить Бориса и разоблачить. Поймать на месте преступления с неведомой Лютиковой, с которой ее муж собирается ночевать в какой-то квартире.

Со змеиной улыбкой Ася поцеловала мужа в макушку и сказала, что отправляется в гости. Сама же вышла на улицу и нырнула в соседний подъезд. Здесь жила ее подруга, у которой умная Ася позаимствовала неприметные «Жигули». Подруга только что явилась с работы, и «Жигули» стояли у нее под окнами. Усевшись за руль, Ася повязала на голову платок и впилась взором в дверь подъезда.

Борис вышел довольно скоро. Если бы Ася двинулась за ним на собственной машине, у нее было бы мало шансов вызнать адрес «той квартиры». Однако на темные «Жигули», прицепившиеся ему в хвост, Борис не обращал ровным счетом никакого внимания. И привел свою благоверную прямо к цели.

Когда Борис скрылся за дверью квартиры, которую он открыл собственным ключом, все еще потрясенная до глубины души Ася отправилась шататься по двору. Во дворе, несмотря на сгустившиеся сумерки и неважную погоду, было довольно оживленно. Люди собирались кучками, а те, которые шли с работы, застревали возле подъездов. Настороженная Ася услышала знакомую фамилию «Лютикова» и примкнула к самой большой из групп. Где и услышала об убийстве друга таинственной Лютиковой, которого нашли в подвале рядом с опоенным водопроводчиком Митяем.

Ася тотчас же задалась вопросом, способен ли ее муж на убийство из-за женщины. Она уже допустила мысль о том, что Борис влюблен в коварную Лютикову. Единственное, что удерживало ее от решительных действий, это звонок Бориса Костику. Интересно, а этот-то каким боком привязан к супружеской измене брата? То, что это измена, она не сомневалась с самого начала. Борис в последнее время был постоянно занят, невероятно хмур и неразговорчив. Подруги наперебой убеждали Асю, что это и есть явные признаки мужской неверности. Ася готова была сражаться за мужа, вот только не знала, как и с кем. Теперь же ситуация коренным образом изменилась.

Просто позвонить в ненавистную квартиру на третьем этаже и посмотреть, как поведет себя Борис, Ася считала делом бесперспективным. Борис был хитрым и ужасно умным, иначе как бы он зарабатывал большие деньги? Он обязательно придумает какую-нибудь чертовски убедительную отговорку. Нет-нет, его надо было

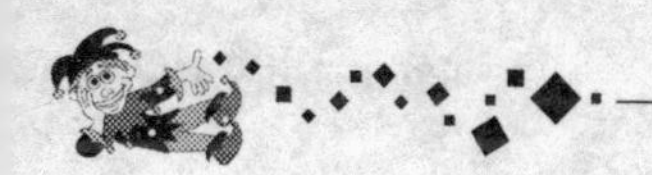

застукать на месте преступления, в обнимку с роковой женщиной Лютиковой. Вот тогда...

Ася обошла дом по периметру и осмотрела фасад. И тут на одном из балкончиков увидела собственного мужа, который глядел за горизонт, барабаня пальцами по перилам. Ася быстро сосчитала, какой по счету этот балкон от края дома, и отступила поближе к стене, чтобы муженек ее чего доброго не увидел. Прохожие же могли подумать, что она разглядывает подарки в магазинной витрине.

«Как же мне проникнуть в эту дурацкую квартиру? — переживала Ася. — И даже лучше — на балкон? Чтобы увидеть и услышать все, что необходимо?» Дом был старый, и балкончики оказались небольшими, с металлическими прутьями. Находились они на значительном расстоянии друг от друга, и перебраться, допустим, с балкона одной квартиры на балкон другой не было никакой физической возможности. Оставалась крыша. Ася подумала, что на крыше есть масса предметов, за которые можно зацепить веревку. И уже по веревке спуститься вниз. Страшно, конечно, но все же не смертельно. Внизу — навес над магазином, все-таки одним этажом меньше. Кроме того, Ася не собиралась срываться вниз — она не растяпа и не слабонервная барышня.

Для того чтобы слезть с крыши на балкон, необходимо было добыть веревку и соответствующим образом экипироваться. Асе ничего не оставалось делать, как возвратиться домой для тщательной подготовки ночной вылазки.

Мила тем временем сидела в своей квартире на табуретке посреди кухни и смотрела в одну точку на полу. Унылые, пессимистические, а порою даже очень страшные мысли царили в ее подсознании. Когда в дверь позвонили, она безразлично поглядела в глазок, и даже если бы увидела там неизвестно кого, все равно бы открыла.

Однако на пороге стоял не кто-нибудь, а Илья Орехов. Вид у него был недовольный и даже слегка рассерженный. В красивом длинном пальто и кашне в шашечку он по-хозяйски вошел в коридор и вместо приветствия сказал:

— Ты совсем распустилась, Мила. Посмотри, на что ты похожа!

— Уйди, Орехов, у меня депрессия, — вяло ответила та. — Зачем ты пришел? Может быть, это ты хочешь убить меня? — Мила внезапно рассмеялась лающим смехом.

— Мне позвонила Ольга и здорово меня накрутила, — пояснил Орехов. — Якобы мой святой долг ехать и тебя охранять. Якобы кого-то убили в твоем подъезде, и ты поэтому не можешь ночевать одна. А ей ты не разрешаешь приезжать, потому что из-за тебя на нее было совершено нападение. Вот я и приехал.

— На кой черт ты мне сдался? — равнодушно спросила Мила. — Если меня захотят убить, ты вряд ли помешаешь.

— Кому? — сердито спросил Орехов. — Мы ведь уже договорились, что убить хотели Алика Цимжанова!

— Если тебе нравится так думать, я не возражаю. Кстати, а где твой комплект ключей от моей квартиры? — внезапно оживилась она.

— Валяется где-то здесь. Уходя, я ключи с собой не брал.

— Будто бы.

— Неужели после того, как ты осталась одна на этой жилплощади, тебя ни разу не потянуло сделать генеральную уборку? Разобрать углы и коробки? Тогда бы ты и нашла мои ключи.

— Знаешь, Илья, я почему-то не хочу, чтобы ты меня охранял, — призналась Мила, глядя на него тусклыми глазами.

— А кем тебе доводился этот, убитый? — с ноткой странной ревности в голосе поинтересовался Орехов. — Ольга сказала, будто бы он у тебя был телохранителем?

— Вот и ты доохраняешься, — вяло ответила Мила. — Так что лучше уезжай, Илья, подобру-поздорову.

— Ну, смотри, это твое решение, — пожал плечами тот и поднялся. — Потом не говори, что все тебя бросили на произвол судьбы. Я ведь помню, ты любишь жаловаться на обстоятельства и всех подряд обвинять в своих неприятностях.

Мила апатично фыркнула и подождала, пока за Ореховым захлопнется дверь. Потом отправилась в комнату и включила телевизор. Шел отечественный боевик со стрельбой и непрекращающимся матом. Где-то на середине фильма зазвонил телефон.

— Все чего-то от меня хотят! — вслух произнесла Мила и сняла трубку.

На проводе оказалась Татьяна.

— Шпатциков меня замордовал, — сообщила она на глубоком выдохе. — Надо срочно варить твою проклятую мазь, иначе будет светопреставление. Он оборвал мой домашний телефон и в поликлинике просто не дает проходу. Ты себе не представляешь! Мне пришлось соврать, что мазь у тебя особенная, и что ее можно варить только в полнолуние, в два часа ночи, когда вороны перестают каркать.

— Они разве так поздно перестают? — искренне удивилась Мила.

— Ну, я не знаю! — почему-то раздражилась Татьяна. — В конце концов, какая Шпатцикову разница? Он должен усвоить одно: что мази он еще какое-то время не получит. Думаю, ты еще о нем услышишь! Адрес свой ты сама ему написала, так он этим не удовлетворился, все расспрашивал, на какую сторону у тебя выходят окна. Жди, скоро он поселится у тебя на балконе.

— Я его не боюсь.

— Но ты-то, ты-то должна держать фасон! Неужели ты уже раздумала зарабатывать деньги? Так быстро? Только начав? Войдя, так сказать, во вкус?

— Нет, просто у меня неприятности. Листопадова убили, — нехорошим ровным голосом сказала Мила. — И на Ольгу совершили нападение, привязали ее в лесу, правда, ей удалось спастись.

Татьяна стала причитать и охать, но Мила перебила ее:

— Знаешь что? Пойду-ка я спать, завтра договорим.

Она упала на кровать поверх покрывала и отключилась. Ей снились противные сны, когда что-то кому-то хочешь доказать, куда-то бежишь, но ноги не бегут, и оттого ты испытываешь панический страх. В своих снах Мила бегала по коридорам, где не было окон, и через некоторое время поняла, что начинает задыхаться. Она замолотила руками и ногами по постели и тотчас же проснулась. А проснувшись, обнаружила, что дышать ей и в самом деле нечем, потому что кто-то душит ее.

Черный человек с неразличимым в темноте лицом навалился на нее всем телом и сомкнул на шее руки в кожаных перчатках. Когда он надавливал сильнее, перчатки противно скрипели. От убийцы одуряюще пахло дешевым одеколоном. Мила ни о чем не успела подумать, когда заработали рефлексы. Она почувствовала, что ее раскинутые по кровати руки сильно напряглись и сжались в кулаки. Затем она сделала одновременное молниеносное движение, изо всех сил ударив нападающего с двух сторон по ушам. После чего закричала. Она зажмурилась и кричала, кричала и кричала, пока кто-то не принялся тормошить ее за плечи.

— Людмила, перестаньте! — требовал чей-то настойчивый голос.

Мила послушалась, перестала вопить и открыла глаза. В тот же миг ей захотелось закричать снова — над ней нависал все тот же темный силуэт незнакомца. Она

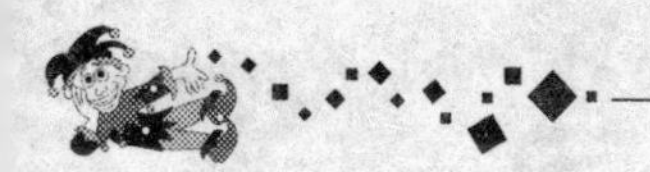

пискнула, но в этот момент в комнате вспыхнул свет, и она опять невольно зажмурилась.

— Людмила Николаевна! — раздался неподалеку нежный, почти детский голосок. — Ой, а вы кто?

— Глубоков... водный, — ответил кто-то голосом Константина.

Мила заставила себя открыть глаза и увидела, что в комнате действительно находится ее любимый сыщик и медсестра Жанна с первого этажа.

— Я услышала крики, — объяснила та. — Побежала наверх узнать, что случилось, дверь оказалась распахнута, я вошла. Я думала, может Людмиле Николаевне плохо. Я тогда бы сделала укол еще до приезда «Скорой».

— Разве те, кому плохо, так орут? — пробормотал Константин. — А дверь действительно была открыта. Я, когда прибежал, всего лишь толкнул ее плечом.

— Почему вы не включили свет? — спросила Мила, глядя ему прямо в глаза. Одновременно она почувствовала, что у нее здорово болит горло.

— Потому что в прошлый раз я не обратил внимания, где выключатель, и просто не хотел терять время на всякую ерунду. Мне нужно было убедиться, что в вас не воткнули нож или не бросили вам змею на постель.

— Змею в темноте особенно хорошо было бы видно, — с подозрением заметила Мила, поднимаясь и растирая шею.

— Я пользовался зажигалкой, — рассердился Константин. — И что вы вообще на меня накинулись?

— Что у вас случилось? — напомнила о себе Жанна, нервно сплетая и расплетая пальцы. — Капитолина Захаровна так разволновалась!

— Меня кто-то хотел задушить, — деловым тоном сообщила Мила. — Кто-то в черных кожаных перчатках. О, как они противно скрипели!

— Покажите-ка шею! — потребовал Глубоков. —

Кажется, вас действительно душили. А где Листопадов? Почему, интересно знать, вы ночуете в квартире одна?

— Потому что Сашу сегодня убили, — заплакала Мила.

Константин открыл рот, да так и остался стоять, пытаясь усвоить ужасную информацию.

— Раз у вас уже все в порядке, то я пойду, — пролепетала Жанна и попятилась в коридор. — Капитолина Захаровна наверняка уже извелась от переживаний.

— Передайте ей извинения, — сказала Мила сквозь рыдания. — Наверное, надо вызывать милицию.

— Что ж, — мрачно сказал Константин. — Ваше право.

— А почему вы... в куртке? — неожиданно испугалась Мила, заметив, что из кармана этой самой куртки высовывается краешек чего-то, сильно напоминающего кожаную перчатку.

— Потому что я только что пришел, — пожал плечами тот. — Не успел раздеться.

— Но ведь уже бог знает сколько времени!

— Только что пробило полночь.

— Все это похоже на какую-то страшную игру! — неожиданно рассердилась Мила. — Как будто бы какой-то маньяк задумал поиграть со мной в умри-умри!

— Так вы будете вызывать милицию?

— Не буду, — огрызнулась Мила, вспомнив Толика Хлюпова и то, что она соврала милиционерам по поводу Листопадова.

— Но вы же не останетесь здесь одна? — привязался к ней Константин. — Хотите, я отвезу вас к сестре?

— Не хочу, — уперлась Мила. — Лучше я... Я пойду к Гаврику и возьму у него напрокат зубастую собаку.

— Кто такой Гаврик? — деловито осведомился Константин.

— Гаврик Морозов — это парень из соседнего подъезда. Пару раз, когда у него были вечеринки, он приходил ко мне за куревом.

— А разве вы курите?

— Я — нет, но Ольга курит, и у меня дома полно сигарет. Но что это мы говорим обо всяких глупостях?

— Пойдемте к Гаврику вместе, — сказал Константин.

— Пойдемте, — охотно согласилась жертва нападения и поднялась.

— Постойте, вы что, хотите пойти прямо так? — Он руками очертил в воздухе выразительный контур, вероятно, изображающий Милу в пижаме.

— Зачем так? Я надену пальто — и все.

Она действительно набросила пальто прямо на пижаму и сунула голые ноги в странные ботинки, напоминающие лакированные галоши. Константин, который спускался по лестнице вслед за ней, не удержался и мрачно заметил:

— Мне кажется, собака с вами не пойдет.

— Она очень умная, — не оборачиваясь, ответила Мила.

— Именно поэтому она с вами и не пойдет, — уперся Константин.

Собака действительно идти не захотела. Но Гаврик, который собирался на несколько дней в Питер и не знал, куда пристроить на это время своего питомца, страшно обрадовался.

— Людмила Николаевна, да это просто здорово! — возликовал он. — Теперь я буду спокоен за свою собачку! Только следите за ней хорошенько.

Константин с тревогой поглядел на «собачку». Это была немецкая овчарка, отзывавшаяся на кличку Муха. Когда бесстрашная Мила потащила ее за ошейник на лестничную площадку, овчарка уперлась в пол всеми четырьмя ногами. Пришлось Гаврику лично отвести ее в квартиру к Миле и уложить на коврике возле двери.

— Охраняй! — строго сказал он, как будто бы Муха понимала подобную команду. Пожалуй, кроме слова «гулять», она толком не реагировала ни на одно хозяйское приказание. Константин недоумевал, почему Мила считала, что она очень умная.

— Если хотите, я буду звонить вам через каждый час, — предложил Миле Константин, когда повеселевший Гаврик, насвистывая, отправился восвояси.

— Не хочу, — сказала Мила. — Я попрошу Ольгу, чтобы *она* звонила мне каждый час.

Константин обиделся, но постарался ничем не выдать этого мелкого чувства.

— Что ж, — заявил он. — Я знаю, вы невысокого мнения о моих профессиональных достоинствах...

— Насчет достоинств ничего не скажу, — тут же откликнулась Мила, — но что касается результатов расследования, тут у вас действительно все очень кисло.

— Но дело невероятно трудное! — попытался оправдаться Константин, лихорадочно размышляя, что можно предпринять на самом деле. «Может, ничего не говоря Борису, все-таки обратиться к кому-нибудь компетентному? Ведь получается, Саша Листопадов — у нас с братом на совести? Хоть мы и предупреждали его о смертельной опасности, и все же...»

Когда Константин уходил, Муха громко гавкнула, а потом зевнула и положила голову на лапы.

— Вы уверены, что она не старая и у нее хороший слух? — с тревогой спросил Константин.

— Уверена, уверена, идите же, наконец!

Мила едва ли не силой выпроводила его из квартиры и прислонилась спиной к двери. Муха, подняв на нее глаза, несколько раз стукнула хвостом об пол. Мила протянула трясущуюся руку и погладила ее по голове.

Еще во время разговора с Константином ей пришла в голову ужасная мысль о том, что это именно он душил ее! Наверное, он не ожидал, что она примется так громко кричать и на крик прибегут соседи. Проникнув в квартиру, дверь он оставил открытой для того, чтобы обеспечить себе быстрое отступление. Когда же прибежала Жанна, он просто снял перчатки, засунул их в карман и начал трясти Милу за плечи, как будто бы пытался привести ее в чувство.

Злодей! Убийца. Конечно, это он. Недаром в любом женском журнале предупреждают: берегитесь красивых мужчин. В ее возрасте стыдно попадаться в такие элементарные ловушки, которые замаскированы голубыми глазами, широкими плечами и так далее в том же духе.

Муха негромко заворчала, наставив уши. Мила прильнула к глазку и увидела, как по лестнице наверх поднимается Борис. То есть человек, которого она раскрутила на двести баксов, вынудив купить мазь, которая была ему совершенно не нужна. Тот человек, который почему-то решил, будто она приторговывает наркотиками. «Интересно, а этот что здесь делает? — подумала она испуганно. — Наверху какое-то бандитское гнездо, честное слово». В довершение всего ей показалось, что этот Борис — Иванов, кажется? — вошел в ту же самую квартиру, которую снимал Глубоководный. Да-а, что-то здесь нечисто!

Мила подумала, что хорошо бы ей проникнуть в эту квартиру и послушать, о чем там, внутри, говорят. Может быть, тогда ей хоть что-то станет ясно? Незаметно попасть внутрь было никак нельзя. Если только с крыши...

У Милы, как и у всех жильцов дома, был ключ от чердака, поэтому выбраться наружу, в сущности, ничего не стоило. «Спуститься по веревке с крыши пятиэтажного дома на балкон третьего этажа — разве это опасность? По сравнению с той, которой я подвергаюсь ежедневно?» — подумала Мила и пошла искать подходящую веревку.

7 - 8264 Куликова

20

Замок, на который обычно была заперта чердачная дверь, был кем-то сбит и валялся на полу. Сама дверь оказалась прикрыта неплотно: видимо, кому-то потребовалось срочно пробраться наверх и недостало ловкости подобрать ключ. «Хулиганы или?..» — подумала Мила, поправляя веревку, свисавшую с плеча.

Стараясь ничего не задеть, она в своих мягких матерчатых тапочках на шнурках пробралась через все препятствия и вылезла на крышу. Присела и только собралась внимательно оглядеться, как прямо рядом с собой услышала какую-то возню. Через секунду в поле ее зрения появилась невысокая женщина, которая усердно привязывала толстый крученый канат к металлическому кронштейну. Женщина пыхтела и отфыркивалась. Вероятно, ей было жарко. С огромным удивлением Мила отметила, что на незнакомке был модный горнолыжный костюм персикового цвета с белоснежной оторочкой и высокие белые кроссовки, украшенные фосфоресцирующими вставками.

Мила хотела спрятаться обратно, но неожиданно оступилась, и под ее ногой хрустнула доска. Женщина подскочила и, круто развернувшись, уставилась прямо на Милу.

— Привет! — сказала та, не представляя, чем обернется ночное знакомство на крыше дома. В принципе, она даже не удивилась бы, если бы незнакомка достала из-за пазухи какую-нибудь пушку и наставила на нее.

Однако та, кажется, пришла в такое же изумление, как и Мила.

— Э-э-э, здравствуйте, — ответила она после некоторого колебания. — Я вам чем-то мешаю?

— Что вы, что вы! — замахала руками Мила. — Я тут исключительно по делу. Вы, кажется, тоже?

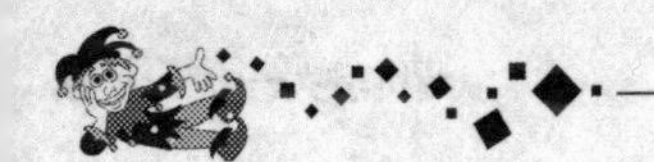

— Да, вот... — залепетала незнакомка. — Муж собирается купить путевку на горнолыжный курорт, а я ужасно боюсь высоты. Хотела тайком от него потренироваться. — Она глупо хихикнула.

— А я ключ дома забыла, — радостно соврала Мила. — Одолжила у приятеля веревку. Придется лезть в квартиру через балкон. А вы куда — на крышу магазина?

— Нет, я, пожалуй, тоже на балкон, — обрадовалась незнакомка.

— Кстати, вас как зовут?

— Ася.

— Очень приятно, а меня Мила. Не хотите, чтобы я вас подстраховала? — любезно предложила она.

— Мне бы, главное, как-нибудь сползти с края крыши, — пожаловалась Ася. — Там-то, под козырьком, наверное, будет легче.

— Да, тренировка должна получиться удачной!

Мила прикинула, что горнолыжница привязала свою веревку точно над балконом квартиры, которую снимал частный детектив. «Вероятно, ей нужен пятый или четвертый этаж», — подумала она.

— Знаете, я, пожалуй, воспользуюсь потом вашей веревкой, чтобы два раза не привязывать, вы не против?

— Нет-нет, конечно, я не против! — воскликнула Ася и попросила: — Подержите меня за воротник!

Мила охотно выполнила просьбу и взяла одной рукой Асю за шиворот, а другой вцепилась в подвернувшуюся под руку металлическую скобу. Ася встала на четвереньки и, тихо пискнув, сползла вниз.

— Отпускайте! — потребовала она.

Мила отпустила и, вздохнув полной грудью, подняла голову вверх. Прямо перед собой она увидела большую желтую луну, испещренную еле заметными трещинками. Она была круглой, как мыльный пузырь, и лежала прямо на крыше соседнего дома. Внизу, на шоссе, натужно гудела ремонтная машина и суетились рабочие в оранжевых комбинезонах. Шум стоял изрядный, и можно было не бояться, что кто-то из жильцов различит на этом фоне другие, более близкие шумы.

— Когда спуститесь на свой балкон, дерните за веревку! — громким шепотом попросила Мила, свесив голову с крыши.

Горнолыжница рассчитала все точно. Веревка тянулась вниз таким образом, что балконы оставались от нее буквально в десяти сантиметрах справа. Не надо было прилагать особых усилий, чтобы оказаться там, где хочется. Через некоторое время Ася действительно подергала за веревку, показывая, что Мила может ею воспользоваться.

Мила еще раз проверила узлы, потому что горнолыжница выглядела мельче и тоньше, чем она, после чего повесила свой собственный канат на шею, поплевала на руки и проделала тот же самый трюк, что и Ася.

Она встала на четвереньки и, держась за веревку, стала пятиться назад. Несмотря на высоту, особого чувства страха она не испытывала — так, легкое волнение. Сползать вниз оказалось нетрудно. «Хорошо, что не надо будет подниматься обратно», — подумала Мила. Перед тем как выйти на дело, она открыла свою балконную дверь и рассчитывала именно через нее вернуться в квартиру. Балкон пятого этажа, балкон четвертого, а вот и ее цель.

Спустившись до нужного уровня, Мила с огромным удивлением обнаружила, что на «ее» балконе стоит горнолыжница Ася с удивленно выпученными глазами.

— Вы куда? — спросила она шепотом.

— Сюда, — тоже шепотом ответила Мила.

— Разве вы здесь живете? — в голосе Аси слышалось подозрение.

— Не живу, — согласилась Мила, перекидывая одну ногу через перила. — Но и вы здесь тоже не живете.

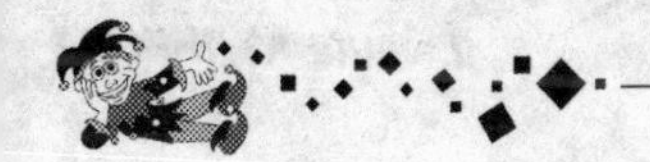

— Откуда вы знаете? — попыталась изобразить возмущение Ася.

— Оттуда, что я живу этажом ниже.

— Вот и полезайте туда.

— Не для этого я рисковала своей шеей.

— А для чего же?

— Мне надо подслушать, о чем там говорят, — подбородком показала Мила на балконную дверь квартиры Константина.

— Какое странное совпадение. Мне тоже надо подслушать то же самое, — пробормотала Ася.

— Тогда давайте перестанем выяснять отношения и примемся за дело. Никто не останется внакладе. А если мы начнем ругаться, нас тут же разоблачат.

— Ладно, — неохотно согласилась та. — А вы уверены, что мы что-нибудь расслышим?

— Если вы перестанете трещать, то, безусловно, расслышим. Видите, форточка открыта. А занавески задернуты. Они нас не увидят.

— Наверное, Борис курит, — сказала Ася. — Он всегда открывает форточку, когда собирается дымить.

Мила ничего на это не ответила, а попыталась занять самую выгодную позицию — прямо под этой самой открытой форточкой. До них и прежде доносились мужские голоса, только дамы к ним не прислушивались, занятые собственными разборками. Теперь, когда они затихли, разговор в комнате стал слышен отчетливо.

— Все это превратилось в фарс! — гневно произнес голос, стопроцентно принадлежавший Константину. — В черную комедию, где все до невозможности глупо, только героев убивают на самом деле.

— Да уж, Лютикова оказалась крепким орешком. Чего только с ней не произошло! — ответил Борис. — А она все равно не рассказала тебе о наркотиках.

Мила была так изумлена, что даже раскрыла рот. Не меньше ее была изумлена и Ася. Она тоже раскрыла рот, потому что до сих пор даже мысли не допускала, что ее мужа волнуют не любовные, а криминальные дела.

Примерно через полчаса бурных объяснений между братьями Миле стало многое понятно. Она уяснила для себя, что Константин никакой не частный детектив. Его брат выдавал себя за клиента с той же самой целью — выяснить хоть что-нибудь о партии наркотиков, которую их дед продал какому-то человеку, личность которого они пытаются теперь установить. «Но при чем тут я? — недоумевала про себя Мила. — Каким боком я пришита к этому делу? Может быть, им кто-то дал неверную информацию? И это какая-то ошибка? Нет-нет, меня ведь хотят убить. И совершенно ясно, что не эти типы».

Тем временем Ася, которая усвоила главное — Борис ей не изменял, — преисполнилась стыда и раскаянья. Она наклонилась к Миле и шепотом спросила:

— Вы не позволите мне выйти из дому через вашу дверь?

— А как же веревка?

— Я потом поднимусь и отвяжу ее.

— Ладно, давайте, сползайте вниз.

Только она это сказала, как веревка заколыхалась, причем так сильно, что сразу стало ясно — кто-то дергает ее наверху. Обе верхолазки высунулись наружу и задрали головы. Ася тут же схватила Милу за локоть и испуганно шепнула:

— Там еще кто-то лезет!

— Ну, это уж слишком! — рассердилась та. — Во-первых, втроем мы тут точно не поместимся...

— Давайте спрячемся! — предложила Ася и потянула свою товарку вниз.

Они присели на корточки и накрылись сверху небольшим куском оргалита, оказавшимся под рукой. Сквозь редкие металлические прутья Мила, похолодев сердцем, наблюдала, как некто в черном — это точно был мужчина — промелькнул, словно гигантская горба-

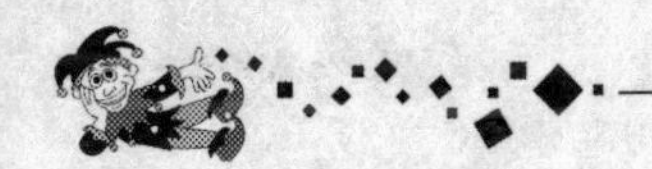

тая ящерица, и скрылся внизу. Ему нужен был второй этаж! Сбросив оргалит, Мила посмотрела вниз и тут же поняла, почему человек показался ей горбатым — у него на спине висел маленький рюкзачок. Спрыгнув на крышу магазина, человек снял рюкзачок с плеч и, присев на корточки, стал усердно в нем копаться. «Достает оружие! — догадалась Мила. — Это наверняка по мою душу! А там дверь открыта! Он убьет Муху! Боже мой, что же делать?!»

Мила изо всех сил сжала руку Аси, призывая ее молчать. Луна светила по-прежнему ярко, и было отлично видно, как человек держит в руках нечто огромное и страшное, какое-то оружие, размером в три раза больше, чем обычный пистолет. «Если я закричу, он поднимет его вверх и скосит нас одной очередью», — поняла Мила, трясясь от ужаса.

Человек в черном на полусогнутых ногах пробежал в самый конец крыши, приблизился вплотную к стене дома, после чего начал медленно двигаться обратно, заглядывая в каждое окно по очереди. «Он не знает точно, где я живу! — догадалась Мила. — Поэтому так старательно высматривает!»

Тем временем у соседей Милы по балкону происходила бурная сцена. Лев Витягин, дородный мужчина, обтянутый трикотажным спортивным костюмом, поставил на пол маленькую собачку, с которой только что выходил на прогулку, и заявил жене:

— Ну, теперь-то я знаю все, Муся! Пока я гулял с Бубсиком, ты впустила в дом своего любовника!

— Какого любовника? — изумилась Муся, похожая на слона, переодетого женщиной. В складках ее жира можно было спрятать пригоршню драгоценных камней.

— Мы с Бубсиком обошли вокруг дома и увидели, как он спускается с крыши!

— Совсем рехнулся! — рассердилась Муся и предложила: — Давай, обыщи дом, никого не найдешь.

— Бубсик, ищи! — приказал Лев собачке и подтолкнул ее под зад носком тапочки. Собачка с радостным тявканьем унеслась на кухню.

— Я уверен, что там еще осталась веревка! — уперся Витягин, продвигаясь к балконной двери. — А вот я сейчас посмотрю!

— Не открывай, холодно ведь! — вознегодовала Муся.

— Ага! Боишься!

Уловив за окном какое-то движение, она неожиданно изменившимся голосом приказала:

— А ну-ка, выключи свет!

Витягин послушался, и в ту же секунду комната погрузилась в темноту. По крыше медленно двигался мужчина в черной одежде, держа в руках видеокамеру.

— Извращенец! — ахнула Муся. — Лева, звони в милицию!

Бдительных Витягиных в соседнем отделении милиции отлично знали, поэтому наряд по их сигналу выехал без промедления.

«Если эта сволочь застрелит собаку, — думала тем временем Мила, — Гаврик меня четвертует».

— Там внизу убийца! — шепотом пояснила она притихшей Асе. — Он может убить собаку, которая охраняет квартиру. А собака не моя!

Ася мыслила точно так же, как ее муж. Поэтому она тотчас же предложила:

— Надо сбросить ему что-нибудь на голову.

Они огляделись в поисках «чего-нибудь» и одновременно кинулись к здоровому алюминиевому бидону, в каких раньше развозили по магазинам сметану. Бидон был не слишком тяжелым, но очень шумным. Если бы не ремонт на шоссе, план со скидыванием его на врага вряд ли удался бы.

— Раз-два, взяли! — громче, чем следовало бы, скомандовала Мила.

Они качнули махину над перилами и бросили вниз.

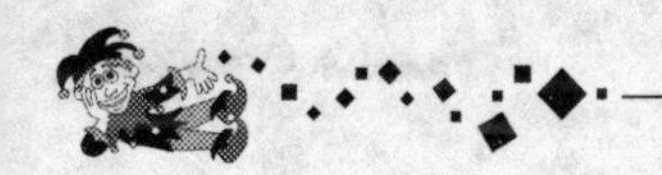

Бидон едва задел бандита, однако он свалился как подкошенный.

— Так тебе! — восторженно воскликнула Ася.

В этот самый момент привлеченная безумным грохотом Муха мощным броском кинулась на дверь, вылетела на балкон, встала на преступника передними лапами и принялась громко лаять.

— Молодец, Муха! — подбодрила овчарку Мила и, лихо перемахнув через перила, по веревке съехала вниз.

Именно тогда балконная дверь Витягиных тоже широко распахнулась и оттуда появилась пара милиционеров, которые принялись отдавать громкие неразборчивые приказания. Мила краем глаза видела, как одно за другим повсюду вспыхивают окна. Она схватила Муху за ошейник и попыталась оттащить от поверженного врага, но та не желала так просто упускать добычу, шумела и рычала, роняя на лежавшего вниз лицом преступника горячую слюну.

Константин Глубоков, тоже распахнувший дверь на балкон, нос к носу столкнулся с женой брата Бориса и изумленно закричал:

— Вот тебе и раз: тетя Ася приехала!

Выскочивший следом за ним Борис был потрясен еще больше.

— Ася? — опешил он, глядя на супругу в фосфоресцирующих кроссовках. — Как ты сюда попала?

— Мы с подругой учимся лазить, — глупо моргнув, ответила Ася и мотнула головой вниз.

Глубоковы бросились к перилам и почти одновременно воскликнули:

— Твоя подруга — Лютикова?!

— Людмила, — пролепетала Ася. — Вон она, с собакой.

Мила только теперь поняла, что в руках у человека в черном находилось вовсе не оружие, а видеокамера. Недоумению ее не было предела. «Может быть, это какое-то совпадение? И этот тип собирался лезть вовсе не ко мне?» Однако когда милиционеры повернули его на спину, Мила поняла, что это все-таки к ней.

— Едрена вошь! — выругалась она, пытаясь зажать разлаявшейся Мухе пасть двумя руками. — Это ведь Шпатциков!

Алюминиевый бидон, к счастью, не сломал ему шею, поэтому Леопольд Вельяминович довольно быстро пришел в себя.

— Сегодня полнолуние, — объяснил он всем желающим, продолжая лежать на полу со скрещенными на груди руками. — Скоро два часа ночи. Вот я и подумал, что подсмотрю секрет — как она ее варит.

— Кого? — не поняли милиционеры.

— Да мазь же, мазь! Вороны уже не каркают.

— Псих, — констатировал Витягин, обнимая жену Мусю за плечи. — Самый типичный помешанный.

— Скажите им! — потребовал облаченный в черное Шпатциков, обращаясь непосредственно к Миле.

— Он не псих, — охотно подтвердила она.

— Почему же тогда он полез ночью на чужой балкон с видеокамерой? — ехидно спросила Муся.

— Потому что у него геморрой, — всплеснула руками Мила. — Неужели так трудно понять? Геморрой.

— Ужасное заболевание, — прокомментировал Шпатциков. — Вы перестаете интересоваться жизнью и думаете только о стуле.

Милиционеры изумленно переглянулись, не зная, по всей видимости, что предпринять.

— Кто будет писать заявление? — спросил Витягин у Милы. — Вы или я?

— О чем? — живо поинтересовался Шпатциков. — О том, что у меня было защемление и я полез на стенку?

— Людмила Николаевна! — крикнул с балкона Константин. — Может быть, вас все-таки отвезти к сестре?

— Да-да, отлично, мы с собакой поедем к сестре! — согласилась Мила, усиленно кивая головой. — Это ничего, что третий час ночи, думаю, она не рассердится!

21

Ольга действительно не стала сердиться. Она быстро уложила Милу в кровать и убежала согревать постель Николаю. Да и утром, раскрыв глаза, Мила увидела сначала не ее, а маму, которая уже соорудила на голове сложную прическу и накрасила губы.

— Милочка! — сообщила она. — У нас в доме кто-то гавкает. Ты не знаешь, кто бы это мог быть?

— Да, мамочка, это овчарка, она поживет у меня несколько дней. Ее зовут Муха, и с ней, наверное, надо погулять, чтобы она перестала лаять.

— Ладно, я скажу папе, — кивнула мама, ни капли не обеспокоившись. — Надеюсь, она не кидается на прохожих?

— Если честно, мамочка, я просто не знаю. Но на тумбочке лежит поводок, поэтому папа может пристегнуть Муху и не давать ей ни на кого кидаться.

Вслед за мамой в спальне наконец появилась Ольга в шикарном пеньюаре.

— Извини, — сказала она, — что я ночью не смогла тебя расспросить: накануне мы с Николаем были в гостях и очень устали. Поваляемся еще минут сорок. Если хочешь, подожди нас завтракать.

Мила слышала, как родители посюсюкали над Мухой и, пристегнув ее к поводку, куда-то ушли. Понежившись минут десять, Мила вылезла из постели и, прихватив полотенце, отправилась в ванную. Из-за того, что она шла босиком, шагов ее слышно не было. Вероятно, именно поэтому торчавший в коридоре Николай ничего не услышал. Прежде чем сделать поворот, Мила остановилась поправить волосы, и тут увидела спину Ольгиного мужа. По его поведению она сразу поняла, что он занят чем-то особенным. Чем-то, что он хотел бы скрыть от других.

Мила тут же спряталась за угол и осторожно высунула голову. Николай открыл встроенный шкаф, в котором хранилась старая верхняя одежда, вышедшие из употребления зонты и сумки. После этого встал на цыпочки, пошарил рукой по полке справа и вытащил из-за шерстяного шарфа пузырек. Открутил крышку, достал оттуда что-то неразличимое глазу и, закинув в рот, быстро проглотил. Потом спрятал пузырек обратно и хотел было уже закрыть шкаф, когда шарф неожиданно упал на пол. Причем упал с глухим стуком, как будто в нем было что-то тяжелое. Николай наклонился, чтобы водворить его на место, потянул за один конец, шарф развернулся, и из него на пол выпала Ольгина сумочка. Та самая сумочка, которую у нее украли при нападении. Та самая, о которой она так сожалела, — с замком-поцелуйчиком.

Николай повертел головой по сторонам, и Мила была вынуждена на какое-то время убрать свой нос, чтобы тот не попал в поле его зрения. От избытка чувств она закусила косточку указательного пальца. Когда Николай удалился и дверь спальни захлопнулась за ним, Мила рванула к шкафу и убедилась, что ей ничего не почудилось. Сумочка была там, но Мила не стала громко кричать и требовать правосудия. Надо сначала все рассказать сестре, чтобы можно было схватить негодяя на месте преступления. Неужели он в сговоре с бандитами? А пузырек? Может быть, именно там находится тот наркотик, поисками которого так озабочены братья-обманщики? Мила уже не сомневалась, что никакие они не Глубоководные. Только теперь она ощутила, что от этой фамилии за версту несет водевилем.

Откопав на полке пузырек, Мила с превеликой осторожностью открыла его и, заглянув внутрь, увидела, что он доверху наполнен большими белыми таблетками без запаха. Подозрительным казалось то, что сам пузырек был без опознавательных знаков — на нем не было ни маркировки, ни этикетки, ничего. Мила осторожно вытряхнула одну таблетку на ладонь и опустила ее в карман халата. Потом возвратила пузырек на место и отправилась в душ. Через пятнадцать минут свежая, но мрачная, она уселась за кухонный стол и принялась шумно отхлебывать кофе из кружки.

Ольга с Николаем появились гораздо позже. Ольга была румяная, томная и пахла маслом для растираний. Впрочем, она тотчас же потянулась за сигаретами, и приятный аромат был задушен на корню.

— Сначала бы тебе стоило поесть, дорогая, — не слишком настойчиво посоветовал Николай. В отличие от жены он выглядел бледным и нервным.

Мила уставилась на него вприщур, не в силах сдержать эмоций. Ольга стукнула ее ногой под столом и прошипела:

— Опять начинаешь? Прекрати!

— Нет-нет, что ты! Просто мне показалось, Николай чем-то страшно расстроен.

— Она права, — неожиданно ответил Николай, глядя куда-то в сторону. — Я расстроен.

— Еще час назад я бы сказала, что у тебя отличное настроение, — проворчала Ольга.

— С тех пор кое-что произошло.

— Что же? — хихикнула глупая Ольга. — Ты отлучился из спальни всего на пять минут...

— Вот тогда и произошло, — пожал плечами Николай, по-прежнему избегая смотреть сестрам в глаза. — Я кое-что нашел.

Мила мгновенно выпрямилась, словно ее ударили между лопаток, Ольга же легкомысленно переспросила:

— Нашел? Что же? Кошелек?

— Я нашел, Ольга, твою сумочку. Ту, которую у тебя якобы украли во время похищения.

«Господи, да он не виноват!» — про себя воскликнула Мила, не зная, то ли сердиться, то ли радоваться. С одной стороны, надо было радоваться, потому что Ольга любила этого засранца и была бы просто раздавлена, окажись он мошенником. С другой стороны, Мила уже прикидывала, как половчее сдать Николая милиции, чтобы все дело, закрученное вокруг нее, начало стремительно раскручиваться в обратную сторону. И вот, пожалуйста, такая досада — не виноват.

— Я полез в старый шкаф в коридоре, — зачастил Николай.

— Зачем это? — нахмурилась Ольга, сделавшаяся чертовски подозрительной с того самого вечера, как Мила во всеуслышание объявила о ее возрасте.

— Вспомнил, что у меня в кармане дубленки завалялись ментоловые леденцы. В горле запершило.

Мила засунула руку в карман халата и потрогала таблетку. Леденцы, как же!

— Ты не простудился? — заволновалась невнимательно слушавшая Ольга. По крайней мере, смысл сообщения о сумке до нее пока что не дошел.

— Так вот, когда я открыл дверцу шкафа, — мрачно продолжил Николай, — на меня сверху упал шарф. В него что-то было завернуто.

— Клад! — весело воскликнула Ольга, облизывая пальцы после очередного кусочка сладкого.

— Нет, дорогая, я же сказал: это была твоя сумочка. Та, с которой ты отправилась в ночной клуб.

— Прости? — растерялась Ольга, сообразив наконец, что легкий тон здесь совершенно неуместен. — Моя сумочка? С замком-поцелуйчиком?

— Она самая, двухцветная, твоя любимая.

— Но как она оказалась в шкафу?

— Понятия не имею.

— Из нее ничего не пропало?

— Я не стал смотреть, решил сначала поделиться информацией с вами обеими.

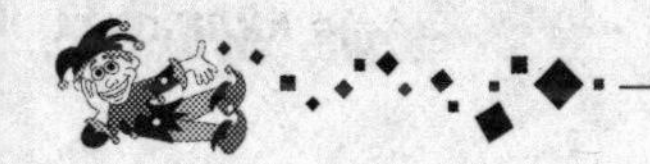

— Но почему же ты так долго молчал? — вознегодовала Ольга.

— Ну, у тебя было прекрасное настроение, — смутился Николай. — Не хотелось портить его внезапно, без подготовки. Сейчас ты, по крайней мере, выкурила свою первую сигарету...

Ольга вскочила с места и метнулась в коридор. Мила и Николай без спешки последовали за ней. Оба точно знали, что там увидят.

— Все на месте! — воскликнула Ольга, ожесточенно копаясь в сумочке. — Документы, деньги — все тут! Совершенно удивительный случай. Уникальный. Как сумочка попала в наш шкаф?

— Давай спросим у мамы, — предложила Мила. — Может быть, в доме побывал кто-нибудь посторонний?

Мама с папой и собакой как раз возвратились домой. Первой в квартиру влетела грязная и, судя по всему, голодная Муха. Она, скользя, пробежала по паркету и, скрывшись в кухне, чем-то зачавкала.

— У тебя совершенно невоспитанная собака! — заявил папа, возмущенно всплескивая руками.

— Я знаю, но особо не переживаю, потому что она не моя.

— Но тебе пойдет только в плюс, если ты ее воспитаешь! — Папа, как всегда, был уверен, что воспитание — самая прогрессивная деятельность на свете.

Мила поспешно пообещала вплотную заняться Мухой, папа удовлетворился и, с тревогой поглядев на Николая, удалился в кабинет с пачкой свежих газет в руках. Мила поняла, что, выпрашивая деньги на пластическую операцию, Ольга слегка сгустила краски.

После того как папа ретировался, они с Ольгой вдвоем набросились на маму с расспросами.

— Да-да, — сказала мама. — Я что-то такое припоминаю.

Через десять минут выяснилось, что в доме за последнее время перебывала куча посторонних людей. Заходил почтальон, который принес посылку от тети Марины из Самары, дети, собиравшие деньги на корм голодающим пони, агитаторы от ЛДПР, электромонтеры, снимавшие показания со счетчика, а также подростки, сочувствующие неоиндуистской группе трансцендентальной медитации Махариши Махеш Йоги, предлагавшие фрязинские кексы, изготовленные на предприятии ЗАО «Махариши продактс».

— Преступник мог подсунуть сумочку детям, — решила Мила, после того как мама призналась, что все вышеперечисленные личности заходили внутрь квартиры и провели некоторое время в коридоре, в непосредственной близости от шкафа, где была сделана находка. — За мороженое, за копеечное вознаграждение они вполне могли согласиться подложить безобидную вещь в чужую квартиру. Ведь это не бомба какая-нибудь. Возможно, тот тип в бандане придумал для детей весьма правдоподобную историю. Я уже и сама насочиняла их целую дюжину.

Дело о похищении Ольги действительно выглядело ужасно загадочно и не поддавалось никакому объяснению. Даже буйной фантазии Милы не хватило на то, чтобы придумать для него обоснование.

— Нет-нет, все последние события как-то взаимосвязаны, — сказала она, сжимая виски ладонями. — Когда мы наконец узнаем правду, все покажется нам таким простым, уверяю тебя!

— Но *когда* мы узнаем эту правду? — печально спросила Ольга.

— Я ведь еще не рассказала тебе кое-что о нашем так называемом частном детективе, — ошарашила ее Мила, когда Николаю наконец надоело сидеть с ними на кухне и дышать сигаретным дымом. — Этот Константин Глубоководный — просто самозванец! И вообще ни на кого не работает.

Мила принялась увлеченно рассказывать сестре о том, что случилось ночью и как она подслушала беседу братьев-обманщиков.

— Но Мила! — возопила Ольга, двумя руками отпихивая Муху, которая собиралась полакомиться окурками из пепельницы. — В таком случае выходит, что с тех пор как в тебя стреляли, дело не продвинулось вперед ни на миллиметр!

— Выходит, так, — подтвердила та.

— В таком случае ты все в той же опасности! Это ужасно. Надо срочно что-то делать!

— Мы пришли к тому, с чего начинали, тебе не кажется? — спросила Мила.

— Кстати, — спохватилась Ольга. — А Орехов что, не проявлял себя?

— Ну как же? После того как ты его накрутила, он явился ко мне, исполненный скепсиса, и сообщил о том, что ты вынудила его принять участие в моей судьбе.

— И ты его выставила, — тоном утверждения сказала Ольга.

— Естественно. Саша Листопадов в тот момент был жив, и я не чувствовала себя беззащитной.

— Но все-таки этот Константин не такой поганец, как может показаться на первый взгляд! — внезапно сказала Ольга. — Он нашел для тебя человека...

— И его убили, Ольга!

— А он не собирается заявить в милицию, ты не в курсе? Все-таки, думаю, он должен испытывать чувство вины...

— Как ты считаешь, мне стоит сказать ему, что я все знаю о нем и его брате?

Ольга пожала плечами.

— Я бы на твоем месте спряталась. В том числе и от братьев тоже. Поезжай, дорогая, к Орехову.

— Мы ведь его тоже подозреваем! — попеняла Мила.

— Да, конечно, но не будет же он расправляться с тобой в тот момент, когда ты станешь у него прятаться?

— Почему? Устроить несчастный случай с феном в ванной комнате — пара пустяков для такого рискового человека, как Илья.

— Я позвоню ему и скажу, что ты едешь, — решительно поднялась Ольга. — Он не посмеет даже пальцем тебя тронуть.

— И ты вот так просто, допуская, что Орехов — убийца, отправляешь меня к нему? — не сдержала возмущения Мила. — Вместо того чтобы умолять меня остаться?

— Хочешь правду? — спросила Ольга, напряженно глядя на свои тапочки.

— Разумеется.

— После того случая на дне рождения прадедушки я не хочу, чтобы ты слишком долго находилась с Николаем под одной крышей.

— Что я слышу?! — закричала возмущенная Мила. — Я — в опале?! Из-за этого... этого... Ты?! Меня?! Отсылаешь прочь?! А этот...

— Кто-то недавно потрудился напомнить «этому», что мне сорок шесть лет, — ехидно сказала Ольга. — Ты моложе меня и гораздо свежее. Не хотелось бы стать свидетельницей томных взоров, которые мой муж будет бросать в твою сторону.

— Пусть только попробует бросить, — пробормотала Мила с угрожающей интонацией в голосе.

Ольга, не слушая ее, направилась к телефону, попутно наступив Мухе на хвост. Муха гавкнула, и Ольга едва не свалилась на пол от неожиданности.

— Кроме того, у тебя теперь есть собака! — обрадовалась она внезапно пришедшей в голову мысли. — Когда будешь у Орехова, давай ей пробовать каждое предлагаемое тебе блюдо.

— Да если Муха по моей милости отравится, Гаврик

меня распнет, — рассердилась Мила. — Нет уж, лучше сразу отравлюсь я! Впрочем, у этого существа луженый желудок. Я сама видела, как она съела винную пробку, три окурка и полиэтиленовый пакет из-под скумбрии. Думаю, яд проскочит через нее, словно кусок масла.

22

Тем не менее ближе к вечеру она уже стояла на лестничной площадке новой квартиры Орехова и переминалась с ноги на ногу. Это стояние могло бы надолго затянуться, если бы не Муха, которой надоело бездействие. Она принялась бегать по лестничной площадке и подавать голос. Испугавшись, что сейчас отовсюду повылезают соседи, Мила вздохнула и решительно нажала на кнопку звонка. Леночка Егорова сказала, что у Орехова с его Гулливершей произошла какая-то ссора. Можно надеяться, что он один и приютит «все еще жену» на пару-тройку дней.

Когда Орехов открыл дверь и увидел за ней Милу, на лице его мелькнул ужас, который, впрочем, почти мгновенно сменился брезгливым изумлением.

— Это снова ты?! — воскликнул он, отступив на шаг в глубь коридора.

— Кажется, я здесь первый раз, — обиделась Мила. — Что значит это твое «снова»?

— То и значит, что, договорившись о разводе, супруги имеют право на личную жизнь, — отрезал Илья. — Я же постоянно решаю твои проблемы.

— Решаешь? — взревела Мила, оскорбленная до глубины души. — И сколько же моих проблем ты уже решил?

Муха, растревоженная их возбужденными голосами, громко гавкнула, потрясла головой, потом почесала задней ногой свой живот и, уставившись на Орехова, грозно заворчала.

— Зачем ты привела с собой чертову собаку? — рассердился тот, непроизвольно прикрываясь дверью.

В этот момент из глубины квартиры до них донесся раздраженный вопрос:

— Любимый, кто там? Куда ты пропал?

Мила еще не успела опознать этот голос, как его обладательница сама появилась за спиной Орехова. На ней была шелковая «двойка» — широкие брюки и халат канареечного цвета, который, как про себя отметила Мила, ее, безусловно, старил.

— Леночка? Егорова? — непроизвольно воскликнула она, с невероятным изумлением наблюдая за тем, как эта самая Леночка жестом собственницы положила руку с грязными ногтями на плечо Ильи. — Какого...

Мила была потрясена. Илья никогда не жаловал Леночку. За глаза он называл ее грязнулей и пачкулей, а также «волкодавкой», имея в виду скрытые черты характера. Неужели все изменилось так быстро? Достаточно было Леночке захотеть...

— Ах, так вот зачем ты приходила на самом деле! — воскликнула Мила, поведя бровью. — На самом деле тебя интересовал не твой муж, а мой. И мои планы относительно него.

Орехов потрясенно взглянул на Леночку. Вероятно, он даже представить не мог, что она побывала у его жены.

— По крайней мере, я поступила честно, — пожала плечами та. — Я открыто спросила у тебя, собираешься ли ты разводиться. По всему было ясно, что к Илье ты никогда не вернешься. Что он тебе больше не нужен.

«Тактическая ошибка, — злорадно отметила Мила. — Орехову подобное слышать неприятно. Это написано у него на лице». Впрочем, он довольно быстро взял себя в руки.

— Вы что, собираетесь обсуждать меня в моем же

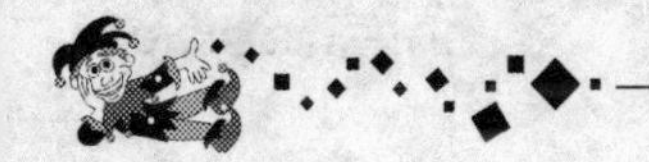

присутствии? — с иронией спросил он. — Может быть, отложите это приятное занятие?

— Пусть она подождет тебя в кровати, — мрачно сказала Мила. — Мне нужно тебе кое-что сказать.

— У Ильи от меня нет секретов, — промурлыкала Леночка и потерлась головой о плечо Орехова.

Миле это не понравилось. Мухе почему-то тоже. Она заворчала и задрожала верхней губой, показав зубы.

— Какая неухоженная собака! — презрительно скривившись, заметила Леночка.

— То же самое она могла бы сказать о тебе! — парировала Мила, выразительно уставившись на ее ноги. На носке, который выглядывал из тапочки, зияла круглая дырка.

Леночка фыркнула и, пошевелив оголившимся пальцем, наконец отлипла от Орехова и уплыла куда-то в глубины квартиры.

— Забавно, — сказала Мила светским тоном, — как быстро у людей меняются вкусы.

— Мои вкусы неизменны, — парировал Орехов. — Просто теперь нет надобности их скрывать.

— Значит, ты всегда был без ума от Леночки, а мне вешал лапшу на уши только для того, чтобы польстить моему самолюбию?

— Что-то вроде того.

— Ну, ладно. В связи с тем, что я тут увидела, разговор потерял всякий смысл. Прощай, Илья. Да, кстати, — внезапно вспомнила она, останавливаясь на ступеньках совершенно в духе лейтенанта Коломбо. — А вы с Леночкой не боитесь афишировать свои чувства? Ведь дело Егорова еще не закрыто? Что, если милиция подумает, будто бы вы убили его, чтобы соединить свои судьбы? Возможно, и с деньгами у тебя не слишком плохо потому, что доля Егорова вовсе не уплыла? А инвестор Дивояров — это так, ширма?

— Дура! — выплюнул Орехов. — Придерживай язык,

поняла? Чтобы, кроме меня, этого бреда никто не слышал!

— Хм, — сказала Мила. — Меня настораживает твоя реакция.

Она взяла Муху за ошейник и гордо начала спускаться вниз. Уже на первом этаже она поняла, что дверь квартиры Орехова так и не захлопнулась. Что, если он до сих пор в шоке?

Из машины, дежурившей напротив подъезда Милы, выпрыгнул Алик Цимжанов и окликнул:

— Милочка! Радость моя! Подожди!

Мила, которая каждую секунду ожидала пули, ножа или удушения, подпрыгнула от неожиданности и рассерженно осадила его:

— Алик! Будь же менее экспансивным, тогда, может быть, Софья успокоится сама по себе. Кстати, как она?

— Обошлось, — выдохнул Алик, жадно разглядывая Милу. — В последнее время ты выглядишь просто потрясающе!

— Это что, издевка? — мрачно спросила она.

— Ничего подобного. Пусть ты менее ухоженна, но в тебе с некоторых пор горит жаркий огонь, который воспламеняет меня.

— Алик, зачем ты приехал? — с подозрением спросила Мила. — Если тушить горящий внутри тебя пожар, то я пас.

— Нет-нет, Милочка, я приехал попрощаться. Мы с Софьей уезжаем на месяц в Египет.

— Разве можно выдержать месяц на такой жаре?

— Ну, мы собираемся поселиться в отеле, — пояснил Алик. — В отелях имеются кондиционеры и холодильники, которые делают лед.

— Чудесно. Я должна порадоваться за вас?

— Как ты не понимаешь? Я приехал сообщить, что тебе больше не о чем волноваться!

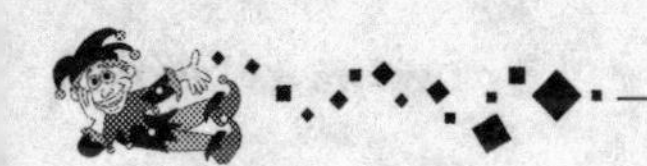

— В каком смысле? В том, что ты увозишь Софью и мне не нужно беречь лицо?

— Нет-нет, поразмыслив, я пришел к выводу, что кто-то охотится за нами, за нашей семьей. Меня хотели застрелить на балконе редакции, и тот же человек напал на Софью в лесу. Человек в черном. Ты же тут совершенно ни при чем.

— Прости, но кто тогда душил меня ночью? — рассердилась Мила. — Кто подсыпал поганок в овощную смесь, хранившуюся в моей морозильной камере? Кто убил Сашу Листопадова?

— Ах, да, действительно, ты ведь рассказывала мне по телефону. Но в любом случае тебе будет легче. Поскольку это другой убийца, — уверенно заявил Алик. — Какой-то совсем другой. Не мой. То есть не наш с Софьей. Возможно, просто такое совпадение: что одновременно твои враги захотели прикончить тебя, а мои вознамерились расправиться со мной и Софьей. И из-за того, что все так совпало, ты и запуталась. Попробуй исключить человека в колготках на голове из своей схемы, и ты увидишь, как все здорово упростится!

Подбежавшая Муха принялась с остервенением нюхать брючину Алика. Тот занервничал и раздраженно сказал:

— Фу! Фу, псина!

— Что-то у меня в голове ничего не упрощается, — призналась Мила. — Но я, так и быть, обдумаю твою версию.

— Но это еще не все, Милочка!

— Не все?

— Надеюсь, что, когда мы возвратимся из Африки, ситуация утрясется и мы наконец сходим с тобой в ресторан. Я просто сплю и вижу...

— Знаешь, Алик, — сказала Мила, которой постоянный риск развязал язык. — Если бы ты действительно «спал и видел», то взял бы в Египет меня. И уберег бы от опасности, и выразил свои чувства.

— А как же Софья? — остро глянув на нее, спросил тот.

— Софья осталась бы дома. Ты мог бы соврать, что едешь в длительную командировку в Набережные Челны или что-нибудь в этом роде. Вот это был бы поступок рыцаря. А ты поступаешь, как свинья.

— То есть ты мне отказываешь? То есть, когда я вернусь, ты не пойдешь со мной в ресторан и все прочее?

— В ресторан, может быть, пойду, — ответила Мила. — А про «все прочее» можешь забыть навсегда.

— А если я буду ухаживать за тобой? — интимно понизив голос, спросил Алик. — Ты не прогонишь меня?

— Посмотрим, — неопределенно ответила Мила, вспомнив о гонорарных ведомостях, которые подписывал Алик. — Надеюсь, тебе доведется действительно поухаживать за мной, а не за моей могилкой.

— Ах, ну что ты такое говоришь? — воскликнул Алик, делая вид, что речь идет о каком-то пустяке. — Кстати, почему бы тебе не съездить к сыну в Германию? Тоже своего рода страховка. Твой муж вряд ли будет против.

— Если ты пришел, чтобы дать мне бесплатный совет, то я в нем не нуждаюсь.

— Гав! — громко сказала Муха, усевшись возле ее ног и подозрительно глядя на Алика.

— Чья это псина? — спросил тот, озираясь по сторонам. — Она испытывает ко мне повышенный интерес.

— Псина моя. И это не интерес, а подозрение в твоей благонадежности. Так что не будем целоваться на прощание даже символически. Иначе я за нее не ручаюсь.

Алик отступил на несколько шагов и вынужденно улыбнулся:

— Дорогая, я надеюсь, поразмыслив, ты поймешь все правильно.

— Алик, мы знакомы с тобой столько лет, сколько я

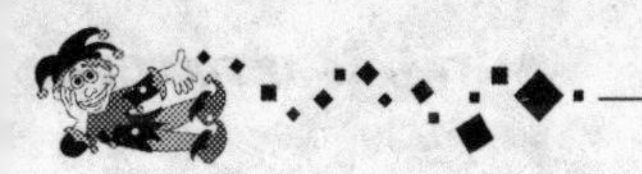

себя помню. Я тебя понимаю правильно с первого раза. Ты меня, надеюсь, тоже.

Алик мгновенно помрачнел.

— Возможно, я принял неверное решение, — пробормотал он. — Можно, я позвоню тебе позже?

— До Африки или после?

— Твоя ирония меня ранит.

Муха склонила голову набок и вывалила язык.

— Мне кажется, она приглядывается к твоим штанам, — предостерегла Мила. — Садись поскорее в свой автомобиль.

— Мне не хочется расставаться *вот так*.

— Но это ты сам придумал расставаться, — не стала утешать его Мила. На нее напала мстительность. Ей хотелось, чтобы другие тоже чувствовали себя плохо.

Когда Алик уехал, Мила впустила Муху в подъезд. Та очень быстро обнаружила Бориса и прижала его к замаранной непристойными надписями стене.

— Нас с братом завтра с утра вызывают в милицию по поводу Саши Листопадова, — сразу же сообщил он, вжимаясь в стену лопатками. — Значит, вы просите не рассказывать всю правду?

— Как ваша настоящая фамилия? — мрачно спросила Мила.

— Глубоковы мы. Борис и Константин. И стою я здесь, чтобы предупредить о том, что в вашей квартире засел тот тип, который изображает из себя неимущего ученого, Гуркин. Константин навел о нем справки. Все точно: он живет в достатке, ваш Гуркин. Константин хотел прижать его к ногтю, но я не разрешил. Думаю, за ним стоит понаблюдать попристальнее, прежде чем выкладывать карты на стол. Лучше пусть он думает, что вы ничего не знаете о его настоящей жизни. Так будет легче подловить его на чем-нибудь.

— Хорошо-хорошо, — успокоила его Мила, оттаскивая возбужденную Муху. — Вот только как он попал внутрь? Я ведь ключей ему не выдавала! Это что-то новенькое...

— Вы собираетесь ночевать дома? — поинтересовался Борис, с тревогой глядя на Милу.

— Да. Только не вздумайте сидеть в подъезде. Если еще и вас убьют...

— Но... — попытался возразить Борис, хлопая честными глазами.

— Я все про вас с братцем знаю. Мы с Асей довольно долгое время провели на балконе и все-все слышали. И про дедушку, и про наркотик, и про незнакомца. Ох, ну и здорово же вы сбили меня с толку! Чего только я про вас не думала!

— Мы не желали вам зла, — скромно потупился Борис.

Муха плотоядно облизнулась, глядя на его смущение.

— Ну, вина на вас, безусловно, есть, — сварливо сказала Мила. — Вы меня обнадежили! Я ведь ждала результатов профессионального расследования.

— Э-э-э... — промямлил Борис, не поднимая глаз.

— Ладно-ладно, — сказала Мила. — На первый раз прощается. Но теперь-то мне что делать? Ума не приложу!

— Мы с Константином как раз сейчас собираемся обсудить этот вопрос.

— Обсуждайте, — разрешила Мила. Она считала, что эти двое несут за нее определенную ответственность.

— Но вам точно никто не звонил? И никому из ваших знакомых ничего не просил передать? — уцепился за нее Борис, стараясь не глядеть на возбужденную Муху.

— Ни-че-го, — по слогам ответила ему Мила. — И вообще я думаю, что тот таинственный тип, который заключил сделку с вашим дедушкой, просто-напросто надул его с телефоном. Может быть, он вообще назвал ему первые пришедшие в голову цифры?

— Но зачем?! Сначала он обрывает с дедушкой контакты, а потом оплачивает его лечение в европейской клинике? Вы представляете, какие это деньги?

— Ну... Может быть, ему дорог ваш дедушка, и он имеет на него виды, но себя раскрывать не хочет? Что ему мешает поддерживать с вашим дедушкой одностороннюю связь?

— Да, это так, — согласился Борис, стряхивая со своего ботинка хвост разлегшейся на площадке Мухи. — Но разве не подозрительно, что как раз в это время вокруг вас началась какая-то возня?

— Не просто возня! Убили двух человек. Толика Хлюпова, на месте которого должна была быть я, и Сашу Листопадова, который меня охранял!

— Не понимаю, — пробормотал Борис. — Допустим, вас прикончили...— Мила вздрогнула. — Ну, это всего лишь предположение, — поспешно добавил он. — Кто и что от этого выгадал? При чем здесь наркотики? Наш дедушка? Для кого вы являетесь помехой? Может быть, вы знаете что-нибудь эдакое? Какую-нибудь страшную тайну?

— Я ничего не знаю, факт. И, кроме всего прочего, это не тема для обсуждения в подъезде.

— Значит, завтра в милиции мы с Константином должны подтвердить вашу версию о том, что Листопадов был вашим сердечным другом? — перескочил на другое Борис.

— Да-да, прошу вас! Боюсь, что, если сейчас вывалить на милицию весь этот ушат грязи, они запутаются и заподозрят меня.

— Пожалуй, — согласился Борис. — Но что вы думаете делать дальше? Судя по всему, вас совершенно точно решили прикончить. Вы, да и мы с Костиком, не можем так просто ждать несчастья! Что мы будем делать, оказавшись с вашим трупом на руках?

— Пошли вы к черту! — рассердилась Мила. — Придумайте что-нибудь сами, в конце-то концов! Муха, вставай. Если придумаете, — на секунду обернулась она, — не забудьте сообщить мне.

Она начала засовывать ключ в замок, но дверь не открывалась.

— Кто там? — послышался через секунду взволнованный голос Гуркина.

— Я, кто же еще? — буркнула Мила, пристально наблюдая за тем, как Борис поднимается по лестнице наверх.

— Здравствуй, Тыквочка! — на пороге стоял взъерошенный Андрей. — Ой, собака! Откуда она?

— Соседская. Выдана мне напрокат для защиты от злоумышленников.

Мила окинула Андрея оценивающим взглядом. Да, на нем простенькая рубашка и джинсы, и выражение лица совершенно стандартное. Почему это ей прежде казалось, что Гуркин выглядит жалко? Наверное, это она сама себя накрутила. Жалость — самая худшая спутница женщины. Из одной только жалости женщина может наделать таких глупостей, совершить столько непоправимого!

— Как ты попал в квартиру? — спросила она гораздо жестче, чем рассчитывала.

Гуркин захлопал глазами и растерянно ответил:

— Ты же сама мне дала ключи! После дня рождения прадедушки...

Он суетливо полез в карман куртки и добыл связку, которая раньше принадлежала Орехову. Мила узнала ее по брелоку в виде крошечного автомобиля.

«Значит, Илья не соврал, — подумала Мила. — Ключи болтались где-то в квартире. Но зачем я вдруг вручила их Гуркину? Я ведь не хотела! И мое подсознание не хотело! Что, если Андрюша врет? Он сам мог найти ключи и присвоить их, а потом свалить все на меня, пьяную. Может, он пользуется этими ключами уже давно? И без

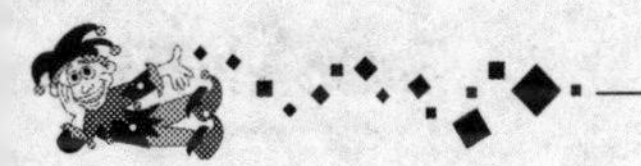

моего ведома проникает в квартиру? Спрятал здесь наркотики, например? Звонит по телефону...»

— Что ты делал здесь один? — спросила Мила, скидывая обувь и проходя прямо в комнату. Она осматривала обстановку со всей пристальностью, на которую была способна. Муха последовала за ней и принялась обнюхивать мебель, словно тоже прониклась подозрительностью.

— Я? Да ничего... — растерялся Гуркин. — Сидел... Читал... Лежал... У меня сегодня присутственный день, — осторожно напомнил он. — Ну... В том смысле, что я должен был прийти.

— Кофе будешь?

— Нет-нет, я сыт.

— И сыт, и пьян, выходит, — пробормотала Мила. — Ну, ладно, лежи дальше. А я на кухню.

Когда Мила доставала из сумочки кошелек, чтобы проинспектировать свои финансы, Муха неожиданно взволновалась и начала совать свой мокрый подвижный нос прямо внутрь сумки.

— Ну, что тебе, что? — нетерпеливо спросила Мила, раскрывая сумочку пошире и позволяя овчарке обнюхать все как следует.

Муха заскулила и попыталась ухватить зубами свернутый комочком носовой платок.

— Ах, вот что тебя так заинтересовало! — воскликнула Мила, вспомнив, что в платок она завернула ту самую таблетку, которую стащила из пузырька Николая. — Интересно...

На взгляд Милы, таблетка ничем не пахла. Тем не менее Муха волновалась все сильнее. Она тихонько повизгивала и скребла лапой линолеум.

— Что ж, — сказала Мила, отламывая от таблетки половинку. — Если Николай жив, значит, и для тебя это не смертельно. На-ка, съешь.

Мила протянула кусок таблетки на ладони Мухе. Та

мгновенно слизнула «угощение» и, облизнувшись, уставилась Миле в лицо.

— А все! — заявила та. — Вторую половинку я приберегу. А чуть позже покормлю тебя чем-нибудь более подходящим для такой большой собаки. Лежать!

Муха послушно легла, однако через некоторое время выскользнула из кухни, и тут же послышался негодующий крик Гуркина:

— Тыквочка! С собакой что-то странное!

Мила вбежала в гостиную и увидела, что Муха и в самом деле ведет себя нетривиально. Она лежала на спине и каталась с боку на бок, свесив язык с одной стороны рта. Время от времени она разевала рот и издавала длинные мяукающие звуки.

— Муха! — позвала Мила. — Ужинать!

Муха не обратила на нее никакого внимания. Мила принесла в комнату кусок фарша и принялась тыкать ей в нос. Фарш не произвел на собаку никакого впечатления.

«Вот оно! — подумала Мила, холодея сердцем. — Николай тайком поедает какую-то «дурь», несомненно. У собаки всего от полтаблетки поехала крыша».

— Мы сегодня никуда не пойдем? — спросил Гуркин, покачивая ногой в жутком десятирублевом носке.

«Интересно, как он ухитряется так классно перевоплощаться? Ничего не забыть, проверить каждую мелочь... Зачем?» Это «зачем» витало в воздухе, покуда Мила допивала свой кофе.

— Тыквочка! — снова раздался из комнаты визг Гуркина. — Она хочет меня съесть!

— С чего ты взял? — крикнула Мила, неохотно поднимаясь.

— Она ко мне принюхивается!

Гуркин лежал на диване, замотанный в плед. Муха взгромоздилась сверху и жарко дышала ему в лицо, время от времени облизывая ему нос.

— Она такая тяжелая, Тыквочка! — простонал Гуркин. — Кроме того, не могу сказать, что я страшно люблю собак. Отзови ее!

Мила принялась звать Муху, но та плевать на нее хотела. Она продолжала усердно вылизывать Гуркина и даже ухом не повела.

— Тыквочка! Позвони ее хозяевам! Пусть они ее уведут!

— Вот еще! — рассердилась Мила. — Тогда я опять останусь без охраны.

— Тыквочка, предприми какие-нибудь меры!

— Послушай, может быть, ты ел что-нибудь особенное? — предположила Мила. — Что-то, чего собачке тоже хочется попробовать?

— По этому поводу она собирается залезть мне в желудок? Я ничего не ел, убери ее!

— Если я ее разозлю, она тебя укусит, — с сомнением проговорила Мила. — Ну, ладно, рискнем.

Она обняла Муху за шею и потащила за собой. Та мешком свалилась на пол и снова принялась кататься по нему. Вскочивший Гуркин засобирался домой. Потом посмотрел на часы и тут же остыл.

— Пожалуй, я еще отдохну, — пробормотал он. — Не могла бы ты закрыть ее в ванной?

— Еще чего! Это же собака, а не черепашка! Кроме того, как же она будет меня охранять, если я стану держать ее в ванной?

— Но я же пока еще тут! Тебе нечего бояться!

— Разве ты готов сражаться не на жизнь, а на смерть?

— Зачем на смерть? — опешил Гуркин. — Тыквочка, ты не расскажешь мне, что происходит в твоей жизни?

Мила и сама хотела бы это знать. Что происходит в ее жизни? В ней происходят ужасные вещи! Да и сам Гуркин был одной из тех загадок, которые ей хотелось бы разгадать.

— У меня кризис среднего возраста, — заявила Мила, вздернув подбородок. — Я ищу свое место в жизни.

— Но почему тебе для этого нужны собаки и телохранители?!

— Всякий кризис сопряжен с неприятностями, — пробормотала Мила и наклонилась к Мухе. — Кажется, она заснула.

Во сне собаку терзали какие-то демоны. Она скулила и вздрагивала всем телом, пугая Гуркина, который честно высидел положенное время на диване. Затем поспешно засобирался и, надевая куртку, все никак не мог попасть в рукава. «Он совершенно не похож на того человека, которого я видела в ресторане с блондинкой. Какое перевоплощение! Какой талант!»

— Ну, до встречи, Тыквочка! — робко сказал Гуркин, протискиваясь в дверь.

— До встречи! — откликнулась Мила, гадая про себя, что она будет знать о нем к следующему разу.

«Кажется, дурацкой таблеткой Николая я усыпила собаку, — подумала она, трогая ногой Муху, которая в ответ на это приоткрыла один глаз и тихонько тявкнула. — Но не мог же муж Ольги с утра принимать снотворное?» Впрочем, Муха очень скоро пришла в себя и отправилась инспектировать мусорное ведро. Мила задумалась над оставшейся половиной таблетки и даже лизнула ее, на большее, впрочем, не отваживаясь. Скорее всего, это все же наркотик, и у овчарки в связи с его употреблением были собачьи галлюцинации.

Когда в квартире прозвенел нежданный звонок, Муха с лаем кинулась в коридор.

— Спокойно, собачка! — сказала Мила, оттесняя ее от двери, чтобы прильнуть к глазку. — Боже мой! Только этого мне еще и не хватало для полного счастья!

На лестничной площадке стояла Гулливерша Лариса. Вся ее поза выражала угрюмую решимость — руки

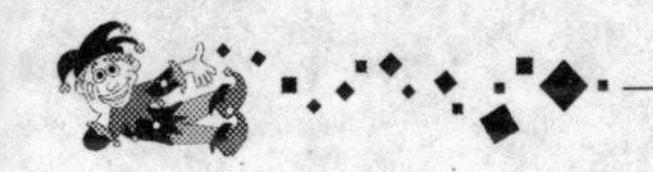

засунуты в карманы плаща, голова опущена вниз, так, словно она собиралась бодаться.

Мила схватила Муху за ошейник и открыла дверь.

— Где он? — спросила Гулливерша, не поздоровавшись и даже не взглянув на большую собаку, рвавшуюся ее обнюхать. — Позовите его немедленно!

Мила мигом сообразила, кого она ищет, и поцокала языком.

— Какой пассаж! Илья смылся, не так ли?

— Позовите его, — с прежней настойчивостью потребовала Лариса, глядя на Милу сверху вниз.

— У меня для вас плохие новости, — радостно ответила та. — У Ильи новая девица! Поэтому здесь его, конечно, нет.

— Вы все врете! — рассердилась Лариса. — Какая девица, если он только что убежал от жены? От вас. Из-за меня, кстати, если вы забыли!

— Судя по всему, Орехов вступил в возраст, когда мужчины идут вразнос. Вчера — я, сегодня — вы, завтра — Леночка...

— Леночка? — недоуменно переспросила Гулливерша. — Какая, блин, Леночка?!

— Леночка Егорова. Знаете такую? Лично видела, как она терлась щекой о моего мужа, словно кошка о табуретку.

Лариса сильно побледнела и покачнулась на каблуках.

— Не советую вам падать, — заволновалась Мила. — Даже по диагонали вы не уместитесь на лестничной площадке. Пожалуй, вам лучше зайти. Я накапаю вам валерьяночки. Или плесну коньячку. Что вы предпочитаете?

— Воды! — попросила Лариса губами в перламутровой помаде.

Муха принялась вдохновенно обнюхивать Ларису. Когда та устроилась на табуретке, перегородив вытяну-

8 - 8264 Куликова

тыми ногами всю кухню, Муха улеглась возле ее ступней и, наставив уши, преданно уставилась ей в лицо. «Красивая женщина способна покорить даже собаку!» — подумала Мила, а вслух сказала:

— Как получилось, что Илья бежал и от вас тоже?

— Н-не знаю, — пробормотала Лариса, осушая второй стакан воды. — Он не сообщил, что сбегает. Я думала, он у вас. Или что у них с Дивояровым снова какие-нибудь сбои. Думала, он сидит в Горелове и следит за тем, как Лушкин отлаживает оборудование. Этот их таинственный проект постоянно отвлекал Илью от нашей зарождающейся близости...

Мила прикрыла глаза, чтобы Лариса не заметила в них живого жадного блеска. Черт побери — тайный проект! Вот это да. Надо вытрясти из Гулливерши все, что она знает. И при этом не заронить в ее душу подозрения. Может быть, стоит сделать вид, что она и так в курсе дела? Кстати, Лушкин — кто бы это мог быть? И что такое Горелово? Деревня? Несмотря на демократизм, Орехов никогда не любил подолгу оставаться за городом. Почему же затеял новый проект в какой-то деревне? Потому что он тайный? И его надо держать подальше от любопытных глаз?

А что, если этот новый проект как-то связан с наркотиком, изобретенным дедушкой братьев Глубоковых? Возможно, люди Орехова монтируют оборудование для производства новой партии? Мила вскочила и отвернулась к раковине, наливая в чайник свежую воду.

— Ну, — сказала она, радуясь, что Лариса не видит ее лица, — Горелово ведь не так далеко, чтобы не возвращаться на ночь в Москву! Сколько туда ехать, я не помню?

— На машине полчаса, — без выражения ответила Лариса.

— Ну, вот, полчаса. А если у него дел по горло, вы

могли бы сами добраться на электричке и остаться на ночь.

— В доме Лушкина? — внезапно вознегодовала Лариса. — Ни за какие коврижки! Этот тип — типичный женоненавистник! Я все время боялась, что он меня отравит!

— Поганками? — не удержалась и спросила Мила.

— Ядом, ядом! Он настоящий маньяк.

«Веселенькое дело! — с изумлением и испугом подумала Мила. — Судя по всему, разгадка всех ужасов лежала у меня под носом! Только зачем Орехову или его подручному Лушкину меня убивать? Я ведь до сих пор ничего не знала об их новом предприятии. То есть вообще ничего. Даже не догадывалась. Чем же тогда я им так страшно помешала?»

— Каким же образом, — вслух спросила она, — Леночка Егорова оттеснила вас от тела моего мужа? Мне казалось, он без ума от вас!

— Не знаю, — промямлила Лариса, уставившись в противоположную стену. — Со стороны Ильи я не чувствовала охлаждения...

Мила поняла, что павшую духом Ларису надо разозлить, только тогда нужные сведения полетят в разные стороны, словно брызги шампанского.

Муха, которой надоело созерцать безупречную человеческую красоту, отправилась в комнату и прыгнула на диван. Вероятно, ей под лапу попал пульт дистанционного управления, потому что телевизор внезапно ожил. Судя по голосам, донесшимся из комнаты, шел мультфильм «Маугли».

— Они называли меня... желтой рыбой, кажется? — вопрошал удав Каа.

— Червяком, червяком. Земляным червяком, — отвечала Багира.

— Я только что заезжала к Орехову по делам, — вдохновенно начала Мила. — И слышала, как Леночка злословила по вашему поводу. Она... Она называла вас длинной тощей глистой.

— Что-о-о?! — великолепные Ларисины губы собрались в напряженное блестящее колечко.

— И еще — рассохшейся оглоблей, — кивнула Мила, разливая по чашкам заварку. — И небоскребом.

— Но Илья сам всегда над ней издевался! — Лариса вся подобралась и даже спрятала свои нескончаемые ноги под табуретку. — Он считал брак Егорова чертовски неудачным!

— Хм, брак! — пожала плечами Мила. — Судя по всему, в брак они вступать не собираются. У них другие планы.

— Ах, какая негодяйка эта Леночка! — простонала Лариса. — Где у вас тут телефон?

Она схватила поданную трубку и быстро набрала номер. Мила с любопытством следила за ней. Впрочем, финт не удался — к телефону никто не подошел. Поглядев на часы, Лариса закипела быстрее чайника:

— Он не подходит к телефону!

— Наверное, очень занят, — коварно намекнула Мила.

— Я выцарапаю ему глаза! — сквозь зубы прошипела Лариса. — Нет, лучше ей! Я...

— А что, если он уехал в Горелово? — бросила пробный камень Мила. — То есть они уехали вместе? Есть реальный шанс застукать их вдвоем. Если Илья скрывает от вас свою новую связь, вы можете потребовать объяснений.

— Едемте вдвоем! — приказала Лариса, вскакивая на ноги. — Вы — все еще жена, у вас есть право вторгаться на его территорию! Только собаку оставьте, а то она подерется с Трезором.

— Трезор — это доберман? — с опаской поинтересовалась Мила.

— Болонка. Маленькая, но отчаянная до безрассудства.

23

На улице было темно и стыло. Возможно, Ларису бил озноб, Мила же дрожала от возбуждения. Луна пошла на убыль и несмело сияла в глубине неба, словно стесняясь отломленного краешка. Воздух с привкусом бензина был холодным и мог показаться свежим лишь человеку, только что выбравшемуся из непроветренного помещения.

Едва они вышли на обочину шоссе, на Ларису стали ловиться любители ночных развлечений.

— Наверное, это ужасно, — сказала Мила, пристально взглянув на нее снизу, — иметь такой рост и такую фигуру. Каждый мужик к тебе приценивается. Придется спрятать вас в кустах, покуда я, как приличная женщина, не поймаю машину.

Лариса послушно полезла в кусты, раздвигая ветви, словно пловец, попавший в тину.

— Как Орехов мог бросить особу с таким покладистым характером? — удивилась ей в спину Мила, после чего повернулась лицом к встречной полосе и подняла руку.

Тут же возле нее тормознула иномарка.

— Сколько берешь, киска? — громко спросила веселая голова, высунувшаяся в окошко.

— Я не беру, а даю! — рассердилась Мила, державшая в кулаке двести рублей.

— Ну, так почем даешь, киска? — не сдавалась голова.

— Какая я тебе киска! Я тебе в матери гожусь! — рассвирепела Мила.

В иномарке открылось еще одно окно, и в нем появилась вторая голова, сильно пьяная.

— Ну, так почем ты, мать? — спросила она заплетающимся языком.

— Ах, ну что за ешкин кот! — топнула ногой Мила. — Пожилая женщина не может поймать машину, чтобы съездить в деревню навестить Трезора! Беспощадные новые времена! — Повернув голову, она крикнула: — Вылезай обратно, все бессмысленно!

Когда Лариса полезла из кустов, иномарка испуганно рванула с места. Вместо нее в обочину тут же ткнулся облезлый «Москвич».

— У вас чего там, олень? — спросил хмурый мужик с «беломориной», висящей на нижней губе.

— У меня там очаровательная девушка, которая мечтает добраться до чертовой деревни Горелово за двести рублей, — злобно ответила Мила.

Оценив вылезшую из кустов девушку, водитель сказал:

— Ну, если она складывается, то повезу.

— Я там не помещусь! — засопротивлялась Лариса, увидев продавленные сиденья и глотнув шоферского дыма.

— Я понимаю, ты — предмет роскоши, — говорила Мила, временно переходя на «ты» и силой запихивая Ларису в салон. — Для таких, как ты, существуют лимузины и все такое... Но если ты сейчас пойдешь на попятный, Орехов уплывет навсегда. И в лимузине будет кататься Леночка!

Довод подействовал, и Лариса скользнула в салон так ловко, словно змея под камень.

— Орехов — чертовски завидная партия! — почти сразу же принялась подогревать ее Мила. — Сама не знаю, как я упустила такое сокровище!

— Почему вы помогаете мне? — вопросила Лариса, плотнее запахивая плащ. Вероятно, в дороге от тряски ее мозги оживились.

— Вы еще спрашиваете! — фальшивым тоном воскликнула та. — Мы прожили с Ореховым столько лет! Я просто не хочу, чтобы он пошел по рукам. Одно дело — найти себе новую женщину, доказывая себе и все-

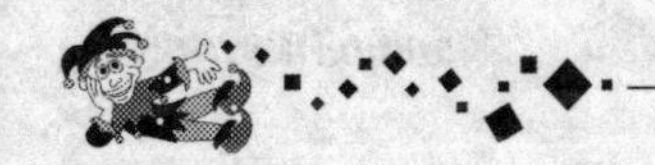

му миру, что ты еще парень ого-го, и совсем другое — начать менять партнерш с молодецкой скоростью. В этом есть что-то пошлое, вы не находите?

Шофер с ухмылкой поглядел на нее, выпустив целое облако дыма, но Мила, привычная к вечным Ольгиным перекурам, даже не потрудилась развеять это облако взмахом руки. Зато Лариса позади от души закашлялась.

— Эй! — предостерегла ее Мила. — Вам нужно следить за дорогой. Никто из нас не в курсе, как заехать в загадочное Горелово.

Почему-то ей представлялось, что Горелово — дыра каких поискать — с колодцами и дюжиной покосившихся домов. На деле оказалось, что это большой охраняемый поселок. При въезде в него нарисовался шлагбаум, его сторожил дюжий вооруженный молодец. Он посветил им по очереди в лицо мощным фонарем и, по всей видимости, узнал Ларису, потому что громко сказал:

— Здрасьте!

— Митенька! — хихикнула та, поведя плечиком. — Приветик!

Митенька поднял шлагбаум, не отпустив ни одного замечания. Милу это порадовало.

— Послушайте, может быть, вы нас подождете? — обратилась она к водителю. — Уедете богаче еще на триста рублей. Всего пятьсот за плевую работу прокатить туда-сюда двух хорошеньких женщин. Как вы на это смотрите?

— Шестьсот, — сказал водитель, который по достоинству оценил расстояние, отделявшее Горелово от шоссе, ведущего в Москву. — Без меня вы здесь надолго застрянете.

— Ну, хорошо. Только машину надо будет оставить где-нибудь на подходах к дому.

— Остановите здесь! — скомандовала Лариса, пристально вглядывавшаяся в освещенную фонарями перспективу.

— И развернитесь на всякий случай, — посоветовала Мила, выбираясь наружу. — Мало ли что.

— Надеюсь, за нами не будут гнаться? — полушутя поинтересовался водитель, провожая ее глазами.

— Гнаться? Да это мы идем с целью застукать моего мужа с его второй любовницей! Еще кто за кем будет гнаться!

— Вы — жена, а кто это с вами?

— Его первая любовница.

— Хм, хм, — пробормотал водитель. — Надеюсь, отголоски ваших развлечений до меня не докатятся.

Лариса тем временем пошагала к видневшемуся в отдалении одноэтажному домику, в окнах которого горел свет. Рядом прорисовывался контур длинного темного строения с плоской крышей.

— Это что, конюшня? — шепотом спросила Мила, боясь потревожить окрестности громким голосом.

— Что вы! Это и есть новое производство.

— А что, что там производят? Вы ведь в курсе? — не утерпела и в лоб спросила Мила.

Вряд ли, конечно, Лариса знает о наркотиках, но какую-то официальную версию ей должны были выдать. Однако та ее разочаровала.

— Понятия не имею. Это секретный проект. Они все так следят за тем, чтобы не проболтаться! И Илья, и Дивояров, и Лушкин. Даже шофер Володя Мешков нем как рыба.

— А Лушкин — это кто? — задала интересовавший ее вопрос Мила.

— Один из них. Не знаю... Как кто? Лушкин, и все. Этот дом принадлежит ему. И участок, где Илья с Дивояровым пробуют свой проект, — тоже. Короче, он тут хозяин, на этой земле.

— Забор здесь совсем плевый. Сейчас мы перелезем,

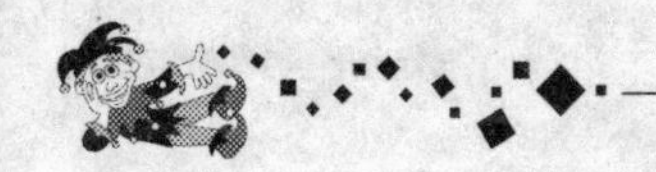

подберемся к окнам и поглядим, что там делается! Занавесочки-то — тьфу! — тонюсенькие!

— В настоящий момент главное — поймать Трезора, — озабоченно сказала Лариса.

— Что значит — поймать? Он будет бегать по окрестностям и тявкать, а мы станем его ловить, чтобы заткнуть ему пасть?

— Ах, все гораздо проще. Трезор вихрем понесется на нас, и в тот момент, когда он прыгнет, надо поймать его и поцеловать.

— Зачем это? — мрачно спросила Мила. — Это обязательно? Знаете, давайте вы пойдете впереди.

Словно похваляясь своими потрясающими ногами, Лариса подобрала полы плаща и просто переступила через декоративную загородку. Миле пришлось попотеть, прежде чем она плюхнулась на клумбу внутри огороженного участка. Тут же из темных кустов на них с молчаливой неотвратимостью понеслось нечто белое с разлетающимися ушами.

— Трезорка! Ласточка! Иди ко мне, песочка! — воскликнула Лариса.

Трезор прыгнул, и Лариса ловко, словно они сто раз репетировали этот трюк, подхватила его под передние лапы. После чего смачно поцеловала в нос.

— Тьфу! — тихо сказала Мила. — Надеюсь, он обойдется одним поцелуем. Или требуется, чтобы его перецеловали все гости по очереди?

— Ш-ш-ш! Трезор, будь хорошим мальчиком, не тявкай!

Лариса опустила кудрявую псину на землю, и та засеменила впереди, путаясь у нее под ногами.

— Да он выдаст нас в любой момент, — гневно прошептала Мила. — Собаки не умеют хранить молчание.

Это была уловка с ее стороны. Больше всего на свете ей хотелось попасть внутрь того каменного сарая, где, судя по всему, находилось оборудование, по виду которого можно было бы догадаться о том, что на нем изготовляют.

— Давайте запрем его... там! — предложила она Ларисе, указывая пальцем на «подпольный цех».

Ларису совершенно явно, больше всего на свете, интересовали светящиеся окна жилого дома.

— Не обращайте внимания на собачку! — отмахнулась она.

В знак протеста против столь пренебрежительного к себе отношения Трезор задрал вверх морду, часто и взволнованно подышал и неожиданно громко тявкнул.

— Вот видите! — укоризненно воскликнула Мила. — Только вы заглянете в окно, как он все испортит.

— Ну, хорошо, оттащите его подальше.

— Дверь в том сарае открывается? Или там сигнализация?

— Господь с вами! Какая сигнализация? Поселок охраняется. Ключ в каменной вазе, той, которая слева.

Мила взяла Трезора под мышку и быстрым шагом отправилась в указанном направлении. Пес взволнованно шевелил ногами в воздухе и тянул морду вверх.

— Хочешь поцеловаться? — с подозрением спросила Мила. — Придется тебе немножко походить нецелованным. Я не способна целоваться с собаками. Вот вернется Лариса...

В свете фонаря, освещавшего подъезды к дому, она увидела дверь, по обеим сторонам которой стояли два здоровенных каменных вазона, украшенных кусочками цветной керамики. Смотрелись они здесь, надо сказать, довольно дико. «Судя по всему, Лушкин по натуре монументалист, — подумала она. — Или любит помпезность».

Пошарив в вазе, стоявшей по левую руку, Мила обнаружила, что она не полая и внутри есть лишь маленькое углубление. Там лежал длинный толстый ключ с замысловатыми бороздками.

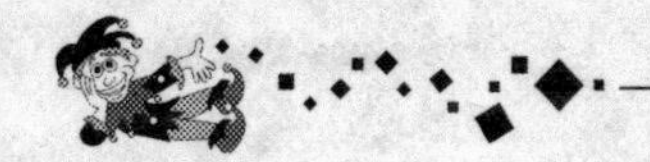

— Конечно, я не Буратино, — шепнула она Трезору, — но эта дверь может привести меня в волшебную страну, где убийца наконец появится перед всем миром без черных колготок на лице.

Замок открылся совершенно бесшумно. Мила шагнула в темноту, которая пахла чем-то незнакомым, странным и пугающим. В помещении было довольно влажно. Трезор забил всеми четырьмя лапами, словно бежал по воздуху, и Миле пришлось спешно опустить его на пол.

— Стоять! — приказала она, но собака, конечно же, не послушалась и унеслась в неизвестном направлении. Через секунду послышался грохот, как будто бы кто-то опрокинул корыто.

— Трезор, сволочь! — тихо взвыла Мила.

Пес услышал призыв и с радостью понесся на зов. Мила едва успела подхватить его, когда он прыгнул. Он висел у нее в руках, отчаянно молотил хвостом по воздуху и поскуливал.

— Учти, я тебя целовать не буду! — предупредила она, делая зверское лицо.

В ответ на это заявление Трезор мотнул головой и звонко тявкнул. Потом еще раз.

— Ах ты, поганец! — обозвала его Мила и брезгливо чмокнула в нос. Трезор радостно лизнул ее языком, намочив половину лица.

— О-о! Боже мой! Прекрати эти нежности! Лучше скажи, где тут свет?

Мила принялась осторожно шарить ладонью по стене возле двери. Через минуту-другую усилия ее увенчались успехом: прямо над головой вспыхнула одинокая тусклая лампочка, болтавшаяся на черном шнуре.

Тотчас же взору непрошеной гостьи открылась ожидаемая картина. Здесь действительно налаживали какое-то производство. Вся центральная часть помещения была занята чем-то вроде конвейера, по обеим сторонам которого высились механизмы, назначение которых вряд ли мог разгадать человек непосвященный. Такой, например, как Мила.

«Надо все осмотреть и обнюхать, — подумала она. — Может быть, в щелях застряли крупинки порошка, который можно сдать на анализ?» Ей нужны были доказательства преступной деятельности Орехова. Она уже почти не сомневалась в том, что он каким-то образом замешан в криминальных делах. Правда, в то, что именно Орехов хотел ее убить, Миле абсолютно не верилось. По крайней мере, в душе.

Высокая стеклянная колба сразу же привлекла к себе ее внимание. И — о чудо! На дне и на стенках колбы сохранились остатки того, что в ней хранилось или перерабатывалось. Мила влезла на неподвижную ленту конвейера и засунула внутрь руку. Через некоторое время на ее ладони оказалась приличная горка продукта подпольного производства. Продукт этот представлял собой довольно большие крупинки неизвестного вещества. Оно было темно-серого цвета и имело странный запах, который так обеспокоил Милу в самом начале.

Покопавшись в сумочке, Мила раскопала там маленькую коробочку с заменителем сахара, которую не так давно купила в момент очередного страстного порыва похудеть, да и забыла выложить. Вытряхнув ее содержимое прямо себе под ноги, она принялась аккуратно ссыпать в опустевшую емкость свою находку. Подскочивший Трезор с жадностью слизывал с пола посыпавшееся ему на голову лакомство.

— Господи, вот же балда, а не собака!

И тут она услышала поблизости голоса. Голос Ларисы и какого-то мужчины. Самое ужасное, что они приближались. Мила метнулась к двери и быстро погасила свет. Потом в два прыжка достигла штабеля пустых коробок, сваленных у стены, и спряталась за ними.

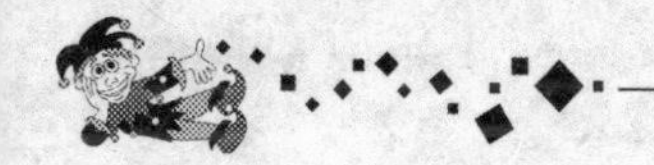

— Дверь открыта! — воскликнул мужчина. — Я же говорил: что-то не в порядке!

Снова вспыхнул только что выключенный свет, и Трезор белым клубком подкатился под ноги вошедшим.

— Да это просто собака! — с облегчением воскликнула Лариса.

— Конечно. Она сама слазила за ключом и повернула его в замочной скважине. Ну, признавайся, Лариса, зачем ты здесь шарила?

Мила нашла щелку между коробками и увидела наконец загадочного Лушкина. Это был мужчина среднего роста с широкоскулым плоским лицом ярко-розового цвета. Мила мгновенно вспомнила, что, как и Дивоярова, видела его на мальчишнике незадолго до исчезновения Егорова. Еще тогда она решила, что он похож на поросенка, тем более что в пользу такого сравнения говорили и маленькие круглые глазки под короткими бровями. Сейчас он выглядел весьма странно: на нем был синий спортивный костюм и красный шейный платок, завязанный на манер пионерского галстука.

Повертевшись возле вошедших, идиотский Трезор решил вернуться к Миле и понежничать с ней. Услышав, как он возится за коробками, Лариса поспешно сказала:

— Ладно, Антон, надеюсь, ты не станешь поднимать шум. Это действительно я открыла дверь.

— Зачем?

— Мне нужно было поплакать. Я была уверена, что Илья развлекается тут с этой...

— Лариса, какая «эта»? У нас производственное совещание. Здесь Дивояров, Володя Мешков, другие люди, и никакой «этой»! Кроме того, зачем плакать в таком огромном помещении?

Мила, встав на четвереньки за коробками, безостановочно целовала Трезора в нос. Подлая собака виляла хвостом и не уходила.

— Ну... Как тебе объяснить, чтобы ты понял? Я хотела дождаться ночи, а потом застукать Илью прямо в постели.

— Хорошо, пойдем, убедишься, что ни одной женщины в доме нет. Надеюсь, тебя это успокоит.

— Не думаю, что Илья будет рад меня сейчас увидеть, — с некоторым сомнением в голосе предположила Лариса.

«Какая низкая у человека самооценка при таких-то ногах! — подумала Мила, вытирая губы тыльной стороной руки. — Будь у меня такая стать, я бы просто вошла, скинула плащ движением плеча и подождала, пока Орехов начнет свои объяснения! Почему он — тут, а я в Москве!»

— Пойдем-пойдем, — подтолкнул Ларису свинообразный Антон. — Ключ где?

Ключ лежал у Милы в кармане.

— Ах, подожди запирать, здесь же Трезор! — быстро нашлась Лариса.

Услыхав свое имя, любвеобильная тварь ринулась было на голос, но Мила схватила ее поперек туловища и одной рукой принялась исступленно чесать брюхо. Трезор повалился на бок, потом на спину и стал трясти ногами, показывая, что балдеет.

— Но ключ-то где? — не сдавался Лушкин.

Они вышли на улицу, продолжая препираться. Мила сгребла Трезора в охапку и, держа его на руках, понеслась вслед за ними к выходу. Дождавшись, пока те удалятся на приличное расстояние, она выскользнула на улицу, бросила ключ в вазу, выпустила собаку и короткими перебежками помчалась к жилому дому. Здесь ей удалось быстро обнаружить окно, за которым и проходило упомянутое производственное совещание.

Было плохо слышно, о чем говорят, но Мила встала так, чтобы без помех следить за происходящим и все, что она не расслышала, домысливать, читая по губам.

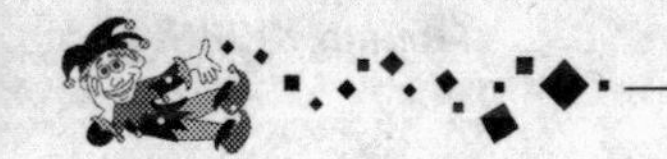

В комнате на стульях вокруг круглого деревенского стола сидели четверо — утомленный Орехов, его шофер Володя Мешков, лощеный Дивояров и незнакомый Миле пожилой человек с пушистыми рыжими усами — абсолютно лысый, и голова его сверкала, словно любовно отполированная кусочком замши. Как выяснилось через пару минут, это был немец, которого все, кроме Дивоярова, называли герром Швиммером. Дивояров же звал его просто Отто. Отто Швиммер единственный разговаривал в полный голос, правда, на столь ломаном русском, что Орехова то и дело крючило от раздражения.

— Значит, в субботу собираемся у меня, — подвел черту под уже состоявшимся, по всей видимости, разговором Дивояров.

На нем были бежевые вельветовые брюки и пуловер, на этикетке которого наверняка значилось какое-нибудь громкое имя. Такая «неделовая» одежда делала его почему-то еще значительнее.

— Вечером? — уточнил Орехов, барабаня пальцами по столу.

— Да-да, приезжайте, Илья, с невестой. Будет просто вечеринка, ничего заковыристого. Форма одежды — удобная.

Он слегка улыбнулся, обернувшись к Швиммеру.

— Вы, Отто, можете не привозить с собой выпивку. Бутылка водки в каждый дом — это вовсе не русский обычай, как вам сказали.

«Невеста Орехова? — У Милы от возмущения затрепетали ноздри. — Неужели Леночка Егорова обнаглела до такой степени? Ведь он еще со мной не развелся, и она это знает!»

— Не понимаю, почему мы бездействуем? — внезапно подал голос шофер Володя. Из всей компании он выглядел самым мрачным и глядел в пол.

Впрочем, суровые черты его лица вообще редко

смягчались улыбкой. Сколько Мила его помнила, он всегда был молчалив и стороннему наблюдателю казался подавленным. «Характер!» — пожимал плечами Орехов, если Мила задавала соответствующий вопрос.

— Ты же знаешь, что все осложнилось, — дернул щекой Дивояров. — Надо немного выждать.

— Ну-ну, — пробормотал тот.

Немец Отто крутил круглой башкой, явно не понимая, о чем речь. Мила тоже не понимала. А ей бы очень хотелось понять!

Тем временем Лушкин с Ларисой почему-то снова оказались на улице. Мила нырнула за угол дома, чтобы не попасться им на глаза.

— И не говори Илье, что я здесь была! — стервозным голосом наставляла Лариса своего провожатого. Откуда, интересно, взялась эта стервозность? Ведь только что Лариса едва ли не умоляла этого типа. — Если ты разладишь наши отношения, — продолжала та, — я всегда найду, как с тобой поквитаться!

— Ладно-ладно, — суетливо говорил Лушкин, отступая по ступенькам обратно в дом. — А как ты доберешься до города?

— У меня машина с личным шофером. Не думаешь же ты, что я ножками притопала?

Увидев, что Лариса двинулась к выходу, Мила нырнула в кусты и тоже понеслась в направлении дороги. На этот раз забор она преодолела шутя. Лариса увидела ее почти сразу же по выходе с участка.

— Ну? — спросила она разгневанно. — Где же ваша хваленая Леночка?! Мне пришлось за просто так нежничать с Лушкиным. С Лушкиным! Мыслимое ли дело? Меня чуть не стошнило.

— Почему? — с любопытством спросила Мила и, вспомнив Ольгиного мужа, тут же предположила: — От него пахнет хвойным экстрактом или сырым луком, который он грызет, чтобы не заболеть инфлюэнцей?

— Да нет же! Он просто мне противен!

«Еще бы! — подумала Мила. — Этот тип весь запудрен, словно престарелая проститутка! Так отвратительно! И этот красный платочек на шее! Настоящий мужчина не станет так себя декорировать».

— Почему же вы не показались Орехову? — полюбопытствовала Мила, делая два своих шага на один Ларисин.

Та удивленно посмотрела на нее:

— Если я стану мешать ему работать, он меня и в самом деле прогонит! Дур, которые лезут в их дела, мужчины быстро бросают.

— Ха! — воскликнула Мила. — Какое отвратительное заблуждение! Бросают как раз тех, которые никуда не лезут. Тех, которые входят в положение, заботятся, стараются угодить. Ценить себя очень высоко и постоянно напоминать мужчине, какое счастье заполучить столь уникальный экспонат, — вот единственный путь к его не слишком чувствительному сердцу.

— Вы именно так себя и вели? — скептически спросила Лариса.

— Да уж, конечно! — мрачно ответила Мила. — Я вела себя с точностью до наоборот. Я с каждым годом понижала и понижала себе цену. Я все засчитывала себе в минус — то, что я не работаю, то, что у меня появились морщины, лишние килограммы и еще масса всего. А нужно было к сорока годам превратить себя в золотой слиток. Я была такая дура! Не повторяйте моих ошибок.

— Но, по-моему, вы еще очень даже ничего, — покосилась на нее Лариса. — По крайней мере, мужчинам вы нравитесь.

— Да-да, они увлекаются минут на пятнадцать из-за того, что я блондинка. Но потом быстро отваливаются, словно намокший пластилин. Моя планида — ничего не попишешь! Я не жалуюсь, нет. Просто делаю соответствующие выводы.

Шофер, поджидавший их, был явно обрадован тем, что пассажирки появились без сопровождения. Вероятно, он предполагал, что все-таки придется спасаться бегством. Выбросив очередную «беломорину» в канаву, он весело хлопнул ладонями по бокам:

— Ну? Всех разогнали?

— Всех, — коротко ответила Мила. — Теперь гони в Москву.

Лариса, обеспокоенная собственным вторжением в Горелово, где обожаемый ею Орехов занимался важными мужскими делами, надулась и молчала. Перед выездом на главное шоссе шофер обеспокоенно обернулся и сообщил:

— Кажется, за нами погоня.

Мила с Ларисой мигом обернулись назад, готовые увидеть буквально что угодно — догоняющую их милицию или Орехова на своей иномарке. Однако по дороге, словно маленький Конек-Горбунок с длинными хлопающими ушами, несся Трезор, устремив плоскую морду прямо на автомобиль.

— Боже мой, собачка! — умилилась Лариса. — Притормозите, давайте подберем ее, а то заблудится. Завтра я позвоню Лушкину, он за ней приедет. Это собачка его покойной бабушки, которая ее очень баловала.

— Это ужасно развратная собака, — с неудовольствием заметила Мила, наблюдая за тем, как Лариса открывает свою дверцу.

— Трезор, ласточка! — сюсюкнула Лариса, но ласточка Трезор, не задерживаясь возле нее, шустро перебрался вперед и одним прыжком оказался на коленях у Милы. Повернулся к ней мордой и уставился черными бусинками глаз прямо ей в лицо.

— Уйди, гадина! — завизжала Мила, извиваясь всем телом, чтобы стряхнуть собаку с коленей.

Трезор склонил голову и коротко тявкнул.

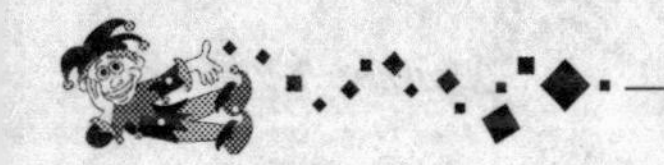

— А чего он хочет? — спросил шофер, нажимая на газ.

— Поцеловаться! — с негодованием объяснила Мила.

Трезор никак не стряхивался.

— Эй вы, потише, пожалуйста, все-таки я машину веду! — предостерег шофер. — А лучше поцелуйте его, чтобы он успокоился.

— Больше не стану! — уперлась Мила. — Весь вечер я ублажала эту гадость.

Трезор, впрочем, не настаивал. Он свернулся калачиком, положив голову на лапы, но при этом продолжал преданно смотреть вверх.

— Сначала завезите меня, — скомандовала Лариса. Она была раздосадована бессмысленной поездкой и сердилась на Милу, не понимая уже, как попала к ней в союзницы.

Трезор, когда его попытались вытащить из машины, поднял такой визг, что шофер заткнул уши. Пес извивался, не желая расставаться с полюбившейся ему женщиной. Кончилось все тем, что он несильно цапнул Ларису за запястье.

— Вам придется забрать Трезорку с собой! — скорбно сообщила та, разводя руками.

— Вы же видели: у меня дома огромная Муха! — уперлась Мила.

— Чего? — не удержался и встрял шофер. — Огромная муха? Это зачем она вам?

— Она съест Трезора на раз. — Мила не обратила на него внимания.

— Вы преувеличиваете, — отмахнулась Лариса. — Муха — интеллигентное существо и никогда не позарится на того, кто меньше ее.

— У вас дома есть муха размером больше, чем эта собака? — сиплым голосом спросил шофер и обратился к Ларисе: — И вы ее видели своими глазами?

— Конечно, видела! — отмахнулась та. — Когда мы

уезжали, она лежала в коридоре на полу, положив голову на лапы.

— Голову на лапы... — пробормотал шофер. — Такая тяжелая, что уже и не летает, вероятно... Она африканская, что ли?

— Немецкая, немецкая, отстаньте вы наконец! — рассердилась Мила. — Если вы такой любитель зооуголка, возьмите себе болонку.

— Не, — пробормотал шофер. — У меня дома кошка. Обыкновенная. Маленькая. Не селекционная. Такая... просто кошка. Кроме того, я живу один, и с собакой гулять будет некому, пока я на работе.

— Ну, хорошо, — внезапно смирилась Мила. — Я оставлю на ночь эту собаку. Но утром хотелось бы от нее избавиться навсегда.

— Я вам обязательно позвоню, — обрадовалась Лариса. — Во сколько вы поднимаетесь?

— Чтобы отдать Трезора, я встану в любой час.

За время пути до дома Милы Трезор обслюнявил ей туфли и разорвал когтями колготки.

— Ненавижу, когда шумят, царапаются и облизывают, — процедила Мила сквозь зубы.

— Вероятно, поэтому вы и переключились на насекомых, — весело заметил шофер, чтобы поддержать разговор.

Мила посмотрела на него искоса и ничего не ответила. Перед дверью в свою квартиру она взяла Трезора на руки, но он мгновенно соскочил вниз. Муха забегала и залаяла с той стороны.

— Гулять! — открыв дверь, сразу же сказала Мила, чтобы предотвратить собачье кровопролитие.

Обе псины мгновенно сорвались с места и, что называется, плечом к плечу помчались вниз по лестнице.

— Вы сделаете все очень быстро и очень культурно, — вслед им сказала Мила, ковыляя по ступень-

кам. — Я чертовски устала, и у меня нет сил ждать, пока вы разомнете лапы. Только туалет — и сразу назад.

Трезор и Муха на удивление быстро подружились и вбежали обратно в подъезд вместе, словно пара гнедых.

— Слава богу, лая не будет, — вздохнула Мила, насыпая корм в две миски — маленькую для Трезора и намного больше для Мухи. — Можно лечь спать и забыться.

Всю ночь в голове ее мелькали обрывки событий, произошедших накануне, кроме того, ее то и дело будил Трезор, который упорно лез в постель и скреб «рукой» одеяло. Кончилось все тем, что Мила заперла его на кухне и все равно поднялась наутро с больной головой.

Первым делом следовало выгулять собак, потому что скулеж стоял такой, словно псин продержали взаперти неделю. Мила плеснула в глаза горсточку ледяной воды, оделась — все кое-как — и подошла к двери. Дверь не открывалась. Что-то мешало с той стороны. Замирая, Мила поглядела в глазок и увидела ноги в мужских ботинках, лежащие на площадке. Судя по всему, это был еще один труп.

— Мамочка-а-а! — закричала Мила, закрыв лицо руками.

Собаки залаяли. Мужские ноги, хотя Мила этого и не видела, мгновенно согнулись в коленях, подобрались, и их обладатель, надавив плечом на дверь, ввалился в квартиру. Это был Константин Глубоков собственной персоной. Волосы у него оказались встрепаны точно так же, как у Милы. Создалось впечатление, что они специально устроили на голове беспорядок, чтобы повеселить друг друга.

— Где вы были? — схватив Милу за грудки, с надрывом спросил Константин. Взъерошенный, взволнованный, он выглядел еще красивее, чем раньше, хотя куда уж красивее, Мила просто и не знала. Страх разом схлынул с нее, и она, топнув ногой, закричала:

— Я была у мужа в деревне Горелово, а вот вы зачем под дверь легли?! Вы меня так напугали!

Константин тоже повысил голос:

— Это вы меня напугали! И я не лежал под дверью, а сидел, прислонившись к двери спиной. Я ждал вас. Вечером вы были дома, а потом — бац! — и исчезли! Вас никто не охраняет, что я должен был подумать?

— Послушайте, вы завтракали? — перешла на более мирный тон Мила, внезапно успокаиваясь.

— Нет, а что?

— Не могли бы вы, пока я погуляю с собаками, сварить хороший черный кофе? У меня к вам есть разговор. Важный.

Константин согласился и, скинув ботинки и куртку, отправился на кухню. В самый центр кухонного стола Мила загодя поставила коробочку с гранулами, привезенными из деревни Горелово. Она в любом случае собиралась обратиться к братьям Глубоковым с просьбой проверить, что за вещество ей удалось обнаружить. Ведь у них есть доступ в лабораторию дедушки-академика! Может быть, очень быстро выяснится, что это и есть тот самый наркотик, который братья называют «невидимкой»? Сама Мила была в этом уверена на девяносто девять и девять десятых процента.

Возвратившись со двора, она потянула носом воздух, предвкушая первый глоточек горячего кофе, который так восхитительно пах на всю квартиру. Константин сидел верхом на табуретке и держался двумя руками за бортик. Волосы он кое-как пригладил, но выражение лица у него по-прежнему было странным. Плюс ко всему прочему у него разрумянились щеки и уши. Сейчас он здорово походил на подростка, вошедшего в теплый дом после лыжного пробега.

— Ну? — спросил он. — Что за разговор вы запланировали? Чувствую, вы влезли во что-то опасное! У вас

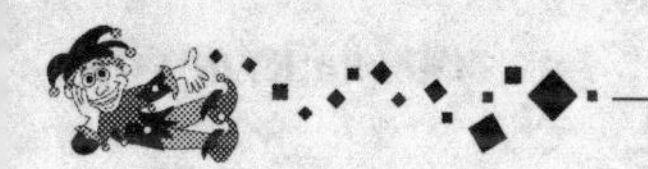

на лице написана склонность к авантюрам. Так где вы были на самом деле?

— Я же вам объяснила: я ездила к мужу. В деревне Горелово он со своими партнерами организовал новое производство. Ездила я туда тайно и на глаза никому не показывалась. У них там есть цех. Я проникла туда ночью, — Мила подвинула к себе чашечку с кофе, — и вот что я там обнаружила...

Она потянулась к коробочке с гранулами и взяла ее в руку.

— Не кладите в кофе этот сахарозаменитель, он какой-то дурацкий, — неожиданно сказал Константин, беря из ее рук коробочку и водружая ее обратно. — Я положил себе в чашку восемь или девять крупинок — и ничего. Не сладко.

Мила окаменела. «Восемь или девять крупинок! — в ужасе подумала она. — Если это и в самом деле наркотик, Константин может умереть от передозировки! По моей вине! Вернее, из-за моей безответственности! Зачем я оставила коробочку на столе, словно это нечто безобидное?»

— Послушайте, как вы себя чувствуете? — дрожащим голосом спросила она, ужасаясь содеянному.

— Отлично! — раздраженно ответил Константин. — А что это вы все время ездите к своему мужу? Вы ведь говорили, что разводитесь, что между вами все кончено? Вы даже собирались делить антикварный комод, если я не ошибаюсь! Или вы мне лгали?

— Ваш брат дома? — задала свой вопрос Мила, не слушая, что он говорит. — То есть здесь, наверху?

— Да, здесь, наверху, — сварливо ответил Константин. — А зачем вам мой брат? Вам меня недостаточно? Вы мне не доверяете?

— Боже мой, боже мой! — Мила резко вскочила, опрокинув чашку, и принялась кружиться по кухне. Прибежал Трезор и стал кружиться вместе с ней, размахивая хвостом направо и налево. — Надо срочно позвонить Борису и вызвать его сюда! Срочно!

Она дрожащей рукой набирала номер, в ужасе наблюдая за пунцовым Константином, который с вызовом смотрел на нее.

— Я испытываю к вам определенные чувства, и это меня тяготит, — наконец заявил он. — Чувства, которые, возможно, в моем возрасте смешны и наивны...

— Борис! — воскликнула Мила, краем уха слушая Глубокова. — Это Лютикова! Срочно бегите ко мне! Здесь с Константином кое-что случилось!

— Кое-что случилось?! Вы хотите все рассказать моему брату? — искренне удивился тот. — Все, в чем я вам признался? Что ж, замечательно! Пусть все знают. Мне не семнадцать лет, чтобы скрывать любовь к женщине, даже если она избалована мужским вниманием, самолюбива и независима! И я не стану прятать глаза, если мне зададут прямой вопрос...

Звонок принялся заливаться, а вместе с ним начали заливаться Муха и Трезор. Мила метнулась в коридор и распахнула дверь.

— Что?! — выплюнул Борис, на секунду замирая на пороге. — Что с Костей?!

— Он наелся «невидимки», — сказала Мила, сдавленно всхлипнув. — Я ночью привезла из деревни, стащила у мужа на производстве. Я все потом расскажу... А он, он... Достал из коробочки и съел!

— Боже мой, зачем?!

— Да случайно, случайно же!

— И что с ним теперь?

— У него бред, горячка! Он несет всякую ахинею!

Борис возник на пороге кухни и вонзил в брата внимательный и одновременно сочувственный взор.

— Она тебе рассказала, да? — спросил тот, воинственно складывая руки на груди. — Что ж, это все правда: я влюблен и не собираюсь этого скрывать!

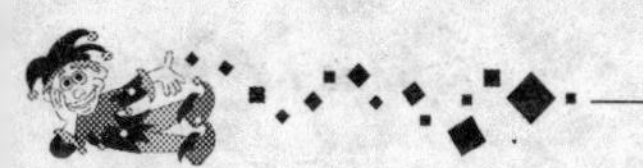

— Вот видите! — всхлипнула Мила. — Признание в любви! Мне! Бред? Бред! И он такой красный! Наверное, у него высокая температура! Давайте сейчас же вызовем «неотложку»!

Борис тотчас же согласился с ней, бросился к телефону и стал названивать врачам.

— Отравление! — отрапортовал он, пообещав бригаде денег и вообще все сокровища мира, если они приедут быстро. — Чем? — Он обернулся к Миле и переспросил: — Чем?

— Неизвестным веществом!

— А кто, кто отравился? — поинтересовался Константин у Милы, покуда Борис диктовал адрес. — Ваш пес Трезор? Разве к собакам ездят «неотложки»?

Мила наклонилась к нему и нежно приложила ладони к его щекам. Щеки действительно пылали. Константин тут же воспользовался моментом и водрузил поверх ее ладоней свои собственные.

— Можно, я стану называть тебя на «ты»? Людмилой? Можно? — Он взглянул на нее с горячечной надеждой. Синие глаза его были туманны, словно облачное небо.

«Если с этим парнем что-нибудь случится, я прыгну с крыши на асфальт, — взбудоражилась Мила. — Я просто не захочу больше жить». Вслух же она простонала:

— Конечно же, Костенька, конечно! Называй меня, как тебе нравится! Тебе можно все! Я разрешаю тебе все!

Она встала на колени перед табуреткой и схватила Константина за руки. Ей казалось, что ему нужна поддержка.

— Нам необходимо тебя спрятать, — понизив голос, заявил тот. — Немедленно и надежно. Я никуда не уйду, все время буду с тобой. Защищу тебя грудью, если придется!

— Может быть, тебе прилечь? — поинтересовался Борис, проявляя все признаки беспокойства, какие только можно было ожидать от мужчины: покусывание нижней губы, сжимание и разжимание кулаков и сведение бровей к переносице.

— Да-да! — подхватила Мила. — Тебе нужно прилечь!

Она повела его в комнату, словно санитарка раненого солдата. Когда Константин повалился на диван, Мила поняла, что ему совсем худо.

— Как быстро подействовала эта дрянь! — шепнула она Борису. — Вот, возьмите коробочку, отдайте врачам. Там еще порядком осталось. Может, им удастся определить, какое надо дать Косте противоядие!

— Людочка, обними меня! — потребовал тем временем умирающий. — Мне что-то холодно!

Мила наклонилась к нему и обняла двумя руками. Сверху мгновенно взгромоздился Трезор.

Когда приехал врач, им с Борисом пришлось разбирать всю пирамиду: Константин шумно дышал, Мила рыдала, Трезор бешено лаял, Муха забралась под кровать и не подавала признаков жизни.

— Вам не надо ехать в больницу, — заявил Борис. — Константин ужасно волнуется, когда видит вас. А ему нужен полный покой. С другой стороны, оставлять вас тут одну мне тоже не слишком хочется.

— Я позвоню Ольге, чтобы она приехала. А пока вместе с собаками отправлюсь к Капитолине Захаровне. Клянусь: я пересижу у соседки до приезда родственников. При родственниках, надеюсь, меня не станут убивать?

— Это как фишка ляжет, — пробормотал Борис.

Впрочем, сейчас его больше волновало состояние брата, поэтому он очень быстро согласился на предложенный Милой план. Вместе с врачом они вывели Константина на улицу и увезли в мигающей и воющей машине «Скорой помощи». Мила позвонила Ольге, покормила собак и трусливо побежала на первый этаж к

Капитолине Захаровне, прихватив с собой всю наличность, какая у нее еще оставалась.

Дверь открыла медсестра Жанна. Личико у нее было по-прежнему невинным и нежным, словно лепесток розы.

— Жанночка, — до омерзения сладким голосом сказала Мила. — Мне надо с Капитолиной Захаровной обсудить проблемы побелки. Она ведь уже проснулась?

— Проснулась, конечно. Мы уже завершили утренний туалет, — с некоторой гордостью ответила Жанна. — А у вас что-то случилось? Мне показалось, наверху кричали.

— И собаки лаяли! — донесся до них из комнаты громоподобный голос Капитолины Захаровны.

— Не волнуйтесь! — поспешила успокоить ее Мила. — Собаки у меня временные. Ненадолго. Скоро я их раздам. Они не мои на самом-то деле.

— Жаль, — сказала старуха, огромной горой возвышавшаяся в кровати. — Люблю, когда шумно, когда голоса, музыка, топот. Так я чувствую себя в гуще событий и хорошо сплю. В последнее время ты мне, Милочка, обеспечила комфортное существование. У тебя вечно что-нибудь гремит, кричит и скачет. Замечательно! Продолжай так и дальше. Яблочко хочешь?

— Нет, спасибо, — покачала головой Мила, у которой при мысли о еде ползли по спине мурашки.

— А я съем, если ты не возражаешь!

Капитолина Захаровна взяла деревянную трость с массивным набалдашником, которая стояла прислоненной к стене возле кровати, и, ловко орудуя ею, придвинула к себе по столу вазу с фруктами. Мила неожиданно заметила, что набалдашник с одной стороны испачкан чем-то темно-бордовым. «Кровь? — подумала она внезапно. — Неужели старуха не замечает?»

Капитолина Захаровна с хрустом принялась за яблоко. В голове Милы тем временем рисовалась страшная картина. Вот старуха переползает в инвалидное кресло и едет к входной двери. Открыв ее, она замечает Листопадова. Или же делает что-то тайное и ужасное, что видит Листопадов, — вариантов несколько. Тогда она подзывает его поближе, может быть, просит наклониться — и ударяет тростью по голове. Потом спокойно закрывает дверь и, наспех обтерев орудие убийства, ставит его в темный угол. Да, но как тогда тело Саши Листопадова оказалось в подвале? Может быть, его затащил туда кто-то другой? Может быть, Жанна? Слабовата она для такого дела. И кто и зачем в таком случае опоил снотворным водопроводчика Митяя?

— Да ты меня не слушаешь! — укорила ее тем временем Капитолина Захаровна, которая, жуя и чавкая, ухитрялась при этом еще что-то рассказывать.

— Слушаю-слушаю, — солгала Мила, заставляя себя отвести взор от страшной трости и отогнать картины недавнего преступления. — Мы с вами так до сих пор и не договорились о ремонте. У меня деньги с собой.

Они начали оживленно обсуждать будущую побелку и покраску кухни. Капитолина Захаровна заодно решила поменять цвет стен, и, пока они обменивались мнениями по поводу подходящих оттенков, приехали Ольга и Николай. Приехали они на «Газели» и привезли с собой новый диван.

— Это я купила тебе в подарок, — сообщила Ольга. — Возможно, нам придется у тебя ночевать. Не хотелось бы ютиться где придется.

— Так это ты для себя купила подарок! — уличила ее Мила. — Любишь мягко поспать, я ведь знаю.

На диван сверху была надета здоровенная картонная коробка, которую грузчики сняли и поставили вдоль подоконника.

— Ничего себе! — сказала Мила. — Да в ней можно жить!

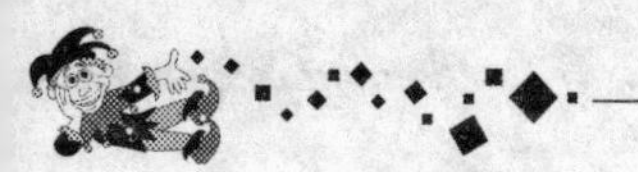

— Надо вынести ее на помойку! — заметил Николай.

— Потом вынесем! — отмахнулась Ольга. — Не до того сейчас.

Трезор стал бегать вокруг коробки и бешено тявкать.

— В детстве ты никогда не выказывала желания завести песика, — заметила Ольга. — И вообще не проявляла любви к животным. Это свидетельствует о твоей душевной черствости.

— Ты тоже никогда никого не заводила, — отозвалась Мила. — Та белая крыса, которую тебе подарили на день рождения, не в счет.

— Белая крыса? Душевно, — пробормотал Николай. — Кто тот оригинал, который делает такие подарки?

— Ольгин поклонник, — ехидно пояснила Мила. — Ему казалось это стильным.

Как только Ольга устроилась на новом диване, Трезор полез к ней целоваться. Впрочем, его порыв угас, едва та закурила ментоловую сигарету. Пес чихнул и попятился. «Интересно, почему за ним никто не приезжает? — внезапно спохватилась Мила. — А Гулливерша Лариса даже не звонит». Однако сейчас ее больше волновали люди, нежели собаки.

— Костя отравился наркотиком, — сообщила новость Мила. — Не насмерть, не насмерть! Надеюсь...

Не обращая внимания на Николая, который, в сущности, не был посвящен в тонкости происходящего, она стала рассказывать Ольге все в подробностях: как она сдружилась с Ларисой и поехала с ней в Горелово, как насобирала там в подпольном цеху серых гранул, как сложила их в коробочку из-под сахарозаменителя и как Константин по неведению выпил некоторое их количество с кофе.

— Косте было очень плохо, — нервничая, призналась она. — Он стал весь красный и заговорил о любви.

— К кому? К тебе? — тут же спросила проницательная Ольга. — Так я и знала! Он с самого начала к тебе неровно дышал. Кроме того, вы провели вдвоем ночь. Уж не знаю, что между вами произошло...

— Я тоже не знаю, — пробормотала Мила. — Но это неважно. Главное, чтобы он остался жив!

— Ты его, конечно, обнадежила?

— Ольга, он бредил!

— Теперь я убеждена, что ты способна довести до бреда даже такого мужчину, как Глубоков. Ты опасный для общества элемент. Тебя надо срочно выдать замуж во второй раз, чтобы ты перестала дурить головы лицам противоположного пола.

— Я?! — изумилась Мила и, поглядев на Трезора, воскликнула: — Да я могу вскружить голову разве только собаке!

— Ну, конечно! Как мы любим прибедняться... — не согласилась Ольга, искоса поглядев на Николая.

Тот сидел словно замороженный, сложив ручки на коленях, и о чем-то напряженно размышлял. Мила тут же вспомнила про полтаблетки, от которых дурела Муха, и тоже кинула на него задумчивый взор исподлобья. «Если этот тип в чем-то виноват, будет даже неплохо, чтобы он кое-что узнал о моих делах. Засуетится, забеспокоится, наделает глупостей...»

Как раз в этот момент зазвонил телефон и одновременно с ним дверной звонок. Мила бросилась к телефону, а Ольга, взяв для страховки Николая, отправилась открывать.

— Это Борис, — сказал возбужденный Глубоков-младший, заслышав испуганное «алло» Милы. — С Костиком все будет в порядке. Паника была не по тому поводу. У него обыкновенная пневмония.

— Как это? — опешила Мила.

— Вот так. Простыл где-то. Вероятно, в подъезде сквозняки, а его в последнее время постоянно тянуло на лестничную площадку. Не догадываетесь, почему?

— Короче, я опять кругом виновата! — едва не заплакала Мила. — Но его жизни точно ничто не угрожает?

— Ничто! — весьма убедительно ответил Борис. — Ему уже назначили курс антибиотиков.

— Выходит, серые гранулы тут ни при чем? А что же тогда я привезла из деревни? — растерялась Мила.

— Вы имеете в виду ту пластмассовую коробочку?

— Ну, конечно! Конечно, ее! Ведь Константин скушал некоторое количество того, что в ней находится. И ему почти сразу же стало плохо!

— Это совпадение, — сдержанно заявил Борис.

— А врачи выяснили, что было в той коробочке?

— Я сам выяснил. Съездил в дедову лабораторию и отдал кое-кому эти крупинки. Знаете, чем вы попотчевали моего брата?

— Чем? — испуганно спросила Мила, уже отчетливо понимая, что это что угодно, но, уж конечно, не наркотик.

— Куриным пометом, — прошипел Борис. — Это гранулированный куриный помет. Способ, которым ему придали такую форму и консистенцию, науке до сих пор известен не был.

— Но зачем его гранулировать? — сдавленным голосом спросила Мила. — Я имею в виду помет?

— В данном виде куриный помет может считаться высококлассным растворимым удобрением, экологически безупречным при всем при том. Думаю, у этого изобретения большое будущее. Вероятно, ваш муж именно на нем собирается зарабатывать деньги. Берешь горсточку гранул, растворяешь в ведре воды и льешь на помидоры. Чисто, комфортно, урожайно!

— А-а... — протянула Мила задумчиво. — Не могли бы вы еще кое-что отдать на экспертизу? — Она понизила голос. — У меня есть таблетка, надо бы проверить ее на вшивость. Вернее, полтаблетки. Это можно устроить?

— Когда я вернусь, то зайду и заберу материал, —

согласился Борис. — Только расскажите, откуда он. Я хочу быть полностью в курсе.

— Не сейчас, — приглушенным голосом ответила Мила, косясь на дверь. — Сейчас я не могу. Подозреваемый у меня прямо тут.

— Как?! Вы опять в компании с кем-то посторонним и опасным?

— Да нет, это не посторонний. Я вам все позже объясню!

Ольга и Николай тем временем впустили в квартиру Татьяну Капельникову. Та явилась с целой сумкой продуктов и твердым намерением сварить борщ и нажарить котлет для несчастной подруги, которая целыми днями трясется от ужаса и пытается отсрочить собственную гибель. Обедать, конечно, она пригласила и Ольгу с Николаем.

Пока обед готовился, все сидели на кухне и слушали историю про поездку в Горелово, пневмонию Константина Глубокова и куриный помет. Мила рассказывала все это для Татьяны, но Ольга с Николаем, хоть и во второй раз, но все равно слушали очень внимательно. Когда рассказ был окончен, Татьяна наконец выключила газ и расставила тарелки.

— Даже забыл этот потрясающий запах! — сказал восхищенный Николай, усевшись за стол и поводя ноздрями. — Женщин, которые хорошо готовят, скоро начнут заносить в Книгу рекордов Гиннесса.

Услышав это, Ольга напряженно выпрямилась.

— Похоже, — сказала Мила, отправляя в рот первую ароматную ложку и обращаясь к сестре, — скоро тебе придется надеть фартук. Экономка не умеет варить такие вкусности и учиться не будет. А ты, Олечка, вполне в состоянии освоить процесс. Татьяна даст тебе рецепт.

— Конечно! — обрадовалась Татьяна, которая обожала давать всем не только рецепты своих блюд, но и бесплатные советы. — Мужчина, которого держат на ресторанной еде, чахнет и теряет силы — во всех отношениях.

После этих слов Ольга сдвинула брови, а Николай совершенно неожиданно для Милы покраснел, покрывшись сплошным детским румянцем. Выползая из-за стола, Мила почувствовала, что объелась, — ее живот округлился до такой степени, что пришлось расстегнуть пуговицу на джинсах.

После обеда все принялись обсуждать, что необходимо делать дальше.

— Я советую тебе уехать за границу, — сказала Ольга. — Я всегда считала, что от проблем нужно бегать. И если делать это с умом, они тебя никогда не настигнут. Поезжай в Берлин к сыну...

— Да ты что! — перебила Мила. — Если убийца отправится за мной в Германию, я форменным образом подставлю Лешку. Ни за что.

— Тогда поезжай в Болгарию, в Грецию, в Турцию! — не сдавалась та. — Мало ли мест, где можно на некоторое время затеряться.

— А потом что?

— За это время, — сказала Татьяна, — здесь, может быть, все уже утрясется.

— А вдруг нет, — парировала Мила. — Два убийства, покушения... Да вы что, всерьез считаете, что такие вещи утрясаются сами собой?

— Может, уже убили, кого хотели, и все, — пробормотала Ольга.

— Да-да, особенно Толика Хлюпова! — рассердилась Мила. — Перестаньте нести всякую чушь. Давайте будем мыслить трезво. И исходить из реальности.

Присутствующие потупились. Вероятно, реальность казалась им совершенно безнадежной.

— Думаете, у меня нет шансов? — спросила Мила внезапно осипшим голосом. — Думаете, что меня в любом случае... достанут? — Она не хотела произносить слово «убьют» применительно к себе. — Хорошо, давайте подойдем к проблеме с другой стороны. Ольга, что бы ты сделала, если бы такая петрушка случилась с тобой?

— Потребовала бы у Николая защиты! — без запинки выдала та.

Мила вздохнула:

— Ну, хорошо. А что бы ты, Николай, стал делать, если бы за тобой принялись охотиться?

— Попросил бы помощи у Ольги! — не моргнув глазом, ответил тот. И поспешно объяснил: — Когда человек напуган, он не может рассуждать здраво, ему обязательно нужна помощь со стороны. Помощь близкого человека.

Ольга мгновенно растаяла, как леденец в кулаке, и нежно взяла Николая за руку, кинув на него взгляд, томный и многообещающий.

— А ты, Таня? — обернулась Мила к нетерпеливо ерзавшей подруге.

— Если бы у меня был муж, как у тебя, — твердо заявила та, — я бы тоже обратилась к нему. Мужчины видят мир иначе. И расправляться с неприятностями — их прямое предназначение.

— То есть вы все советуете мне снова идти к Орехову? Несмотря на предстоящий развод?

— Да! — хором ответила троица.

— Сдается мне, вы просто хотите сложить с себя ответственность! Погибни я прямо сейчас, вы будете потом казнить себя за то, что ничего путного не предприняли. А обратись я к Орехову, совесть ваша успокоится...

— Да ты что! — возмутилась Ольга, а Николай тревожно забегал глазками по сторонам.

— Я так сказала, потому что убеждена, что у Орехова гораздо больше возможностей, чем у меня, — вмешалась Татьяна. — Он богат, у него связи... Ты просто не смогла убедить его в серьезности происходящего.

— И вряд ли смогу, — буркнула Мила. — С некоторых пор он больше не принимает меня всерьез.

— Значит, нужно повести себя так, чтобы он не смог от тебя отмахнуться! — радостно возвестила Ольга. — Сделай что-нибудь экстремальное. Что-то нестандартное. Что-то такое, чего он от тебя не ждет.

— Потребуй у него денег не в виде одолжения, — внезапно оживился Николай, — а в качестве своей законной доли. Вы ведь все еще супруги.

— Но я обещала, что не стану претендовать ни на его фирму, ни на его имущество! — рассердилась Мила. — Я же Ольге все объяснила уже!

— Дорогая, обстоятельства в последнее время изменились коренным образом. Когда ты давала это обещание, за тобой никто не охотился, не так ли? — мягко поинтересовалась Татьяна.

— Значит, вы предлагаете мне сделать морду кирпичом и потребовать у Орехова свою долю прибыли от...

— От куриного помета! — радостно подхватила Ольга. — Скажи ему правду. Скажи ему, что ты все знаешь о том, чем он там занимается в своем Горелове. Скажи, что у тебя есть образцы. Угрожай ему! Нечего с ним миндальничать. Только так ты сейчас сможешь выжить.

— Не проси, а требуй! — поддержала раскрасневшихся супругов Татьяна. — Думай о своем сыне и о том, как ему будет больно потерять тебя. Может, Орехов позже и пожалеет о своей беспечности, когда тебе уже нельзя будет помочь! Но это ли тебе нужно? Его раскаяние?

— Ладно-ладно, — стушевалась Мила. — Что вы на меня напали, как голодные бобры на осину? Хорошо, я позвоню Орехову.

— Когда? — вопросила Ольга, выхватывая из узкой пачки сигарету длиной с пастуший рожок. — Не откладывай на завтра то, что не хочешь делать сегодня. Уверяю тебя, завтра тебе снова этого делать не захочется.

— Я схожу за телефоном, — вызвалась Татьяна.

— Лучше я поговорю со своим мужем на кухне, один на один, — трусливо возразила Мила.

— Нет уж! — Ольга выпустила дым из ноздрей, словно огнедышащий дракон. — Один на один ты снова начнешь мямлить, лепетать и сыпать извинениями за беспокойство. Тащи телефон сюда, мы все будем слушать и контролировать разговор, направляя его в нужное русло.

— Уговорили, — сказала Мила и дрогнувшей рукой приняла трубку, которую ей подала Татьяна.

Трезор подошел и лег рядом, положив голову ей на тапочки.

— Какой зайчик! — умилилась Ольга. — Подумать только, собачка хочет тебя подбодрить!

— Не смотри на меня так, — мотнула головой Мила, обращаясь к псу. — Целовать тебя сейчас я не стану, хоть обгавкайся.

Трезор, впрочем, не стал скандалить и затих. Мила быстро набрала номер мобильного телефона Орехова и, выпрямив спину в предвкушении неприятного разговора, застыла с каменным лицом.

— Отомри! — шепнула Ольга. — И не забывай, что правда на твоей стороне. Все время держи это в уме, тогда все пройдет гладко.

Мила закрыла глаза и представила, что она — Гулливерша Лариса. У нее нефункционально длинные ноги, излишек тела в верхней его части и недостаток в талии. А характер точно, как у Леночки Егоровой. «Я — стерва, я — стерва! Я — красивая стерва! — повторила она про себя несколько раз. — А что? Прекрасный аутотренинг!» И тут Орехов наконец откликнулся.

— Алло! — стопроцентно вредным голосом сказала Мила. — Илья, это ты? Надеюсь, ты меня узнал? Ну и что, что ты занят? Ну и что, что срочное дело? У меня тоже срочное. И важное. Важное *для тебя.* Ну, если ты так настроен, я завтра пошлю к тебе своего адвоката. Как зачем? Настала пора делить наше имущество. Нет,

оно не все осталось у меня. И ты заблуждаешься, если думаешь, что я удовлетворюсь вшивой квартиркой и старой мебелью.

Ольга и Татьяна победно переглянулись. Николай нервно облизал губы. Может быть, он представлял себя на месте Орехова, кто знает?

— Как что мне нужно? — продолжала между тем Мила свое представление. — Мне нужны деньги. Много денег. Я ведь говорила: у меня неприятности. Откуда ты возьмешь деньги? А откуда ты их взял, когда монтировал оборудование в деревне Горелово? Кстати, у меня есть при себе горсть того удобрения, которое вы там изобрели с Дивояровым, Лушкиным, Володей Мешковым и с этим немцем... Отто Швиммером.

Когда Мила говорила это, в голове ее промелькнула какая-то интересная мысль, какой-то важный вопрос, который стоило бы задать Орехову. Однако его возмущенный голос сбил ее с толку, и мысль исчезла, так и не обретя ясных очертаний.

— Дожимай его! — шепнула Ольга и для наглядности раздавила окурок в пепельнице одним красивым движением.

— Конечно, нам надо встретиться! — мерзким голосом продолжала Мила. — Но не для того, чтобы снова что-то там обсуждать. Я встречусь с тобой без адвоката только в одном случае: если на этой встрече ты передашь мне деньги. Сколько? Ну, это ты уж сам решай! Представь, что за тобой охотятся убийцы, и решай. Надеюсь, твое решение меня не обидит.

Услышав это, Николай ухмыльнулся, а Татьяна прижала к разгоряченным щекам ладони.

— Так его! — подбодрила сестру Ольга.

— Нет, Илья, это отпадает. Я не вымогатель, и для меня не надо собирать сумму в мелких старых купюрах. Поэтому ждать я не стану. Я и так уже долго ждала, пока ты проникнешься серьезностью момента. А мне наплевать на твою важную встречу. У меня каждую минуту может наступить встреча со смертью. Я тебя не пугаю. Хорошо, давай встретимся сегодня. Да, мне абсолютно все равно, где это произойдет. Хорошо, объясняй, я слушаю. Так, так... Ладно. — Она поглядела на часы. — В пять часов. Хорошо. Под мостом, значит? Отлично, я буду.

Она положила трубку и сказала:

— Мне что-то нехорошо.

Все наперебой принялись ее хвалить и подбадривать.

— Ой, мне правда нехорошо, — повторила Мила.

— Ты просто перенервничала! — похлопала ее по руке Ольга. — Сейчас все пройдет. Выпей горячего чаю.

Мила встала и поплелась на кухню, но звонок в дверь заставил ее сменить направление. За дверью стоял отчаянно возбужденный Борис Глубоков.

— Костику укололи антибиотик, и он заснул. Врачи убеждены, что с ним все будет в порядке. Давайте ваши полтаблетки.

— Ш-ш! — зашикала Мила. — Не так громко.

— Хозяин этого добра все еще здесь?! — изумился Борис. — Кстати, вы плохо выглядите. Вас, случайно, не отравили?

— Типун... вам... на язык... — еле ворочая собственным языком, произнесла Мила. Лоб ее покрылся испариной, а в глазах заплясали «мушки». — Я просто переволновалась. Когда я подумала, что отравила вашего брата, у меня уже начался нервный стресс. А сейчас идет его продолжение.

— Я могу вам чем-то помочь? — спросил Борис.

— Нет-нет, у меня тут полно народу.

— Так чьи это полтаблетки? — пристал тот, принимая от Милы по-прежнему завернутый в платок трофей.

— Николая Михеева, мужа моей сестры. Недавно я

стала свидетельницей того, как он глотал что-то из пузырька без этикетки, и украла оттуда одну таблетку.

— И где другая половина? В вас?

— Нет, внутри овчарки.

— Она жива?

— Жива, но через некоторое время после того, как она слопала часть таблетки, с ней начали происходить презабавные вещи...

— Ладно, можете не продолжать. Я все проверю и позвоню.

— А... когда я смогу повидать Костю?

— Если вы думаете, — напыжился Борис, — что он всерьез говорил вам о своих чувствах...

— Да я...

— То вы будете правы. Он говорил всерьез.

— Но у него ведь была горячка! — залепетала Мила.

— Именно поэтому он и говорил всерьез. Костик никогда не стал бы так раскрываться, будь он в нормальном состоянии.

— И что мне теперь делать? — растерянно спросила Мила.

— Постараться сохранить свою жизнь! — важно заявил Борис и добавил: — Как только ваши родственники надумают уезжать, позвоните мне, я спущусь. Будем жить вместе. Заодно продумаем план действий.

— Но Ася! — возразила Мила, все больше серея и едва держась на ногах.

— Асе я все объясню. А теперь идите и прилягте. Выглядите вы действительно как некондиционный товар.

Вскоре всем сидящим в квартире стало ясно, что ни на какую встречу с Ореховым Мила не поедет. Ее мутило, да так, что она была не в состоянии подняться с постели. Татьяна вызвонила из дома врача своей поликлиники и умолила срочно приехать. Врач оказался сдержанным, опытным и чертовски немногословным. Впрочем, относительно Милы он их успокоил:

— Судя по всему, она съела что-то недоброкачественное.

Татьяна позеленела — ведь это она готовила обед.

— Но мы все ели одно и то же! — возразила Ольга.

— Так иногда случается, — кивнул головой доктор. — Ели все, а одному плохо. Ей надо побольше пить: воду с лимоном, с яблочным уксусом, зеленый чай и так далее. В общем, Татьяна знает.

— Может быть, промывание? — робко спросил Николай.

Мила бросила на него тяжелый взгляд из-под полуоткрытых век.

— Что же получается? — спросила Ольга. — Милка снова не получит денег? Снова все откладывается? У Орехова важная встреча, значит, сюда его никакими угрозами не заманишь...

— Зря я пошла у вас на поводу, — простонала Мила. — Это меня бог наказал за вранье...

— Я поеду! — выпалила Ольга, решительно поднявшись. — Пусть деньги мне отдаст! Какая ему, в сущности, разница, раз он все равно решил с ними расстаться? Милка сделала главное. А технические вопросы мы и без нее решим.

— Ну уж нет! — внезапно подскочил Николай. — Никуда я тебя не пущу! Достаточно мне было похищения. Я до сих пор дрожу, когда вспоминаю, как на тебя набросился тот тип в бандане! И пока тебя не было, я пережил такое!.. Мила, — обернулся он полуживой к свояченице, — ты будешь последней гадиной, если отпустишь свою сестру в неизвестность.

— Я тебя не отпускаю, — просипела та.

— Хорошо, тогда поеду я! — вызвалась Татьяна. — Орехов ко мне всегда относился с уважением. Не вижу причин, почему бы ему не доверить деньги мне.

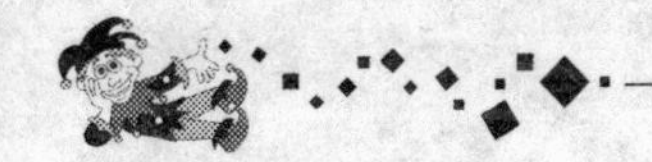

— Таня, не смей! — просипела Мила. — У тебя ребенок. Ты не имеешь никакого права рисковать своей жизнью ради меня!

— Какой риск! — возмутилась та. — Обычная прогулка. На улице, кстати, здорово потеплело. Да я просто ради удовольствия пройтись пешком это сделаю!

— Туда ты пешком не дойдешь. Это знаешь где?

— Ты уже сто раз рассказывала. И я возьму нарисованный тобой план. Значит, недалеко от его фирмы, под мостом? — пробормотала она, оправляя кофточку. — Ладненько, пожалуй, я буду собираться.

24

Трагические события, которые последовали за этим, Мила сто раз прокручивала в своем воображении. Ей все представлялось таким реальным, как будто она сама была на месте происшествия и все видела собственными глазами.

Орехов стоял под мостом на островке пожухлой травы, обнесенном бетонным бордюром. Рядом отдыхала его изящная машина. Впереди, в пределах видимости, стоял указатель, под который он в скором времени собирался свернуть, чтобы ехать на свою важную встречу. Мила должна была появиться из подземного перехода в десятке метров от него. Или подъехать на такси — Орехов понятия не имел, какой способ передвижения она изберет на этот раз. Судя по тону, каким она разговаривала с ним совсем недавно, его жена вполне могла бы взять машину и заставить его заплатить. Ясное дело, она доведена до крайности.

Когда из подземного перехода появилась светлая голова, Орехов переступил с ноги на ногу. Чтобы Мила не подумала, будто бы он нервничает, он тут же повернулся к своей машине и, открыв дверцу, достал из-под сиденья тряпку. Потом наклонился и принялся усердно протирать переднее стекло, краем глаза отслеживая перемещение блондинки по тротуару. Только когда она подошла совсем близко, он бросил на нее скучающий взгляд и лишь тогда понял, что это вовсе не его жена.

— Привет! — растерянно сказал Орехов, и его рука с зажатой в ней тряпкой упала вниз. — Ты как тут оказалась? Где же Мила?

— Здравствуй, Илюша! — мягко поздоровалась Татьяна и, привстав на цыпочки, потянулась, чтобы поцеловать его в щеку.

«Именно в этот момент, — рассказывал позже Илья следователю, — я увидел мотоцикл, который с ревом вырвался из тоннеля и помчался по шоссе в нашу сторону. Татьяна стояла к нему спиной. Возле нас мотоциклист неожиданно притормозил и выхватил оружие. Я дернул Татьяну вбок, но опоздал...»

Мотоциклист был одет во все черное. На голове у него красовались не колготки и не бандана, а массивный шлем с пластиковым щитком. Орехов, конечно, не разглядел за этим щитком лица убийцы. Однако он настаивал, что убийца молод. «Не знаю, почему мне так показалось. По фигуре, по манере держаться, по рукам, может быть», — пожимал он плечами.

К утру Татьяна все еще была жива, но врачи попрежнему не давали никаких обещаний. Мила то безостановочно рыдала, то впадала в беспамятство. Над ней хлопотала вызванная мама. Ольга уехала к Татьяниной семье, предварительно позвонив Борису в квартиру наверху. Николая оставили дежурить в больнице.

Выслушав плохую новость, Борис подошел к зеркалу в коридоре и пытливо поглядел в отразившиеся светлые глаза:

— Мы с Костиком взялись за дело, которое оказалось нам не по зубам, — рассудительно заявил он сам себе. — Ничего не узнали, ничего не раскрыли, нарко-

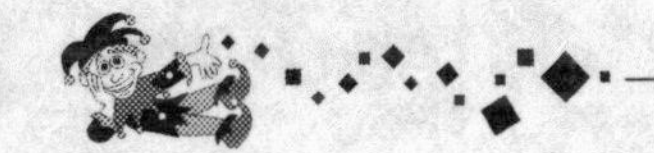

тика не обнаружили. При нашем попустительстве погиб Саша Листопадов. Теперь подруга Лютиковой попала под пули. Следует признать собственное поражение и сдаться властям, — подытожил он.

Ему потребовалось несколько часов, чтобы обнаружить в своем ближайшем окружении человека, родственник которого работал следователем прокуратуры. Звали следователя Алексеем Игоревичем Вихровым. Год назад он отметил свое сорокалетие. Когда он появился перед Борисом, тот попытался в уме охарактеризовать его, представляя, как вскоре расскажет об этом человеке Константину. Характеристика вышла следующей: «Очень устал от своей работы, но, несмотря на это, все еще чертовски азартен, жаден до информации и готов к немедленным действиям».

«Действия, вот чего не хватало нашему расследованию», — думал Борис, рассказывая Вихрову всю историю с самого начала.

— Мы как-то незаметно встали на сторону Лютиковой и заняли оборонительную позицию, — корил он себя. — А надо было атаковать противника, пугать его, будоражить, двигаться вперед и вперед, заставляя его совершать ошибку за ошибкой, заставляя его нервничать.

Вихров ничего на это не ответил, но по выражению его лица Борис понял, что тот не одобряет ни его патетики, ни дилетантских порывов.

— Ладно, я этим займусь, — пробормотал Вихров. — Тем более одна из фамилий, которые вы назвали по ходу дела, мне знакома. Человек проходил свидетелем по делу о наркотиках. И остался чист.

— Кто? — воскликнул потрясенный Борис.

— Пока не могу сказать.

— И я его назвал?

— Ваша главная задача сейчас — выйти из игры.

Живите своей обычной жизнью и не лезьте к Лютиковой.

— Но я не могу! — воскликнул Борис.

Вихров посмотрел на него глазами многомудрой совы и покладисто спросил:

— Почему?

— Мой брат, Константин...

— Это который сейчас в больнице?

— Вот-вот. Он влюблен без памяти. Когда его увозила «неотложка» — буквально на грани жизни и смерти, — он выкрикивал признания в любви. Представляете?

— Допустим, и что?

— Он влюблен в Лютикову! И ни за что не отцепится от нее. И мне не даст. Я поклялся ему, что буду ее охранять.

— Я подумаю о ее безопасности, — сказал Вихров. — Но мне хотелось бы предварительно с ней поговорить.

— Мы можем позвонить и спуститься.

— Вы спускайтесь первым, а я, если не возражаете, сделаю пока несколько телефонных звонков.

Борис поплелся вниз и нажал на звонок в квартиру Лютиковой. Мила мгновенно открыла ему. Выглядела она совершенно не так, как обычно. В последнее время весь ее шарм пропадал зря, кроме того, она мало уделяла внимания своей внешности. Сейчас же она была умыта, аккуратно причесана и одета в элегантный брючный костюм. Макияж в пастельных тонах делал ее лицо моложе и утонченнее. Борис наметанным глазом отметил крошечные золотые серьги, кольцо и красивые часы, блеснувшие на запястье.

«Когда она вернется к нормальной жизни, Костик и вовсе потеряет от нее голову», — подумал умный Борис, а вслух сказал:

— Мила, с вами должен сейчас встретиться один человек.

— Где же он? — тихо и покорно спросила та, отступая, чтобы пропустить Бориса в коридор.

Тут же на него бросились собаки, желающие понюхать пришельца.

— Фу! — крикнул Борис. — Они слушаются команд?

— Муха изредка, а Трезор никогда. Впрочем, мне-то наплевать, слушаются они или нет. Они не мои, хотя я им благодарна за присутствие.

Мила разговаривала как-то безразлично, и создавалось впечатление, будто бы из нее, словно воздух из надувной игрушки, ушел весь оптимизм.

— Вот увидите, ваша подруга выкарабкается, — попытался подбодрить ее Борис, но Мила в ответ только тихонько вздохнула.

— Я знаю, Константину уже лучше, — сказала она. — Я звоню в больницу... В больницы, — поправилась она. — А что за человек должен со мной встретиться?

— Мой друг Вихров. Он профессионал, так что никаких глупых вопросов задавать не станет.

25

В сущности, вопрос у Вихрова был всего один.

— За что вас хотят убить, Людмила Николаевна?

Он устроился на кухонной табуретке и пытливо смотрел на нее, наклонив туловище вперед, словно спортсмен, намеренный броситься бежать по команде.

— По-вашему, я это знаю, но храню в тайне, бестрепетно наблюдая за тем, как убивают людей вокруг меня? — не удержалась от горькой иронии Мила.

— Готов дать голову на отсечение, что ответ сидит у вас вот тут! — Вихров постучал согнутым указательным пальцем по виску. — Вы просто не можете выстроить причинно-следственную связь. С чего все началось?

— Я пошла в редакцию... — монотонно начала Мила.

— Нет-нет, про это я все знаю, Борис мне рассказал, — жестом отмел ее почин Вихров. — Какое-нибудь особенное событие накануне покушения. Что-нибудь, что нарушило привычный ход жизни. Что это было, Людмила Николаевна?

— Развод, — тут же ответила та. — Я имею в виду, мое расставание с мужем. Я застала его в постели с Гул... с... Ну, в общем, с другой женщиной.

— Это было в первый раз?

— Да! — удивилась Мила. — Конечно, в первый.

— А раньше вы не подозревали мужа в изменах?

— Никогда.

— А теперь, когда вспоминаете... ну, допустим, последний год вашей совместной жизни, ничто не кажется вам странным? Его поведение? Может быть, он хотел, чтобы вы узнали об измене?

— Черт побери, неужели вы тоже считаете, что Орехов так боялся раздела имущества, что решил меня «заказать»?

— Да нет, Людмила Николаевна. Если бы он нанял настоящего киллера, вас бы застрелили еще тогда, на редакционном балконе. Лично я ни разу не слышал о случаях, когда наемный убийца столь позорно промахивался. Да еще с двух выстрелов. Потом ведь его поджидали и другие неудачи, не правда ли? Нет-нет, это непрофессионал. Человек, доведенный до отчаяния. Делает одну попытку за другой. Но у вас, Людмила Николаевна, ангел-хранитель с бойцовским характером.

— Но мне ничего не приходит в голову! — простонала Мила. — Я перебрала все варианты, все возможности! Даже если меня и посещали мысли относительно криминальных дел Орехова или кого-то из его близкого окружения, то причин для моего убийства все равно не обнаруживается! Я ни во что не вмешивалась...

— Вы могли что-то видеть, что-то слышать. Но не

отдавать себе отчета в том, насколько это опасно для убийцы.

Вихров поднялся на ноги и жестко сказал:

— Думайте, Людмила Николаевна! Думайте напряженно. Я вижу, вы не глупенькая пустоголовая дамочка, вам по плечу разгадать эту загадку. Спасайте свою жизнь. Я тоже этим займусь, кстати сказать. Говорю это для того, чтобы вы знали: вы теперь не одна.

— В общем-то, я и не чувствовала себя одинокой, — пробормотала Мила. — Вокруг меня столько людей!

— Послушайте, Алексей! — неожиданно встрял Борис, вслед за ним поднимаясь на ноги. — Я тут вот о чем подумал. Следователь, который ведет дело о покушении на Татьяну Капельникову, убежден, что неизвестный на мотоцикле стрелял не в нее, а в Орехова. Орехов — бизнесмен, он богат, и все такое...

— Ну, мы-то уже разобрались. Вы считаете, что стреляли в Татьяну, перепутав ее с Людмилой Николаевной.

— Таня постригла и покрасила волосы, как я. И, как назло, тогда здорово потеплело. Она не надела головной убор, вот убийца и подумал, что это я стою рядом с мужем.

— То-то и оно! — воскликнул Борис. — *Как* убийца узнал, где и когда состоится ваша встреча? Ведь вы разговаривали об этом с Ореховым только один раз по телефону незадолго до пяти. Не так ли?

Мила раскрыла рот и замерла. Подбежавший Трезор радостно тявкнул. Она, не задумываясь, подняла его под передние лапы и чмокнула в нос.

— Вижу, обожаете свою собачку? — мимоходом спросил Вихров, направляясь к телефону.

— Терпеть не могу, — пробормотала та. — Это не собачка, а настоящий террорист с хвостом.

— Так я и знал! — воскликнул Борис, когда Вихров, раскрутив аппарат, достал из него нечто маленькое и изящное.

— «Жучок»? — догадалась Мила, которая никогда не видела подобных устройств, но много о них слышала. — Значит, все, о чем я говорила по телефону...

— Мне пора бежать, — перебил ее нахмурившийся работник прокуратуры. — Когда у вас будут брать показания по поводу Татьяны Капельниковой, вы, пожалуйста, про это «насекомое» пока ничего не говорите. Я сам с этим разберусь.

— Теперь-то мне действительно нужны деньги, — сказала Мила, позвонив Ольге по телефону. — У Татьяны дочка и мать, я за них отвечаю. Кроме того, «бесплатное» лечение у нас в больницах тоже чего-то стоит.

— Я понимаю, — промямлила Ольга. — Но, по-моему, это называется — искушать судьбу. Назначать еще одну встречу с Ореховым... Я бы побоялась.

— А я не буду назначать встреч. Я просто к нему поеду. Я даже знаю, где его сегодня вечером найти. Уверена, милиция не стала его задерживать. А Орехов не из тех, кто меняет свои планы.

— И где же его сегодня можно найти? — без особого интереса спросила Ольга. — Ты уж скажи мне! На всякий случай.

— Дивояров устраивает у себя вечеринку. Орехов приедет с невестой.

— Ух ты! — выдохнула Ольга. — Кто у него сейчас в невестах?

— Заодно посмотрю. Думаю, что Леночка Егорова.

— Нет, но как она страдала по мужу! — не удержалась от замечания Ольга. — Наняла людей, искала, шла по следу Вики Ступавиной... Подумать только!

— Правда, я не знаю, где живет Дивояров, — перебила ее Мила. — Но выясню обязательно. Кое-кто должен дать мне такую информацию. Хотя бы просто за то, что я держу дома собаку, у которой в жизни одна мечта — лизнуть кого-нибудь в нос.

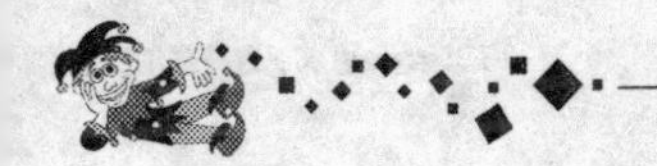

— Кое-кто — это Гулливерша? — полуутвердительно заявила Ольга.

— Ее адрес мне, по счастью, известен. Я завозила ее домой по пути из Горелова в Москву. Машина стояла у ее подъезда. Она еще сказала, что квартира у нее на втором этаже, прямо. Знаешь, такой прикол для таксистов? Подъезжая к дому, назвать этаж и квартиру?

Однако Ларисы на месте не оказалось. Мила все жала и жала на кнопку звонка, однако в квартире ничто не стукнуло, не звякнуло. Трезор проявлял признаки собачьего беспокойства, как будто бы чувствовал, что Мила собирается от него избавиться. То и дело вставал на задние лапы и царапал ее подол.

— Вы к Ларочке? — спросила Милу старуха, медленно поднимавшаяся по лестнице с сумкой в руке. — Ее дома нет.

— Откуда вы знаете? — сварливо спросила та.

— Сама видала! — так же сварливо ответила старуха. — Видала, как ейный хахаль на машине подкатил. Ларка вышла из подъезда вся такая из себя! И синяя лиса у ней вокруг шеи! Сели в машину — да и фьють! С ветерком укатили.

— А ейный хахаль, — с живым интересом спросила Мила, — как он выглядит?

— Красивый! — поделилась старуха. — Высокай, волосы у яво темные, и улыбается вот так! — Старуха раздвинула рот, выставив на обозрение все свои пластмассовые зубы.

Да-да, Мила отлично знала, что Орехов, когда собирался кого-нибудь обаять, улыбался так широко, словно хотел показать душу.

— А машина у него какая была?

Мила рассчитывала, что старуха скажет: большая, серая. Но она, пожевав губами, внезапно выдала:

— «Ауди». Прошлогодняя, пожалуй.

— А... — проскрипела Мила, не найдясь, что ответить.

Старуха, которая почерпнула информацию от двух подростков, обсуждавших возле подъезда достоинства автомобиля Орехова, посмотрела на нее с чувством превосходства.

— Может, вы еще знаете, куда они поехали? — наконец выдавила из себя Мила.

— Может, и знаю, — старуху просто распирало чувство собственной значимости. — Поехали они в Широково, улица Стрельникова, дом пятнадцать «бэ».

— Нет слов, — сказала Мила, обалдело глядя на бабушку.

Той надоело изображать из себя провидицу и она, понизив голос, пояснила:

— На лавке я сидела после булошной. Пришла из булошной с батоном, да устала, села передохнуть. Лифт-то, вишь, не работает. А тут и хахаль Ларкин подкатил. Ларка в лисе вышла, и уехали оне. А минут через десять-пятнадцать подъезжает такси. Выскакавает оттудати мужичок, весь розовый, как десны у младенца, — и в подъезд. Пары минут не прошло — он обратно. И сразу ко мне. «Не знаете ли, говорит, бабушка, куда Ларочка подевалась?» Ну, я ему сказала, что, мол, так и так, уехала в машине с человеком. Он мне: «Спасибо!» — и к своему такси. Дверцу открыл и кричит: «Гони, мол, шеф, прямо!» А тот просит: «Адрес толком скажи». Мужичок и сказал. Надо, мол, мне в Широково. Улица Стрельникова, дом пятнадцать «бэ»». Вот.

— Бабушка, дорогая, — расчувствовалась Мила. — Если бы вы знали, как вы меня выручили!

— А тебе-то Ларка на что? — с любопытством спросила та.

— Она собаку потеряла, хочу ей вернуть. Страдает без нее собака, плачет человеческими слезами.

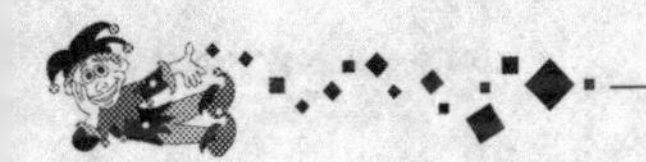

— Я у ней эту собаку не видала, — покачала головой бабулька. — Это не ее.

— Значит, ее хахаля. Надо срочно отдать. А то зачахнет она от тоски!

Трезор, словно иллюстрируя тоску, повалился на спину и затряс ногами, требуя, чтобы ему чесали брюхо.

«Итак, на вечеринку в качестве своей невесты Орехов пригласил Ларису, — думала Мила, выбираясь на шоссе. — Интересно, а как же Леночка Егорова? Неужели я ошиблась, и у них совсем не те отношения? Или Орехов уже успел в ней разочароваться? Или Леночка пыталась зачем-то обмануть меня? Просто чтобы позлить? Но Орехов не отрицал своей связи с ней, когда я застала их вдвоем у него дома!»

Погода портилась, по улицам метался ветер, расчесывая пожухлую траву на газонах и подрезая последние черные листья.

«Все добро в этой жизни дается только враньем и хитростью», — вздыхала Мила, нанимая такси до незнакомого ей Широкова. Оказалось, что это поселок, расположенный в получасе езды от Кольцевой. По ухоженным окрестностям сразу было понятно, что это престижное место. Мила отпустила шофера на самом краю поселка и решила дальше идти пешком.

Впрочем, ей даже не пришлось разглядывать номера каменных монстров, которые назывались, по всей видимости, загородными домами. Трезор, отпущенный с поводка, издали заслышал знакомые голоса и со всех лап рванул по дороге. Миле пришлось отпрыгнуть в кювет, чтобы себя заранее не рассекретить. Выглядывая из-за кустов, она видела, как, перемахнув через забор, пес врезался в стайку людей, суетившихся во дворе.

— Боже мой, Трезорка! — закричал Лушкин, отлично выделявшийся на фоне серого пейзажа. Его лицо было похоже на розовый поплавок, болтающийся на серых волнах. — Он меня нашел! Песик мой золотой! Ты меня нашел!

Все заговорили разом и принялись тискать Трезора, который раздавал «поцелуи» направо и налево. Только одна Лариса несколько раз обернулась и внимательно обозрела пейзаж. «Наверное, догадалась, что я где-то здесь, — решила Мила. — Интересно, выдаст или нет?»

Все собравшиеся на вечеринку были Миле знакомы. Кроме, пожалуй, одной женщины — маленькой жирной дамочки с огненно-рыжими волосами, которые очень гармонировали с усами Отто Швиммера. Как выяснилось, она была как раз его спутницей. Отто называл ее «Усси», и Мила так и не догадалась, что бы это значило на самом деле: может быть, Урсула? Впрочем, когда она услышала, что гипотетическая Урсула разговаривает с украинским акцентом, эта мысль испарилась. Очевидно, Швиммер говорит «Пусси» или «Мусси», проглатывая первую букву? Гусси, Дусси, Русси, Лусси... Как впоследствии выяснилось, украинку звали Дусей, но для немца это имя оказалось неподъемным.

У Милы совершенно не было намерения явиться всему честному народу. Она рассчитывала подкараулить где-нибудь Орехова и припереть к стенке один на один. Нет, но какое жестокосердие! Накануне ему на руки упала простреленная молодая женщина, потом он подвергся допросу, а после этого как ни в чем не бывало отправился на вечеринку! «Мне он всегда казался мягче и человечнее, — рассуждала Мила. — С ним что-то произошло в последнее время. Может быть, бегство Егорова на него так подействовало?»

Когда вся толпа, сопровождаемая скачущим Трезором, скрылась в доме, Мила проникла на участок и обежала дом по периметру. Она была уверена, что собак здесь нет. Иначе хозяйский дог или такса прибежали бы на голос ворвавшегося на участок Трезора непременно. В доме, как она и предполагала, имелся черный ход.

Дверь была не заперта, и, засунув внутрь нос, Мила с радостью обнаружила, что в коридорчике темно. Проскользнув туда, она очутилась в небольшом холле, где было несколько дверей и узкая лестница, ведущая наверх.

Наверх Мила идти вовсе не собиралась, однако через минуту у нее не оказалось другого выбора. За одной из дверей послышались тяжелые шаги, которые, без всякого сомнения, приближались. Мила на цыпочках взлетела по ступенькам и остановилась сразу после поворота, рассчитывая, что человек — кем бы он ни был — либо выйдет на улицу, либо возьмет какую-нибудь вещь в чуланчике под лестницей и вернется обратно. Не тут-то было! Кто-то, противный и одышливый, схватился за перила и вознамерился проследовать на второй этаж.

К счастью, лестница отчаянно скрипела под его ногами, и Мила смогла без опаски взбежать еще выше. Судя по всему, в доме была мансарда или чердак, потому что на втором этаже лестница не закончилась. Мила рискнула подняться выше. Человек сделал то же самое. Мила скользнула в единственную дверь, в которую упиралась лестница, и очутилась в большой комнате, заваленной всяким хламом. Судя по всему, это был чердак — высоко под крышей находилось всего одно небольшое квадратное оконце, пропускавшее в помещение немного света. Спрятаться здесь не составляло никакого труда, и она нырнула за ближайшее укрытие — ковры, скатанные трубами и поставленные на попа.

Ей так и не удалось увидеть, кто шел за ней, едва ли не наступая на пятки. Человек пошуршал чем-то возле входа и почти тотчас же ретировался. Мила побоялась даже нос высунуть наружу. Зато когда дверь за ним закрылась, она поняла, что попала в ловушку. Щелкнул замок, и шаги начали удаляться. Когда они совсем затихли, Мила бросилась к двери и толкнула ее двумя руками. Естественно, дверь не открылась.

— Так я и знала! — шепотом сказала она, погрозив неизвестно кому кулаком. — Если можно во что-то вляпаться, я делаю это незамедлительно.

Она открыла свою сумочку, в которой хранилось выше крыши всякой всячины, подсознательно уверенная, что ей рано или поздно удастся расковырять замок. Тут были ножницы, пилочка для ногтей, железная расческа с заостренной ручкой и другие вещицы, которые могли в подобных ситуациях оказаться бесценными для взлома замка. Однако прошло полчаса, а она так ничего и не добилась. Дверь была просто супер. Замок, судя по всему, тоже. В окошко под потолком можно было при желании пролезть, но это представлялось хлопотным — во-первых, до него так просто не доберешься, и что делать, оказавшись по ту сторону стены? Камнем лететь вниз? Мила подумала было завопить, но тогда сбежится вся компания — ей это надо?

«Может быть, среди всего этого хлама обнаружится шкатулка со старыми ключами?» — без особой надежды подумала она, делая полный поворот вокруг своей оси. После чего стала раскрывать коробки и ящички. Минут через десять на глаза ей попался красивый чемодан на колесиках, отделанный гобеленом. Вещь выглядела новой и шикарной, никак не вязавшейся с чердачной обстановкой. Такие обычно хранят в шкафах, в крайнем случае под кроватью.

Справедливости ради надо сказать, что чемодан был накрыт прожженной скатертью и заставлен парой картонных ящиков. Из чистого любопытства Мила решила чемодан открыть.

Внутри обнаружились аккуратно сложенные дамские вещи — дорогие, надушенные, стильные. Кроме одежды, здесь лежала полная косметичка, сумочка с умывальными принадлежностями и лаковая шкатулка, наполненная золотыми и серебряными украшениями. «Кто-то собирается бежать из этого дома?» — с недо-

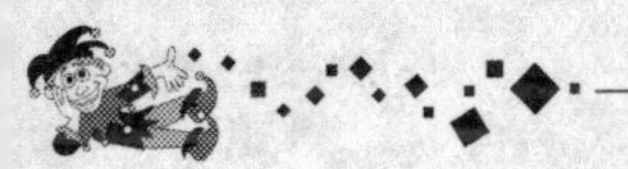

умением подумала Мила. И тут же увидела краешек чего-то, высовывающегося из кармашка, изнутри пришитого к бортику чемодана.

Засунув в кармашек руку, Мила извлекла оттуда документы. Это были паспорта — гражданский и заграничный. Взвешивая их на ладони, Мила почувствовала странный дискомфорт. Ей не хотелось заглядывать под обложку. Но она, естественно, все же сделала это. С фотографии на нее смотрела Вика Ступавина.

«Вика? Как же она могла сбежать с Егоровым без документов?» — растерялась Мила. Заграничный паспорт тоже принадлежал исчезнувшей секретарше. Никакой открытой визы в нем не было. «Боже мой! Вика никуда не могла уехать без своих паспортов, — размышляла Мила, усаживаясь на ящики и глядя в стену невидящим взглядом. — Или хотя бы без одного паспорта. Значит, она не уехала!» Что же тогда? Тогда... Ее или убили, или спрятали. Раз вещи стоят на чердаке именно этого строения, сама Вика тоже может находиться тут. Что, если она томится в подвале? Но Дивояров же не полный кретин, чтобы устраивать вечеринки в доме, где прячет узницу? Или уже не узницу, а тело...

«Хорошо, хорошо, — думала Мила, трясущимися руками засовывая найденные паспорта во внутренний карман куртки и пряча чемодан туда, где он был раньше. — Допустим, Вику похитили. Или убили. Я-то тут при чем?! Я встречалась с ней в последний раз много дней назад. Она просто сидела в приемной, я прошла мимо. Все, как всегда! Почему за мной охотятся? Почему в меня стреляют? Душат? Преследуют?»

Мила решила, что ей первым делом следует выбраться отсюда, доехать до Москвы и срочно позвонить следователю прокуратуры Вихрову. «Никакой самодеятельности! — пообещала она себе. — Только маленький трюк ради того, чтобы очутиться на свободе». Мила хорошо понимала, что выйти отсюда без приключений она сможет только в одном случае — если кто-нибудь откроет дверь снаружи. Приходилось идти на риск. Она проверила свое убежище за коврами — там было очень уютно и удобно, опять же — к двери близко. После этого наклонилась, приложила губы к замочной скважине и провыла:

— У-у-у!

Получилось негромко и не очень убедительно. «Может, снова покричать в банку?» — уныло подумала она. Банки на чердаке не нашлось, лишь старая алюминиевая кастрюля с прожженной в днище дыркой. Мила принесла кастрюлю к двери и снова повыла:

— У-у-у!

На этот раз вышло позабористее. Правда, выть ей пришлось довольно долго, и она даже слегка осипла, прежде чем ее услышали внизу.

— Послушайте, что это? — спросила гарна дивчина Дуся, взбежав на второй этаж. Видимо, у подножия лестницы находилась целая компания, потому что ей ответил нестройный хор голосов. Кто-то сказал:

— Тебе показалось!

Голос, принадлежащий Орехову, возразил:

— Нет, я тоже слышал — в доме выли!

Мила на полтона тише прогундосила в кастрюлю свое «у-у-у!».

— Это на чердаке! — заявил Дивояров, появляясь снизу. Мила видела его в замочную скважину. На нем были вельветовые брюки и водолазка, обтягивавшая наметившееся брюшко. — Сейчас посмотрим.

— У-у-у! — сказала Мила уже без кастрюли, пятясь к своим коврам.

— Говорят, тут поблизости были графские развалины, — хохотнул Дивояров. — Наверное, это чье-то фамильное привидение. Надо бы на него поглядеть. Ключ вот, на гвоздике висит. Никто не боится?

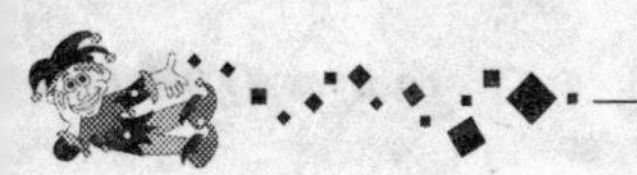

— Давайте пустим вперед Трезора! — предложил голос Ларисы. — Какая-никакая, а собака!

Мила про себя грязно выругалась. Опять Трезор! Трезор ее сразу же обнаружит. Боже мой, какой пассаж! Как избавиться от этой чертовой собаки? Она трясущимися руками достала из сумочки дезодорант и встала на четвереньки.

Окрыленный всеобщим вниманием, Трезор влетел на чердак и тут же бросился за ковры. Тут он нос к носу столкнулся с Милой, которая держала баллончик с дезодорантом в боевой готовности. Правда, сделать она еще ничего не успела, когда Трезор, вероятно, знакомый с последствиями «пшиканья», припал на передние лапы и начал пятиться назад, задрав хвост «ершиком».

Мила тотчас же поняла, что избрала неверную тактику. Она быстро спрятала дезодорант за спину и вытянула губы трубочкой. Глазки-бусинки тотчас же зажглись восторгом. Нежная собака тявкнула, лизнула Милу в лицо и как ни в чем не бывало побежала дальше.

— Ну, что, Трезорка? — спросила Лариса, появляясь на чердаке. Вслед за ней туда ввалилась целая толпа народу. — Ничего не нашел?

— Где же привидение с графских развалин? — спросил Лушкин, почесывая макушку.

— Вали отсюда! — уверенно сказала дородная Дуся.

— Давайте оставим здесь ненадолго собаку. Если что, она начнет лаять и распугает всех привидений! — предложила Лариса.

Трезора на ключ запирать не стали. Счастливая Мила готова была скакать от радости. Спустя пять минут она выпустила кудлатого спасителя, который помчался по лестнице, радостно повизгивая, и сама отправилась вниз. План ее был предельно прост — как можно скорее сделать отсюда ноги. Мила надеялась, что остальные гости уже сконцентрировались в одном месте, и ей удастся уйти так, как она пришла — вниз по лестнице, через черный ход.

Перевесившись через перила, Мила даже видела дверь черного хода. Но если раньше все остальные двери, выходящие в маленький холл, были закрыты, то теперь они оказались распахнуты настежь. Для того чтобы обслуживать вечеринку, Дивояров нанял людей со стороны, которые должны были готовить, носить блюда, убирать и мыть посуду. Все они уже приступили к своим обязанностям и гомонили внизу. Мила решила поискать вторую лестницу вниз, ведущую к парадному входу. Однако едва она двинулась по коридору второго этажа, кто-то затопал ей навстречу. Этот кто-то вот-вот должен был появиться в поле ее зрения. Заметавшись, Мила скользнула к первой же двери и прыгнула внутрь. Не составило труда догадаться, кто здесь расположился на постой. Слышался шум воды и громкое пение украинки, а на постели лежал рыжий парик, разметав длинные пряди по покрывалу.

Милу сразу же привлек этот парик. На улице стремительно темнело. Если надеть парик себе на голову и проскользнуть мимо кухни, наемные работники ничего не заметят. Женщину с рыжими волосами они уже наверняка видели. И, наткнись она на кого-нибудь из них, ничего страшного не произойдет. Ну, по крайней мере, ей так казалось.

В доме было хорошо натоплено, и Мила уже запарилась в куртке, но снимать ее не рискнула: если придется бежать, помешать ничто не должно. Только не хватало попасться в ловушку теперь, когда у нее документы исчезнувшей Вики Ступавиной. Если ее сейчас поймают, Дивояров догадается, кто выл на чердаке, проверит чемодан, обнаружит пропажу и тогда ее точно отсюда не выпустят. Интересно, Орехов замешан во все это?

Мила сама толком не понимала, что такое «все это». Она подозревала всех по очереди, сомневалась, отбра-

сывала сомнения, снова сомневалась... Только одно оставалось для нее неясным. Зачем за ней охотились? Если тут творятся темные дела, она к ним никакого отношения не имеет! Она ничего не знает, ни о чем не догадывается, ничего не видела.

Вода перестала течь, и Дуся замолчала. Сейчас она запросто может появиться из ванны — душистая, розовопузая и горластая. Надо быстро сматываться. Водрузив на голову парик, Мила высунулась в коридор и, не заметив ничего опасного, вышла. «Пойду опять к черному ходу, авось проскочу мимо кухни!» — решила она. Однако со стороны лестницы опять кто-то шел! Ничего не оставалось делать, как проскользнуть дальше по коридору и войти в следующую дверь. Сначала Мила приоткрыла щелку и, поняв, что внутри никого нет, забежала туда. Укрыться было решительно негде. Что, если пойти в ванную? Но обитатель комнаты вполне может захотеть освежиться перед вечеринкой.

Единственным подходящим местом, чтобы спрятаться, был круглый стол у окна. Стянув край скатерти пониже, Мила заползла туда и затаилась. В этот момент дверь отворилась. Выглянув из-под скатерти, Мила увидела Лушкина. Он подбежал к трельяжу, достал из верхнего ящика пудреницу и принялся махать пуховкой вокруг носа. Впрочем, этого ему показалось мало, и в ход пошел тональный крем. «Вот это да! — подумала Мила. — Наверное, не случайно он не взял с собой на вечеринку девушку».

Устраиваясь поудобнее, Мила нечаянно толкнула ножку стола, и сверху с грохотом что-то упало. Испугавшись почти до обморока, она завертелась на месте и в конце концов уперлась лбом в стену. Лушкин, мгновенно догадавшись, что в комнате кто-то прячется, задрал уголок скатерти и заглянул под стол.

— Дуська! — воскликнул он укоризненно. — Я же тебя просил не светиться! Если Отто нас застукает, будут неприятности. Ну-ка, уноси отсюда свой зад! А то я разрезвлюсь, и мы опоздаем к столу.

К счастью для Милы, рыжий парик сбил Лушкина с толку. В ответ она проблеяла что-то невразумительное.

— Поторопись, сказал! — прикрикнул тот. — Лучше ночью приходи, когда твой лысый друг захрапит. Только не забывай подливать ему за столом чего покрепче.

С этими словами Лушкин проворно заперся в туалете. «Интересно, как сочетаются пудра, яркие шейные платки и интрижка с Дусей? — подумала Мила. — Что-то совершенно мне неясное». Она пулей вылетела из-под стола и снова очутилась в коридоре. Спустилась по лестнице черного хода почти до самого низа и замерла на последней ступеньке, так и не решаясь пройти к двери на глазах у поваров и подавальщиков. Те же, гремя посудой, весело переговаривались.

— Слышали, как под крышей привидение завывало? — говорила жирная тетка, мешавшая что-то длинной ложкой в огромной кастрюле.

— С графских развалин? — ухмыльнулся тощий парень, обвязанный полотенцем.

— С каких графских развалин? — насмешливо протянула та. — Это хозяин просто так придумал, для гостей. На самом деле на месте этого дома раньше колхозный амбар стоял. И вот однажды ночью амбар ни с чего заполыхал. А в нем тетка Анфиса сгорела, царствие ей небесное. Когда народ сбежался, пламя так и свистело, так и выло. Односельчане говорили, будто это тетка Анфиса выла — выбраться пыталась. Потом даже самые озорные мальчишки сюда ходить перестали — пепелища этого боялись. Говорят, как наступает ночь, появляется на этом месте тетка Анфиса — вся черная, как головешка. И кричит, и воет, и стонет.

— А чего хочет? — спросил пацан помоложе.

— Да кто ж ее знает, душу неприкаянную? Говорят,

она иногда к односельчанам обращается. Все просит что-то, руку тянет...

— Страсти-мордасти! — хмыкнул парень.

Тем временем Мила решила, что ждать, пока все одновременно отвернутся, — бесперспективное дело. Она поступит лучше — просто выйдет вон, делая вид, что она тут не посторонняя. Издали ее наверняка примут за гарну дивчину Дусю — в таком-то парике. Она сделала глубокий вдох, затем в несколько шагов преодолела открытое пространство и уже потянулась рукой к двери черного хода, когда та начала медленно открываться.

За дверью стоял Орехов с развернутым журналом в руках. Глаза его были устремлены на страницу. Только это спасло Милу от катастрофы. Она отпрыгнула назад и под прикрытием медленно ползущей двери нырнула под лестницу. Следующие полчаса стали для нее сущим адом. Появлявшиеся из-за каждой двери люди невольно гоняли ее по всему дому. Она пряталась от них в кладовках и подсобках, под кроватями и столами, и один раз даже залезла в камин, где вымазалась с головы до ног сажей.

В конце концов ни о чем не подозревающие гости Дивоярова снова загнали ее на чердак. Мила тихо прикрыла за собой дверь и обессиленно прислонилась к ней спиной. Если бы не документы Вики Ступавиной, она уже давно показалась бы всему честному народу и прекратила эти прятки. Но сейчас, когда при ней такие важные улики, может случиться всякое. Допустим, Дивояров замешан в деле о похищении или убийстве. Он предложит подвезти ее до города и укокошит по дороге. Ах, да мало ли что может ей грозить! Она ведь не в курсе, кто из присутствующих преступник. Они все могут оказаться сообщниками.

Мила с тоской поглядела на небольшое оконце. Сквозь него просвечивало сумеречное небо. «Интересно, что там снаружи? — подумала она. — Надеюсь, не гладкая стена. Может быть, какой-нибудь карниз?»

Она волоком подтащила к оконцу довольно тяжелый ящик, не обращая внимания на то, что он скрежещет по полу. Тем временем внизу ее манипуляции не остались незамеченными.

— Что это такое? — спросил Дивояров, обращаясь к поварам и официантам, колдовавшим на кухне, и посмотрел на потолок. — Что там скребет?

Те, естественно, не знали. И то сказать: в доме столько народу! Дивояров пожал плечами и отправился в зал к накрытым столам. Открыв дверь, он обежал глазами гостей и торопливо возвратился в маленький холл возле черного хода.

— Весь народ на месте, — пробормотал он и снова посмотрел на потолок. — Тогда кто же там шумит?

Мила как раз обнаружила, что под чердачным окошком есть-таки выступ, причем достаточно широкий для того, чтобы безопасно стоять на нем. Она водрузила на ящик еще одну коробку, подняла стекло и легла животом на раму. Обувь на каблуках пришлось снять. Правда, вместо того чтобы скинуть ее вниз, на землю, Мила легкомысленно оставила ее на чердаке.

К тому времени, как Дивояров всерьез обеспокоился скрипами и стуками, доносящимися из-под крыши, Мила уже вылезла на карниз. Мимо окна кухни пролетело несколько щепочек, следом спикировал кусок прошлогоднего ласточкиного гнезда.

— Может быть, это птички? — предположила повариха, облизывая пальцы. — Вороны, например?

— Тогда уж аист, — сказал тощий парень по имени Рома.

Мила тем временем углядела прямо под собой здоровенную кучу песка и приняла стратегическое решение — повиснуть на карнизе во весь рост, а затем спрыгнуть в нее. Конечно, это чертовски рискованно, но что

остается делать? Кстати сказать, куча песка находилась как раз под окном кухни, но Мила о таком пустяке как-то не подумала.

— Эй, Рома! — предложил Дивояров. — Выйди-ка на улицу и посмотри на крышу: нет ли там кого? А я возвращаюсь к гостям.

Тощий Рома неохотно поплелся к двери черного хода. Мила между тем уже вывесила себя, словно флаг, на карнизе. Именно в тот момент, когда Рома открыл дверь на улицу, она, словно тюк, сброшенный с вертолета зимовщикам, плюхнулась прямо перед ним, взметнув целый фонтан песка.

Конечно, за те две секунды, что длился полет, вся жизнь не успела пролететь перед ее мысленным взором. Да и разбиваться насмерть она вовсе не собиралась. Зато была уверена, что обязательно что-нибудь себе сломает или вывихнет. Удар организм Милы воспринял как шок, и она тотчас же вскочила на ноги, словно подброшенная мощной пружиной.

— Ай! — закричал Рома и попятился.

Действительно, было чего испугаться. Прошедшая через камин Мила, черная, словно сгоревший шашлык и пахнущая пожаром, сверкнула белками глаз и протянула в сторону Ромы руку со скрюченными пальцами. Потом раскрыла рот. В неярком свете, падавшем из окна, на фоне ее чумазой физиономии язык выглядел ярко-красным и страшным.

Мила сама не знала, что хотела сказать. И так ничего и не вымолвила, потому что язык не слушался. Огромное облегчение от того, что при падении у нее не отлетели руки и ноги, накатило на нее, и тут же пришли слабость и дрожь в коленках.

— Вы кто? — очень высоким голосом спросил Рома, схватившись обеими руками за косяк. — Вы откуда взялись? — Тут его неожиданно озарило: — Может быть, вы... тетка Анфиса?!

В ответ Мила судорожно втянула в себя носом воздух.

— Чего вам надо? — затрясся малодушный Рома.

Осознав внезапно, что ее ногам страшно холодно, Мила вспомнила, что осталась без обуви, и выдавила из себя хрип пополам с надсадным кашлем:

— Ботинки!

— Мои? — трусливо переспросил Рома и моргнул. — Пожалуйста, тетка Анфиса, забирайте!

«Интересно, что за тетку он во мне узнал? — пронеслось в голове у Милы. — Возможно, в окрестностях живет кто-то, очень похожий на меня».

Рома разулся за рекордно короткое время. Не успела Мила и глазом моргнуть, как растоптанные мужские ботинки полетели к ее ногам. Подхватив обувку, она развернулась и на полусогнутых ногах отправилась к калитке. Очутившись за воротами, метров двести прошла босиком и только потом соизволила обуться. Ботинки оказались старыми, с облысевшими носами и были ей велики размеров на пять. Однако что это значило в сравнении с тем, что она очутилась на свободе с Викиными паспортами в кармане!

— Хорошо, что вы меня предупредили! — захлебывался между тем Рома, которого отпаивали на кухне горячим чаем, обув в уютные тапочки. — Если бы вы ее видали! Форменный ужас!

— Надо же! — ахала толстая повариха. — Разгадал загадку тетки Анфисы! Она просто босая была, ходила к сельчанам, обувку просила. А они не понимали! Ну, Рома, ты теперь войдешь в историю здешних мест!

«Интересно, почему парень называл меня теткой Анфисой?» — думала тем временем Мила, смутно представляя себе, как выглядит в настоящий момент. Правда открылась ей только тогда, когда она стала ловить попутки. Некоторые машины притормаживали, но буквально секунду спустя, визжа покрышками, улетали в темноту. Если бы не ночь, Мила наверняка заметила бы раньше, что у нее не только куртка черная, но еще черные руки и черные волосы. А уж о физиономии и говорить нечего.

Примерно минут через сорок, когда она промерзла, словно палочка внутри эскимо, возле нее остановился «Москвич», двигавшийся по шоссе крутыми зигзагами. Когда Мила наклонилась к приоткрытому окошку, на нее пахнуло перегаром.

— Куда? — спросил мужик, сидевший за рулем и глядевший прямо перед собой. Скорее всего, голову он не поворачивал, так как боялся потом не сориентироваться в пространстве.

— В город, — коротко ответила Мила.

— Садись, — согласился пьяный и икнул. — Тебя как звать?

— Тетка Анфиса.

Мила проворно забралась на сиденье и, ловко пристегнувшись ремнем, вознесла молитву господу. «Москвич» некоторое время вилял, словно санки, которые тащат на чересчур длинной веревке, потом выбрал правильную сторону дороги и поехал более или менее прямо. Минут через пять шофер свесил голову на грудь и всхрапнул. Мила взвизгнула и толкнула его в бок.

— Стой! — крикнула она. — Разобьемся же, гад!

Шофер послушно нажал на тормоз. Благо, ни впереди, ни сзади не было больше ни одного автомобиля. Черный лес, стоявший по обеим сторонам дороги, казался страшным, словно в сказке о мальчике с пальчик.

— Ты чего орешь? — без выражения спросил владелец «Москвича», тараща глаза мимо Милы.

— Ору, потому что ты чуть нас не разбил. Давай я поведу! — предложила она, у которой не было ни прав, ни опыта вождения, зато присутствовало огромное желание выжить.

10 - 8264 Куликова

— Давай, — неожиданно покладисто откликнулся тот.

Они одновременно вылезли из машины и начали обходить ее спереди. Оба — кто отчего — едва держались на ногах. Наткнувшись на Милу, попавшую в свет фар, шофер отшатнулся и сильно выпучил глаза:

— Матерь божья! — пробормотал он. — Кто ты, неведомый друг?

— Давай-давай, двигай, — огрызнулась Мила и побежала вперед.

Только положив руки на руль, она обнаружила, что они выглядят, словно лапы. Особенно отвратительными казались на черном фоне белые ногти, покрытые лаком «Экспресс-финиш» с золотыми блестками.

— Эй, негр! — позвал шофер, когда Мила тронула машину с места. — Ты прямо из Африки?

— Угу, — пробормотала Мила и, пользуясь тем, что скорость не превышала сорока километров в час, достала из кармана платок и потерла щеки. Огромные ботинки мешали нормально пользоваться педалями, и это страшно раздражало.

— Эй, негр! — снова пристал водитель. — А ты в курсе, что ты линяешь?

— Слушай, замолчи, а то увезу в Африку! — пригрозила Мила.

Милиция остановила их уже в Москве. Мила специально отъехала подальше, а потом, выскользнув из машины, пригнулась и нырнула в кусты. Удаляясь по оврагу в сторону центра, она слышала, как шофер, старательно выговаривая слова, объяснял гибэдэдэшнику:

— Подобрал в подмосковном лесу негра, прямо из Африки. Линялого такого, жалкого. Ему очень хотелось машину повести. Я и пустил его за руль. Да не знаю я, где он! Нет, мне не привиделось. Вишь, я тут пристегнут, а он там сидел. Гляди, руль испачкал своими черными лапами! Слышь, ты знал, что негры линяют? Я вспомнил, как его зовут, негра... Тетка Анфиса!

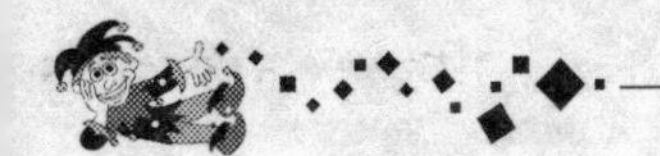

26

По приезде домой Мила, как обещала, сразу же позвонила Борису Глубокову.

— Я сейчас выйду с собакой, а вы минут через пятнадцать спускайтесь ко мне.

— С какой собакой? — вознегодовал Борис. — На улице ночь, вы одна...

— Клянусь, меня никто не узнает, — поспешно сказала Мила. — А в темноте и вообще не разглядит. Я чумазая с дороги, не стану переодеваться.

Муха, бегавшая кругами по двору, то и дело возвращалась к Миле, чтобы обнюхать ее испачканную одежду.

— Скоро приедет Гаврик, — успокоила Мила не то овчарку, не то себя. Вероятно, услыхав знакомое имя, Муха радостно гавкнула.

Пришедший Борис отреагировал на нее, как и пьяный шофер:

— Матерь божья! Вы что, как Мюнхгаузен, катались на пушечном ядре?

— Я вычистила камин в доме Дивоярова, — пробурчала Мила. — Но это все цветочки. Если бы вы знали, что я нашла у него на чердаке!

— Можно совет? Сначала примите душ, а то мне как-то не по себе, — признался Борис. — Вы напоминаете мне шахтера из документальных фильмов.

— Совет принят, — стыдливо ответила та и побежала за полотенцем.

Отмывшись, Мила первым делом рассказала ему про чемодан Вики Ступавиной. В качестве подтверждения выложила на стол оба паспорта.

— Давайте звонить Вихрову, — оживился Борис. — Подобную находку нельзя замалчивать.

— Так поздно уже!

— Слово «поздно» существует только для тех, кто

уже умер, — возразил Борис. — Да Вихров нас просто убьет, если мы будем молчать до утра. Мы ведь не знаем, в каком режиме он работает! Кроме того, еще не так уж поздно — одиннадцать вечера.

— Вот кому мне очень хочется позвонить, так это Леночке Егоровой, — сказала Мила. — Она ведь нанимала частного детектива. Может быть, поделится со мной информацией? Хотя нашу последнюю встречу никак не назовешь милой...

— Так позвоните сначала Леночке! — потребовал Борис, который не любил проволочек.

Мила достала записную книжку и неохотно набрала номер.

— Ба! Кого я слышу! — воскликнула Леночка Егорова с непонятной радостью. — Какие-то проблемы?

По ее тону Мила безошибочно определила, что Леночка ничего не знает про вечеринку у Дивоярова и про то, что Орехов отправился на нее с Гулливершей Ларисой. «Интересно, — подумала она, — что же между ними происходит?»

— Я звоню по делу, — довольно сухо ответила она. — Помнишь, ты говорила, что наймешь частного детектива для поиска своего Пашки? Ты ведь действительно его нанимала?

— Да, а что? — голос Леночки заметно помрачнел.

— А Викой Ступавиной твой детектив занимался?

— Да, а что? — опять повторила Леночка.

— И много ли он нарыл на ее счет?

— Зачем тебе?

— Трудно объяснить, — промямлила Мила, — но это касается нашего с Ореховым развода.

— Хочешь сказать, — мгновенно сделала собственный вывод Леночка, — что у Орехова тоже была интрижка с секретаршей?!

— Это ты сказала, а не я, — вяло отбивалась Мила. — Так как насчет бегства Вики? Что удалось узнать твоему парню?

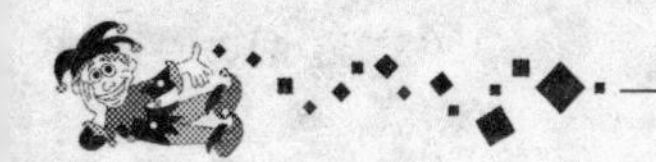

— Ничего особенного, — неохотно призналась Леночка. — В день, когда Пашка первый раз не появился на службе, Вика покинула квартиру с чемоданом в руке. Она вызвала такси. В путевом листе было указано: улица Константинова — Рижский вокзал. Вот, в сущности, и все, что я знаю.

— А с шофером такси кто-нибудь разговаривал? Куда Вика направилась потом, когда вышла из машины возле Рижского вокзала?

— Вот уж не знаю, — фыркнула Леночка. — Наверное, села на поезд. Или, может быть, взяла еще одно такси — до аэропорта, чтобы сбить со следа возможных преследователей. Она ведь не дурочка и должна была понимать, что я этого дела так не оставлю. Что я не из тех дамочек, которые орошают слезами подушку и никогда не мстят обидчикам.

— Ты не можешь назвать мне номер машины? — скучным голосом спросила Мила. — Была бы тебе весьма признательна.

Борис, следивший за разговором, довольно ухмыльнулся. Ему нравилась тактика, которую она избрала. Никаких униженных просьб, никаких уговоров или сомнительного обмена информацией.

— Подожди, сейчас я возьму свой ежедневник, — сказала Леночка. И через минуту добавила: — Записывай. Правда, не знаю, какая мне от этого выгода.

— Может, какая и будет.

Мила торопливо записала номер машины и уже хотела распрощаться, когда Леночка подозрительно спросила:

— Ты что, вышла на след?

— Очень может быть, — стараясь сдерживать эмоции, ответила Мила.

— Если что — чур, мне первой расскажешь! Я ведь тебе помогаю, разве не так? Хотелось бы мне встретиться с муженьком лицом к лицу!

— Ну, этого я не обещаю... Сейчас я иду по следу Вики, — довольно туманно пояснила Мила.

— Да, я забыла тебе сказать, у этой девки в Москве осталась тетка.

— Ну и что?

— Они с Викой были очень близки. Думаю, ты можешь попробовать ее расколоть. У меня лично не получилось.

— Говори теткины координаты, — скомандовала Мила.

Вика продиктовала адрес, между прочим заметив:

— Они обе жили на одной улице, всего лишь в одной остановке друг от друга.

— Хм, — неопределенно сказала Мила, не представляя, что ей даст адрес Викиной тетки. Впрочем, кто знает?

— Надеюсь, ты не станешь корить Орехова за прошлые грешки, — напоследок заявила Леночка. — Он вообще заслуживает гораздо, гораздо большего.

«Большее — это, конечно, ты», — хотела съязвить Мила, но сдержалась. В ее личной жизни Орехов был перевернутой страницей, так чего же зря копья ломать?

После разговора с Леночкой Мила передала трубку Борису. Тот весьма кратко и внятно изложил жующему свой ужин Вихрову все, что Миле удалось узнать накануне. В том числе и о паспортах секретарши Орехова и Егорова. Вихров пообещал с этим разобраться и заехать к Миле за паспортами.

— Вы ведь будете держать нас в курсе дела? — чуть-чуть заискивая, спросил Борис. И, получив от него утвердительный ответ, стал глядеть гоголем.

— Отлично! — сказала Мила, потирая руки, когда все формальности были выполнены. — Мы все сообщили властям, теперь можно наведаться к тетке Вики Ступавиной.

— Не хотите упускать инициативу? — нахмурился Борис.

— Моя подруга при смерти, — напомнила Мила. —

Из-за какого-то чертова кретина, который вознамерился сжить со свету меня. Я не желаю ему уступать. Не желаю бояться, прятаться, сунув голову в песок...

— По-моему, вы и так не боитесь и не прячетесь, — пробормотал Борис.

— Ну да! Влезли бы в мою шкуру, сразу бы поняли, что я каждое утро встречаю как смертник, ожидающий, когда починят гильотину.

— Костик велел мне нанять для вас двух телохранителей и купить вам билет до Новой Зеландии.

— Вы с братом все еще надеетесь через меня выйти на проданную вашим дедушкой партию наркотиков?

— Ну, — помялся Борис, — я, положа руку на сердце, уже ни на что особо не надеюсь.

— Что же заставляет вас по-прежнему крутиться возле меня? — не сдавалась безжалостная Мила.

— Во-первых, смерть Саши Листопадова, — быстро ответил Борис. — Я ощущаю личную вину и не желаю сдаваться, покуда убийца не будет найден.

— А во-вторых?

— А во-вторых, Костик был вовсе не под действием наркотиков, когда говорил вам тут... всякие вещи.

Борис смутился и принялся ковырять пальцем обивку дивана.

— Кстати, — спохватилась Мила, — вы отдали на экспертизу половину таблетки, которую получили от меня?

— Отдал, но ответа пока нет. Видно, дрянь какая-то забористая.

— Что, если это и есть ваш «невидимка»?

— А вдруг в аферу замешана ваша сестра? — тут же оживился Борис. — Вот она-то запросто могла дать кому угодно ваш телефон, чтобы вы ей что-то там передали! Вспомните, никто не звонил вам с просьбой сказать ей то-то и то-то?

— Ну, вы вообще! — возмутилась Мила. — Подозревать Ольгу?!

— Не Ольгу, а ее муженька. Вы ведь в курсе, что ради этого экспоната она пойдет на все?

— Да, но...

— Никаких «но»! — проявил твердость Борис. — Так вам звонили? Хоть кто-нибудь?

— Портной, — тихим голосом ответила Мила. — Никак не мог застать ее дома. А поскольку я тоже иногда заказывала ему одежду, он посчитал возможным позвонить и назначить ей встречу...

— Вы сами присутствовали на этой встрече?

— Не-е-ет, — протянула Мила. — Думаете, это был какой-то шифр?

— Может, и так.

— Ерунда! — внезапно рассердилась она. — Это не улики, а так... глупости. Вот я вам еще не рассказывала о трости Капитолины Захаровны. Набалдашник на этой трости в бурых пятнах! А ведь орудие, которым убили Сашу Листопадова, так до сих пор и не нашли!

— Вы сами видели кровавую трость? — с недоверием спросил Борис. — Старуха ее не прячет?

— В том-то и дело! И, кажется, даже внимания не обращает на эти подозрительные метки!

— Может быть, это просто засохший куриный бульон?

— Не исключено, — пожала плечами Мила. — Тогда, может, и портной по телефону сказал правду?

— Скорее всего, да, — в свою очередь, вздохнул Борис и пожаловался: — Просто не знаю, куда кидаться.

27

В отличие от него, Мила знала, куда ей хочется кинуться. И наутро первым делом отправилась на ту улицу, где до недавнего времени проживала Вика Ступавина. Адрес она выписала из ее паспорта. Кстати, судя по паспорту, она все еще была там прописана. Однако сна-

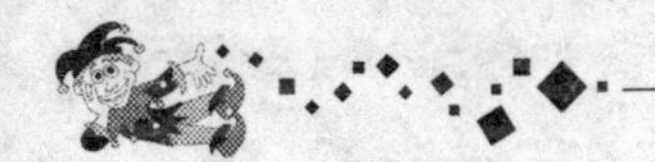

чала Мила решила зайти к Викиной тетке, Раисе Петровне Синяковой, чтобы выслушать ее версию случившегося с племянницей. Леночка Егорова сказала, что ничего от нее не добилась, и Миле захотелось составить собственное мнение об этой женщине. Пусть Вихров раскапывает то, что он считает нужным. Труд Милы тоже даром не пропадет. Возможно, они просто подойдут к разгадке с разных сторон.

Мила подготовила для тетки несколько «легенд», объясняющих ее интерес к Вике Ступавиной. И когда увидела Раису Петровну воочию, мгновенно поняла, что ее легко можно поймать на свой деловой вид вкупе с простенькой ложью.

— Здравствуйте! — сказала она уставшим голосом, когда Раиса Синякова открыла дверь. — Я занимаюсь аудиторской проверкой на фирме, где до недавнего времени работала ваша племянница. Чтобы у аудиторов не было к ней претензий, необходимо кое-что прояснить...

— Она ничего этой фирме не должна! — категоричным тоном заявила хозяйка квартиры.

Это была высокая худая женщина с длинным носом и скандальным характером. Говорила она громко и слегка визгливо, считая, что от всего мира нужно обороняться. Впрочем, к Миле она отнеслась довольно благосклонно.

— Вам ведь уже задавали вопросы по поводу Викиного отъезда? — спросила та, снимая сапоги на коврике в коридоре.

— Была, была у меня та штучка, чьего мужа моя Викуша к рукам прибрала! — гордо сказала Раиса Синякова, усадив Милу пить чай. — Мой-то козел от нее сразу голову потерял. Расскажи ей, говорит, все, как на духу. А я не стала!

Муж Раисы был тут же, на кухне, подклеивал рассохшиеся ящики буфета. Когда его обозвали, он даже не покраснел и не покосился на жену. Мила с любопытством приглядывалась к нему, пытаясь решить для себя, кто он есть на самом деле: действительно козел, возведенный в ранг счастливого супруга, или несчастный супруг, низведенный до ранга козла. На носу у него сидели очки с толстыми линзами, дужки которых цеплялись за тонкие оттопыренные уши, похожие на капустные листья.

— Я все закончил, — проблеял он, поднимаясь с колен и взирая на жену бесстрастным взглядом.

— Тогда убирайся прочь, не порти вид! — Раиса захохотала, показав два золотых зуба, вмонтированных в верхнюю челюсть.

Ее супруг покорно ретировался в комнату.

— Вы ведь, наверное, тоже Вику искали, — предположила Мила, глотая невкусный чай, отдававший бумагой. Спрашивать в лоб, что за сведения хозяйка утаила от Леночки Егоровой, не хотелось.

— Чего мне ее искать! Она всегда была девка не промах. Когда мне объяснили, что она исчезла вместе с одним из своих боссов, я мысленно пожелала ей доброго пути и всех благ.

— А Егорова... — не выдержала Мила.

— Эта финтифлюшка? Зачем бы я стала наводить ее на след моей умненькой племянницы, а? Скажите на милость?

— А у вас есть след? — осторожно поинтересовалась Мила.

— Ха! — радостно ответила Раиса. — Раньше были догадки, а теперь появилось их подтверждение. Семен! — внезапно завопила она. — Принеси Викино письмо!

— Рая, может, не надо? — испуганно спросил Семен, появляясь на пороге кухни с конвертом в руках.

— Иди отсюда! — прикрикнула на него та, выхватывая конверт из его мягких пальцев. — Советчик выискался!

— Вика прислала вам письмо?! — не сдержала своих эмоций Мила.

— А то! Любит она тетку свою. Поди, единственная родственница. Не считая этого... — Она мотнула головой в сторону комнаты. — Хотя какой он, к едреной фене, родственник? Глист доморощенный. Самой стыдно, что живу с такой образиной и половой тряпкой!

Произнося эти слова, Раиса, впрочем, выглядела не слишком удрученной. Мила же не сводила жадного взгляда с конверта. Ей страсть как хотелось подержать его в руках. Однако вместо того, чтобы расстаться с письмом, Раиса решила прочесть его Миле самостоятельно. Впрочем, на самом деле это оказалось не письмо, а открытка.

— «Дорогая тетечка Раечка! — громко прочла Синякова. — Пишу, чтобы тебя успокоить. Не волнуйся за свою племянницу, у меня все тип-топ. Живем на широкую ногу, перспективы отличные, климат благодатный. *Он* меня обожает и буквально носит на руках. Я совершенно счастлива, тетечка! Кстати: поздравляю с днем рождения и желаю всего самого наилучшего. Твоя племянница Вика».

— Когда же вы получили это послание? — поинтересовалась Мила с огромным интересом.

— Неделю назад, — тотчас же ответила Синякова. — У меня неделю назад был день рождения, вот она и вспомнила про тетку Раису.

— Можно посмотреть открытку? — спросила Мила, робко протянув руку. Она бы не удивилась, если бы хозяйка треснула ее конвертом по пальцам.

Раиса, впрочем, была настроена миролюбиво. Она без колебаний подала Миле конверт и открытку, сложенные вместе.

— Испания... — выдохнула та. — Надо же, куда их унесло!

— Уносит только нечисть, — снова хохотнула Раиса. — А моя Викуша уехала как гранд-дама!

— А... А вы уверены, что это ее почерк? — осторожно поинтересовалась Мила, разглядывая крупные круглые буквы с завиточками сверху.

— Уверена ли я? — обиделась Раиса. — Конечно, уверена! Семен! — снова завопила она, заставив Милу подпрыгнуть на табуретке. — Принеси коробку со старыми открытками! Да пошевеливайся!

Когда Семен появился с картонной коробкой, оклеенной пестрыми обоями, Раиса выхватила доставленную вещь у него из рук:

— Вечно тебя приходится ждать, болван ты эдакий!

Болван и козел в одном лице попятился. Вид у него был виноватый и слегка испуганный. Словно он боялся, что за гневными словами жены последует физическая расправа. Мила ничуть не удивилась бы, узнай, что Синякова поколачивает своего благоверного.

— Вот, глядите! — Раиса принялась ожесточенно копаться в коробке. Наконец она вытащила оттуда несколько открыток, начинавшихся теми же словами, которые Мила только что прочитала: «Дорогая тетечка Раечка!»

На первый взгляд почерк на всех открытках был один и тот же. Перебирая их, Мила глубоко задумалась. Итак, если открытку прислала Вика Ступавина чуть больше недели назад, значит... Значит, она уехала в Испанию с другим, поддельным паспортом. Кто такой «он», упоминаемый в открытке, было ясно без слов. Конечно, это Егоров. Получается, что бегство парочкой было задумано давно и тщательно подготовлено.

Мила все больше склонялась к мысли, что Орехов участвовал во всей этой афере с внезапным исчезновением партнера. Может быть, он действительно позарился на Леночку, и ему было выгодно сплавить Пашку на край света, чтобы закрутить роман с его женой? Впрочем, Гулливерша Лариса в эту схему никак не вписывалась.

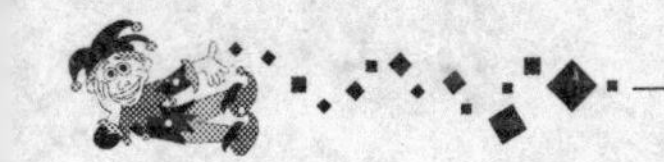

28

Мила распрощалась с семейством Синяковых и отыскала телефон-автомат, чтобы позвонить Борису.

— Знаете, что выяснил Вихров? — воскликнул тот, едва заслышав в трубке ее голос.

— Рассказывайте, рассказывайте! — поторопила Мила, охваченная азартом расследования.

— Таксист, который должен был везти Вику на Рижский вокзал, соврал тому частному детективу, раскручивавшему это дело для Леночки Егоровой.

— Соврал? Но зачем?

— Черт его знает! — отмахнулся Борис. — Главное не в этом! Главное в другом! Вихрову-то таксист врать не посмел: прокуратура все-таки! И рассказал, что действительно приехал по вызову на улицу Константинова, и женщина, соответствующая описанию Вики Ступавиной, действительно села в его машину. Только ни на какой Рижский вокзал они не поехали.

— Да? — подала голос Мила, с нетерпением ожидая продолжения. Ей казалось, что Борис слишком уж тянет с рассказом.

— Не проехали они и двухсот метров, как навстречу им попалась иномарка. Из-за лужи во дворе им было трудно разъехаться, и таксист сбавил скорость до минимальной. Тут шофер иномарки принялся гудеть. Вика посмотрела, кто там, да и говорит: «Все, дальше, мол, не поеду. Заказ свой полностью оплачу, так что не волнуйтесь». Достала из кошелька деньги, попросила шофера выгрузить ее чемодан на тротуар и отпустила с наилучшими пожеланиями.

Описание иномарки соответствовало машине Орехова. «Значит, Илья все-таки принимал участие в этой афере с бегством партнера», — тут же подумала Мила, а вслух спросила:

— А в той машине, которая сигналила, находился один человек?

— Да, только водитель. Ну, и что вы думаете по этому поводу?

— Думаю, что я потратила утро впустую. Скорее всего, Егоров вместе с Викой по поддельным паспортам выехали в Испанию, а подлый Орехов прекрасно знает, где они находятся. По какой-то причине всем им было выгоднее обставить разрыв партнерского соглашения именно таким образом. Уж не знаю почему. Может быть, в этом разберется прокуратура или налоговая полиция?

— Очень может быть, — согласился Борис и тут же поинтересовался: — Вы едете домой?

— Да, только потрачу еще пятнадцать минут, пройдусь до дома Вики — и назад.

— Ладно, мы с Мухой будем ждать. Кстати, она достала косточку из помойки, — внезапно добавил он.

— И что? — удивилась Мила.

Борис помолчал и хмуро признался:

— Я не смог ее отобрать... Поэтому, когда вы вернетесь, ковер будет не таким чистым.

Мила легко нашла дом с нужным номером и немножко постояла перед подъездом, где проживала Вика. Сегодня ей не повезло — ни одной словоохотливой старушки в обозримом пространстве не наблюдалось. Люди ходили мимо, но дверь подъезда, запертая на кодовый замок, оставалась неприступной. Впрочем, у Милы не было никакого желания проникать в Викину квартиру и шарить там. Достаточно того, что она покопалась в ее чемодане.

Сообразив, в какой стороне метро, Мила медленно пошла по тротуару. Дома стояли близко друг к другу. На повороте, где машины сворачивали на шоссе, Мила обратила внимание на огромную выбоину в асфальте, наполненную стылой водой. На ее взгляд, лужа была глубокой. «Вот здесь, вероятно, и произошла встреча такси

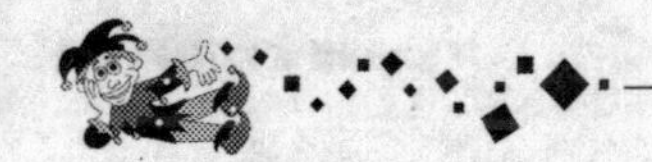

с иномаркой», — подумала она, не сбавляя шага. В паре метров от лужи, на краю двора стояла безымянная будочка, за стеклом которой торчала растрепанная седая голова в очках.

«Ладно, — подумала Мила. — За вопрос не строгий спрос. Раз уж я здесь, переброшусь парой слов с человеком. Авось узнаю что-то интересное!» Как выяснилось через некоторое время, в будочке сидел сухонький старичок, промышлявший заточкой ножей и ремонтом простейшей бытовой техники. Мила принялась ходить вокруг будки, разглядывая мастера и прикидывая, чем можно его задобрить. Бутылкой? А вдруг ему нельзя пить? Обидится и расстроится, будет только хуже.

— Эй, девка! — задорно выкрикнул старик, которому, по всей видимости, надоела мельтешащая Мила. — Тебе не я, случайно, нужен?

— Вы! — обрадовалась та. — Только если вы наблюдательный.

Судя по тону, дед был типом довольно веселым и общительным.

— А зачем тебе моя наблюдательность? — поинтересовался он. — Ищешь, что ли, кого?

— Точно! — Мила подошла к будочке и несмело улыбнулась. — А вы, когда работаете, очень увлекаетесь?

— Ты говори, чего надо, там и видно будет, — ответил дед.

— Недавно сценка тут одна разыгралась, — Мила махнула рукой в сторону лужи. — Проезжало такси на малой скорости, а навстречу — серая иномарка. Водитель иномарки начал гудеть. Тогда такси остановилось, из него вышла красивая девушка. Шофер достал ее чемодан из багажника и поставил его на тротуар.

— Ну? — нетерпеливо спросил дед. — И чего тебя интересует?

— Меня интересует, что дальше было.

— Дальше? — Дед снял очки и поскреб переносицу. — Дальше таксист поехал, а серая машина, вместо того чтобы дождаться, пока путь освободится, въехала прямо в лужу. Проплыла по ней, как корабль — аж пена из-под бортов. Когда шофер из машины вышел, я даже не выдержал, крикнул ему: «Эй, морячок, не боишься утопить свое плавсредство?» Он ведь прямо напротив меня встал, вот тут, у тротуара. Девчонка-то тоже поблизости стояла. Он у нее чемодан взял.

— Она обрадовалась, когда увидела водителя иномарки?

— Да вроде нет. Они даже парой слов не перекинулись. Тот тип вышел — барин барином. Темно-зеленое пальто до полу, шляпа серая. Видно, что богатый, и франт к тому же.

«Орехов! — тут же поняла Мила, узнавшая одежду по описанию. — Итак, именно он увез Вику в тот день. Значит, Леночка на сто процентов права: Орехов в курсе того, как, почему и куда уехали его партнер и секретарша». Подтверждал эту версию и тот факт, что накануне на даче у них был мальчишник, который застала Мила. Судя по всему, вся компания устроила Егорову проводы.

— А дальше что было? — с любопытством поинтересовалась она у старичка, возвращаясь к реальности.

— А что дальше? Дальше ничего. Сели в машину да уехали, — пожал плечами дед. — А зачем ты все это выспрашиваешь?

— Это личное, — ответила Мила, не желая вдаваться в подробности и придумывать для дедушки какую-нибудь ложь. Еще догадается о том, что она лапшу ему на уши вешает, да не на шутку оскорбится. А зачем оскорблять человека, который тебе помог?

— Спасибо вам, — поблагодарила его Мила. — Были бы все такие наблюдательные!

Стоило ей только добраться до дома и ступить на лестничную площадку, как Борис, остававшийся в ее квартире, распахнул дверь.

— Слава богу, что вы вовремя пришли! — воскликнул он.

— А что такое? — заволновалась Мила.

— Во-первых, Вихров считает, что вам необходимо пробраться к Капитолине Захаровне и выкрасть у нее трость.

— Но это же незаконно и не будет считаться уликой! — воскликнула Мила. — Капитолина Захаровна потом запросто отопрется. Скажет, трость нашлась вне дома, она ничего не знает ни про какую кровь! Что другой виноват, тот, кто ее и украл, то есть я!

— Тогда соскоблите немножко крови в пакетик! — тотчас же парировал Борис. — И если она совпадет с кровью Саши Листопадова, к Капитолине Захаровне придут официальные лица.

— Но почему я? — возмутилась Мила. — Вот уж воистину инициатива наказуема. Промолчи я про эти пятна, никто бы меня в стан врага засылать не стал!

— Так уж и врага! — засмущался Борис. — Кстати, я тут все у вас обыскал, как и договорились. Никаких наркотиков, ничего подозрительного, хоть плачь!

В душе Борис был почему-то уверен, что все беды Милы проистекают из-за того, что некто спрятал в ее квартире партию изобретенного дедом Глубоковым наркотика. Потом что-то случилось, и за Милой началась охота. Что конкретно случилось, Борис не придумал.

— Может быть, вы выбросили наркотик и сами не заметили? — приставал он к ней, не желая смириться с поражением. — Сахарный песок, который показался вам слишком старым, или диванную подушечку, на которой потускнела вышивка? Или радиоприемник, который перестал работать, потому что его начинили пакетиками с порошком?

— Ничего я не выбрасывала! — отпиралась Мила, которая не делала настоящей генеральной уборки уже невесть сколько месяцев. — Кстати, вы сказали: во-первых. Во-первых, надо выкрасть трость у Капитолины Захаровны. А во-вторых?

— А во-вторых, — оживился Борис, — сегодня у вашего Гуркина день свиданий.

— Ну и что?

— Вечером он придет сюда.

— Ну и придет, и что? — снова спросила Мила.

— Вы не должны показывать, что в чем-то его подозреваете!

— Я ни в чем его не подозреваю, — отмахнулась Мила. — Я всего лишь хочу знать, зачем он изображает из себя казанскую сироту? Зачем вообще согласился на мое предложение? Возможно, богатая жена не дает ему денег на мелкие расходы, и его это страшно задевает?

— Да-да, хотелось бы выяснить, — поддержал ее возмущение Борис. — Но только не сегодня. Вихров четко предупредил, что сегодня все должно быть как всегда.

— Чего он там мутит, этот ваш Вихров? Обещал ведь держать нас в курсе дела. Но я так и знала, что начнет темнить. Разве прокурорский работник поделится информацией с простым смертным?

— Обещайте, что сегодня не устроите Гуркину скандал!

— Обещаю, — неохотно согласилась Мила. — Надо так надо. И вообще давайте ищите мне пакетик, в который можно соскоблить кровь. Пойду к Капитолине Захаровне.

— Надо вам и лезвие взять, чтобы сподручнее было соскабливать! — засуетился Борис.

— Лезвие? Да вы в своем уме? Для того чтобы научиться незаметно орудовать лезвием, нужно лет десять резать сумочки в троллейбусах. У меня, простите, такой выучки нет.

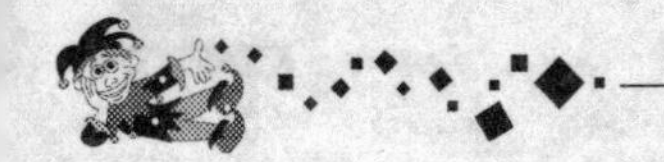

— Тогда просто ногтем! — нашелся Борис.

— Да? — завредничала Мила. — Меня вывернет от страха и отвращения! А потом, не дай бог, если у меня из-под ногтей добудут человеческую кровь и осудят на всю оставшуюся жизнь.

— Но как же? — растерялся Борис. — Надо ведь, чтобы соседка ничего не заметила!

Мила на некоторое время задумалась, потом внезапно ожила:

— Идея! — воскликнула она. — У меня есть накладные ногти. Сейчас приклею себе на указательный палец большой пластмассовый ноготь и буду пользоваться им как скребком.

Она притащила клей и коробочку с фальшивыми ногтями, подобрала нужный, подпилила и, капнув на обратную сторону специальный клей, сильно прижала к поверхности своего ногтя. Через полминуты в ее распоряжении оказался отличный сыщицкий инструмент. Правда, искусственный ноготь был гораздо длиннее остальных Милиных ногтей, на что Борис не преминул указать.

— Подумаешь! Зато он замечательно твердый. Им вообще можно пользоваться как секретным оружием. Запросто проткну кому-нибудь глаз или горло.

Миролюбивый Борис даже побледнел от такого зверства. Мила заметила это и мрачно добавила:

— Шучу.

— А что вы скажете Капитолине Захаровне?

— Да уж найду что сказать! Поинтересуюсь, выбрала ли она цвет, в который окрасит кухню. И вообще — как у нее двигаются дела с ремонтом. Я ведь заплатила ей. Отдала почти все, что у меня осталось от той выручки за мою чудесную мазь. Кстати, вы ею пользовались? — с любопытством спросила она у Бориса. — Все говорят, что это просто панацея, а не мазь

— Вам пора идти, — проигнорировал Борис ее вопрос. — До Гуркина уже мало времени осталось.

— Мало? Что вы врете? Времени еще вагон!

Тем не менее она накинула кофточку и поплелась на лестницу.

— Закройте за мной! — велела она Борису, будто бы он уже попал к ней в услужение. — А пакетик-то, пакетик!

Зажав пакетик в кулаке, она позвонила в дверь соседки.

— Кто там? — спросил прозрачный голосок медсестры Жанны.

— Это Людмила Лютикова, соседка сверху, — ответила Мила, переминаясь с ноги на ногу. — Мне бы с Капитолиной Захаровной переброситься парой слов!

Жанна открыла дверь и впустила ее в коридор.

— Сейчас я ее предупрежу о вашем приходе, — улыбнулась медсестра. — Подождите минутку.

Мила была и рада подождать минутку. Ей хотелось внимательно осмотреться. Вдруг трость поставили, допустим, под вешалку? Тогда рукоятку можно было бы раскорябать без свидетелей. Однако ей не повезло, и трости в коридоре не оказалось.

— Где ты там, радость моя? — раздался между тем из комнаты громовой голос Капитолины Захаровны. — Заходи скорее!

Мила вошла и сразу же увидела трость. Та стояла возле кровати, прислоненная к стене. Насколько Мила могла судить, рукоятку никто не чистил. «Если это кровь, то ни Капитолина Захаровна, ни Жанна, конечно, об этом не знают. Иначе кто-то из них давно бы ликвидировал следы».

Однако раз она обещала принести пакетик — принесет. Правда, сделать это оказалось нелегко. Капитолина Захаровна усадила ее на стул и принялась говорить и говорить, с такой непрерывностью, будто накануне

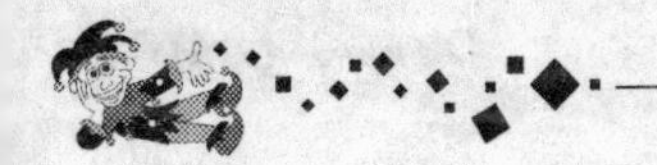

проглотила радио. Слова шли часто, но в целом речь была плавной, и Мила почувствовала, что еще немного — и она начнет клевать носом. Чтобы этого не случилось, Мила принялась щипать себя за коленку.

— Капитолина Захаровна! — наконец не выдержала она. — Извините, что перебиваю, но мне на минуточку нужно в туалет. Можно, я воспользуюсь вашим? У меня что-то так нога заболела, просто сил нет подняться к себе.

— Конечно, Милочка! — пробасила старуха, взмахнув великанской рукой. — Пользуйтесь!

— Ой-ой! — запричитала Мила, встав со стула и припадая на правую ногу. — Как больно! Просто не знаю, что и придумать. Можно, Капитолина Захаровна, я вашу трость возьму?

— Конечно, берите! — разрешила хозяйка и потянулась за тростью, чтобы подать ее Миле.

И тут она увидела пятна на рукоятке.

— Ой! — сказала она смущенно. — Рукоятка в чем-то испачкалась! Подождите, я протру!

— Да что вы, Капитолина Захаровна! — закричала Мила таким тоном, словно ее оскорбили до глубины души. — Разве это грязь? Это так, сущая ерунда!

Она подскочила к кровати, совершенно забыв о «больной» ноге и выхватила у старухи из рук носовой платок, которым та уже вознамерилась оттереть пятна. Опершись на палку, Мила захромала в туалет. Там, закрывшись на задвижку, она начала соскребать бурое вещество, превращавшееся в пыль и аккуратно падавшее в пакетик.

И вот миссия ее уже была выполнена, а Капитолина Захаровна снова принялась за старое — она говорила и говорила, как будто бы Мила зашла специально, чтобы посидеть напротив нее в качестве безмолвной болванки. Мила отключилась, не закрывая глаз, и стала внезапно валиться на бок.

— Дорогая, что с тобой? — воскликнула Капитолина Захаровна. Мила подумала, что, окажись ее соседка на месте Шехерезады, падишах застрелился бы сам еще задолго до окончания тысячи первой ночи. Потому что старухины рассказы были нудными и касались только ее и ее родственников. Опутанная именами и родственными связями, Мила едва не свалилась без чувств на пол.

— Может быть, попросить, чтобы Жанночка сделала тебе укольчик со снотворным? Поспишь, проснешься свеженькая, как младенец!

— Да нет, не нужно, — отказалась Мила. — Я лучше водочки хряпну. Говорят, отлично помогает заснуть. Впрочем, что там — говорят! Я на собственном опыте уже проверяла.

— Если выпить много, то конечно! Я, бывало, глотну пару стаканов — сплю, словно сурок. Одно плохо — утром голова болит. Так что если тебе с утра дела делать, лучше укольчик.

— Я, пожалуй, вообще без снотворного обойдусь, — решила Мила. — Сейчас поднимусь к себе, сосну часочек...

Она попятилась к двери, надеясь, что старуха не остановит ее очередной побасенкой, которых у нее в арсенале было видимо-невидимо.

Борис тем временем весь извелся от нетерпения.

— Что, не удавалось завладеть тростью? — спросил он, как только за Милой закрылась дверь.

— Это было самой легкой частью задания. Сложнее всего — отвязаться от Капитолины Захаровны и уйти.

— Сказала бы, что у тебя живот заболел!

— У меня уже нога заболела. И потом я захотела спать. Если еще и живот — вообще анекдот бы получился.

Едва Мила отошла от двери, как за ней объявились гости. Звонок тренькнул два раза, словно кто-то пода-

вал сигнал. Мила посмотрела в глазок и увидела двух мужчин в рабочих комбинезонах.

— Вы ко мне? — спросила она удивленно.

— Нас Вихров прислал, — понизив голос, сказал один.

— Открывайте скорее! — забеспокоился Борис. — А то скоро Гуркин придет. Будет плохо, если он застанет здесь незнакомцев.

— Мне мешочек от Капитолины Захаровны им отдать? — внезапно спохватилась Мила. — Или Вихров сам за ним явится?

— Сам, сам! — прошипел Борис.

Дядьки в комбинезонах тем временем зашли в комнату. Не обращая никакого внимания на Милу и Бориса, они расковыряли плинтус и лазили под потолок, чтобы обследовать кромку обоев.

— Что это они делают? — шепотом спросила Мила.

— Я не знаю, — пожал плечами Борис. — Вероятно, что-то важное и секретное. По крайней мере, Гуркин об этом знать не должен.

Когда люди Вихрова собрались уходить, Борис тоже засуетился.

— Я буду наверху, — пообещал он. — Если что — кричите что есть мочи.

— Пока еще у меня есть овчарка, не забыли?

— А что овчарка? Овчарку можно того...

Оставшись одна, Мила начала изводить себя мыслями о Татьяне и через некоторое время поняла, что ей необходимо чем-то заняться. Впрочем, до прихода Гуркина оставалось совсем немного времени. Она и глазом не успела моргнуть, как он очутился на пороге.

— Здравствуй, Тыквочка! — радостно сказал Гуркин и протянул ей целлофановый пакет. В пакете обнаружилось грамм двести польских леденцов «Зебра». — Это тебе, — смущенно добавил тот и стал снимать верхнюю одежду.

«Может быть, жена и в самом деле обеспечивает его всем необходимым, но денег не дает? — подумала Мила. — А как же тогда его научная работа? Она ведь не совсем бесплатная. На карманные расходы зарплаты должно было бы хватать». Пока Гуркин копошился в ванной комнате, умывая лицо и руки, Мила бестрепетно обыскала его одежду, но не нашла ровным счетом ничего подозрительного. Тогда, махнув на него рукой, она отправилась готовить пищу, а заодно замочила в тазике кухонные полотенца.

«Если типы, подосланные Вихровым, наставили здесь аппаратуры, она все равно ничего им не покажет, кроме дремлющего Гуркина», — думала Мила, проходя мимо дивана, с которого доносилось мерное посапывание. Проснувшись, Гуркин пообещал, что явится по распорядку — послезавтра. Короче говоря, эпизод с его приходом и отбыванием положенных часов в квартире оказался скучным и неинтересным.

Зато после его ухода стало весело. В двенадцатом часу ночи, когда Мила наконец развесила белье и наелась жареной курицы, в дверь застучали. Стучали так мощно, будто пришли с карательной функцией. Мила, уставшая за последние дни чего бы то ни было бояться, все равно испугалась. Каково же было ее изумление, когда по ту сторону двери обнаружилась пьяная в сосиску Гулливерша Лариса.

— Я пр-шла ск-зать, — сообщила она, качаясь, словно корабельная мачта во время шторма, — что Орехов снова меня обм-нул! У него два увлечения одн-временно: я и Леночка!

— А я-то тут при чем? — рассердилась Мила и даже голос повысила, потому что считала это безобразием: успокаивать пьяных любовниц почти бывшего мужа.

— П-сти меня! — попросила Лариса, и из ее глаз потекли обильные слезы.

— Пусти или прости?

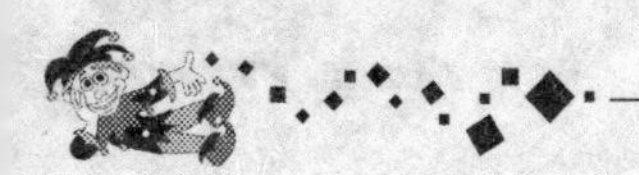

— И прости и пусти, — выговорила та, перешагивая через порог и отталкивая Милу к стене широким жестом.

Муха, не любившая пьяных, тихонько зарычала.

— Собачка! — радостно воскликнула Лариса и, присев на корточки, позвала: — Цып-цып-цып!

— Боже мой, разувайся и входи, — сказала недовольная Мила. — И не дразни овчарку, а то она откусит тебе язык.

Лариса, впрочем, этому не поверила и, встав на четвереньки, взяла Муху за уши и поцеловала в нос.

— Какая ты славная!

Муха возмущенно фыркнула.

— Лариса, это ведь не Трезор! — возмутилась Мила. — Пойдем на кухню, я тебя кофе напою. Самое то, что тебе сейчас надо.

— Орехов, п-длец, сегодня с ней, — снова заплакала Лариса, очутившись на табуретке у окна. — Мне он, конечно, сказал, что у него дела, новое производство... Знаю я это производство! Интересно, чем он в своем сарае на самом деле з-нимается?

— Он перерабатывает куриный помет, — сообщила Мила. — Куры гадя́т, а он наживается.

— Так ты в Горелово меня за этим п-тащила? — икнув, спросила Лариса. — Я ж не дура, поняла, что у тебя собственные интересы... Кстати, ты там чего-нибудь н-шла?

— Того, что искала, нет, — честно ответила Мила, искренне надеясь, что Лариса не имеет никакого отношения к покушениям на нее.

— А чего ты искала? — Лариса отхлебнула полкружки кофе зараз и обожгла язык.

— Таблетки или порошок, — коротко ответила Мила и добавила: — Что-нибудь нетипичное. Может быть, даже удивительное.

Лариса высунула язык, немножко подышала, страшно заинтересовав Муху своим поведением, потом неожиданно сообщила:

— Недавно в здании, где находится офис фирмы тв-го мужа, проводились антитеррористические учения. — Слово «антитеррористические» она выговаривала минут пять. — Завыла сирена, всех построили и начали выводить. А я там в приемной журнал ч-тала. Так Володя Мешков сразу заметался да и спрашивает Орехова: куда девать те две коробки, за которыми мне, мол, поручили надзирать? А Орехов отвечает: «С собой возьми. И вообще, раз клиенты задерживают выплаты, отвези их к себе на дачу. Только поставь в хорошее место, чтобы ничего не отсырело». М-шков коробки стал выносить, так там что-то гремело... пластмассовое. Как пузырьки с витаминами.

— А что за коробки-то? — спросила Мила как бы между прочим, не желая показывать, что она невероятно заинтересовалась сообщением.

— Такие две хорошенькие короб-чки, обмотанные крест-накрест желтой липучей лентой.

«Если сейчас спросить, где находится дача Володи Мешкова, Лариса, пожалуй, заложит меня Орехову, — подумала Мила. — Но как интересно! Может быть, в тех двух коробках и находится «невидимка»? Впрочем, даже если это так, я все равно не понимаю, за что меня хотят убить. Надо наконец раскрутить это темное дело».

Пока Лариса наливалась кофе, Милу просто распирало от нетерпения. Ее бы воля, она тотчас бы отправилась на дачу шофера Володи и, ни на секунду не задумываясь, взломала бы ее. В конце концов, что ей могут сделать? Она доведена до отчаяния!

— Послушай, а ты в курсе, какое у Мешкова отчество?

— Иванович! — заплетающимся языком сообщила Лариса. — А тебе зачем?

Мила не стала говорить, зачем ей. Хотя в голове ее родился простой до примитивности план, который должен был безошибочно привести ее на дачу шофера Володи.

Лариса тем временем, вместо того чтобы взбодриться от кофе, раскисла окончательно.

— Я п-звонила Илье, — захлюпала она, — а Ленка трубку схватила. Я слышу, тот на нее шипит: «Зачем ты к телефону подходишь, не надо тебе этого делать!», а она только хохочет. Как мне т-перь жить?!

— Господи, да просто выцарапай ей глаза! — посоветовала Мила. — Ты вон какая здоровая! Справишься с ней одной левой. Поезжай к Орехову и выкинь ее на улицу. С лестницы спусти! Мне ли тебя учить, деточка! Ты такая красивая, длинноногая, Леночка Егорова — просто драная кошка по сравнению с тобой.

— Д-маешь?

— Думаю, — кивнула Мила, а про себя удивилась: «У Орехова что, кризис среднего возраста? Зачем ему одновременно две женщины? При таких-то рабочих нагрузках?»

Лариса между тем собралась ехать к Орехову домой, выбрасывать Леночку на улицу. Мила не стала ее задерживать. Чего доброго, так незаметно-незаметно, вотрется в доверие, станет подругой...

Закрыв дверь за воинственно настроенной Ларисой, Мила переоделась в пижаму и сняла с полки книгу. В этот момент снова позвонили в дверь. Часы говорили, что на улице ночь, об этом же свидетельствовала темнота за окном. Муха повела себя нетипично. Она принялась лаять и скакать, словно глотнула веселящего газа. Когда Мила помедлила возле двери, она принялась вертеться волчком и скрести передними лапами дерматин.

Только заглянув в глазок, Мила поняла, что случилось. На лестничной площадке приплясывал от нетерпения Гаврик, который прибежал за своей собакой прямо с чемоданом. «Ну, вот, — подумала Мила. — Я снова остаюсь одна в четырех стенах!» Впрочем, наверху коротал одинокую ночь Борис Глубоков. Интересно, как бедная Ася все это терпит? Да... Нелегко быть женой человека, у которого доход выше, чем у рядовых граждан. Состоятельные мужчины за благосостояние требуют от жен так много! И понимания, и всепрощения, и, и, и...

Когда Мила засыпала с книжкой на животе и приглушенным светом, ей повсюду мерещились наставленные на нее электронные глаза, которые, возможно, приладили где-нибудь в укромных местах люди следователя Вихрова. Сам Вихров не подавал о себе никаких вестей, но Мила почему-то была уверена, что он все равно держит руку на пульсе событий.

29

Мила не знала, есть ли у Володи Мешкова определитель номера, поэтому позвонить ему решила из телефона-автомата. Было шесть тридцать утра. Мила стояла возле магазина под колпаком телефона-автомата и держала в руке старую семейную записную книжку. Позади нее зевал за рулем шофер, который согласился везти ее туда, куда она скажет.

От автомата отлично просматривался подъезд Мешкова, так что Мила не боялась упустить его из виду. Знала она «в лицо» и его личный старенький автомобиль густо-малинового цвета, который торчал неподалеку, под открытым небом, ткнувшись носом в тротуар.

Прикрыв сложенным вчетверо носовым платком трубку, Мила аккуратно набрала номер и морально приготовилась.

— Алло! — ответил ей, как она и рассчитывала, заспанный голос шофера. — Кто говорит?

— Это соседи по даче! — крикнула Мила, отставив заложенную носовым платком трубку подальше от

губ. — У вас тут пожар, Владимир Иванович, приезжайте скорее! Пожарных мы вызвали, но дом еще пылает!

После этого Мила оборвала связь, аккуратно положила трубку на рычаг и, достав телефонную карту из запиликавшего автомата, уселась на переднее сиденье рядом с шофером.

— Сейчас из вон того подъезда выскочит заспанный мужчина, — предупредила она. — Он сядет вон в ту малиновую машину. Мы должны не упускать его из виду. Куда он — туда и мы. Постарайтесь не нарушать правил, чтобы нас не остановила дорожная милиция.

— Муж, что ли? — не удержался и полюбопытствовал водитель, коротко глянув на Милу.

— Клиент, — ответила та, не желая вдаваться в подробности. Пусть думает, что хочет! Она может быть частной сыщицей, адвокатом, да мало ли!

Володя Мешков через минуту буквально выпрыгнул из подъезда. Он действительно выглядел не лучшим образом, был небрит и нечесан. Зато водил машину он божественно, и Мила со своим шофером несколько раз едва не потеряли его из виду.

— Лихачит! — то и дело повторял водитель, совершая рискованный обгон. — Ох, лихачит! Мне такая езда не очень по душе.

— Ладно-ладно, — отмахивалась Мила. — Отблагодарю, только не отставай.

Минут через сорок дача Мешкова была обнаружена. Еще издали увидев, что дом его цел и невредим, Володя сбавил скорость и начал крутить головой по сторонам, пытаясь, вероятно, понять, что произошло и нет ли где следов пожара.

— Тормозни, чтобы он нас не засек, — попросила Мила. — И подождем немножко, хорошо?

Они подождали, пока Мешков вошел в дом. Пробыл он там не меньше четверти часа. Мила даже рассердилась. Что он там делает в такую рань? Убедился, что имущество в целости и сохранности — дуй домой. Тебе же еще на работу, разве не так?

Ее нетерпение было вполне объяснимо. Мила хорошо разглядела, где Мешков хранил ключ от входной двери — под крыльцом. Он наклонился и шарил там рукой с правой стороны, а потом, когда выпрямился, заветный ключик с колечком уже покачивался у него на пальце.

— Пожалуй, сейчас этот парень поедет обратно, — предупредил Милу шофер, понимавший, что они с ней сидят вроде как в засаде.

— Тогда давайте что-нибудь предпримем! — потребовала та.

Шофер задним ходом вырулил с проселка обратно на шоссе и встал на обочине. Потом вышел из машины, открыл багажник и засунул туда голову, посоветовав Миле:

— Когда этот тип будет проезжать мимо, просто пригнитесь.

Володя Мешков стоявшим на обочине автомобилем не заинтересовался и взял курс обратно на Москву.

— Вы можете меня подождать? — поинтересовалась Мила, которую просто распирало желание вскрыть домик под жестяной крышей. Домик стоял в саду, и, хотя в эту пору деревья были голыми, сразу чувствовалось, насколько тут зелено летом.

— Заплатите за путь, который мы уже проехали, с премией, как обещали. Да еще аванс пятьдесят рублей за обратную дорогу, тогда подожду.

— Какие люди все стали недоверчивые, — пробормотала Мила, раскошеливаясь.

Когда она выбралась на проселок, то мгновенно испугалась. Действительно, чтобы ее пристрелить, место было просто идеальное. Никто не увидит, не услышит и не вызовет милицию. Она постаралась победить страх,

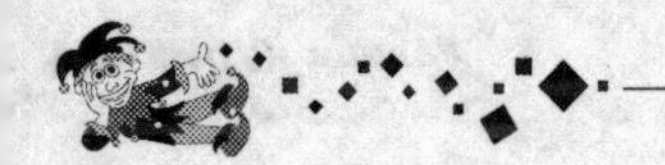

потому что знала, что, если впадет в панику, ей же будет хуже.

Первое потрясение поджидало ее у дома Мешкова — ключа под крыльцом не оказалось. Но Мила была абсолютно уверена, что Володя доставал его именно оттуда. Неужели он о чем-то догадался и, уезжая, забрал его с собой? Разочарованная, но не побежденная, Мила решила обследовать дверь и окна на предмет возможного взлома. Однако тут ее поджидало второе разочарование: окна были зарешечены, а дверь укреплена. Она выглядела надежной, словно бастион.

Замерев в задумчивости, Мила внезапно услышала какие-то странные звуки, доносившиеся непонятно откуда. Вроде из дома, но точно она сказать бы не смогла. Дважды обошла она вокруг строения, но так и не пришла ни к какому выводу. Звуки же между тем прекратились, и сколько Мила ни вслушивалась, ничего подозрительного больше не услышала.

— Вы что там делаете? — внезапно спросил кто-то прямо у нее за спиной.

Мила коротко вскрикнула и обернулась настолько резко, что стоявший позади человек непроизвольно отшатнулся. Это был пенсионер в плотной брезентовой куртке и кепке защитного цвета. У него было грубое лицо с подозрительными маленькими глазками, застрявшими в глубоких морщинах, которые он нажил лет эдак за семьдесят своей жизни.

— Добрый день, — сказала Мила, очухавшись. Своей демонстративной вежливостью она хотела подчеркнуть, что является человеком интеллигентным и воспитанным. Что она не какая-то там шваль, слоняющаяся по полупустым дачным поселкам в поисках поживы. — Как вы меня напугали!

— Здравствуйте! — тут же перешел на мирный тон дядька. — А я смотрю из окна: вы все ходите вокруг, да ходите...

— Я по делу к Мешкову Владимиру Ивановичу, — деловым тоном сообщила Мила. — Он должен был подъехать.

— Не застали вы его! — сокрушенно сказал дядька. — Минут десять как уехал.

— Надо же! — запричитала Мила. — Какая жалость! Я, собственно, поняла, что в доме никого. А потом слышу — словно возится кто-то. Вот я и стала ходить вокруг, прислушиваться.

— Там у Володи мать, — понизив голос, сказал пенсионер. — Она слегка не в себе, он ее на ключ запирает.

— Вы с ней знакомы? — тут же спросила дотошная Мила.

— Как с больным человеком познакомишься?

— Что же, она даже погулять не выходит?

— Старая она, — пожал плечами пенсионер. — Но я ее через окно часто вижу, она чай пьет из блюдечка, вот так.

Дядька показал, как мать Мешкова держит блюдечко, растопырив пальцы.

— Что ж, — сказала Мила, раздосадованная неудачей. — Придется уходить несолоно хлебавши.

Про себя она подумала, что из-за дурацкой матери в дом влезть не удастся. А она уже была готова к криминальному проникновению! По счастью, ее шофер никуда не делся: он ждал ее, почитывая газету, и очень оживился, когда его пассажирка вновь плюхнулась на сиденье.

Ехать Мила решила к Ольге. От нее первым делом она позвонила в больницу, узнать, как дела у Татьяны. Подруга боролась за жизнь, и врачи радовались уже тому, что не наступает ухудшения. Улучшений, однако, тоже пока не наблюдалось. Мила была благодарна бывшему мужу Татьяны за то, что он взял на себя заботу о ребенке и Татьяниной матери. Ей очень не хотелось сейчас крутиться возле них. Ведь именно она явилась причиной несчастья. Татьяна ей не простит, если она навлечет неприятности и на ее семью.

Положив трубку, Мила обратила внимание на то, до чего Ольга хмурая. Вернее, она обратила на это внимание, как только приехала, но сначала подумала, будто это из-за Татьяны. Теперь же почувствовала, что дело в чем-то другом. Ольга была нетипично задумчива и немногословна. Подобные метаморфозы происходили с ней только в одном случае — если у нее что-то не ладилось с очередным мужем.

— А где Николай? — забросила удочку Мила.

— Уехал присматривать себе лыжи, — неохотно ответила та. — Скоро начинается лыжный сезон.

— А тебе лыжи? — спросила Мила. — Не собирается же он кататься один?

— Милка, послушай! Сядь. У меня возникли ужасные подозрения.

— Он тебе изменяет, — уверенно заявила Мила.

— Не знаю, что он там делает, но у него откуда-то появились деньги.

— Как откуда? Ты же сама говорила про грандиозные планы, гениальные проекты, спонсоров...

— Пока что ничего этого нет, но денег у него в настоящий момент тьма. И они не мои. То есть не наши общие.

— Я давно тебе хотела сказать кое-что, — начала Мила, которая считала, что ей больше нечего терять. — Мне кажется, что Николай и есть тот самый человек, который торгует наркотиками, изобретенными дедушкой Глубоковым.

Выпалив все это на одном дыхании, Мила замерла, ожидая, что сейчас последует взрыв эмоций.

— Николай? Наркотиками? — насмешливо и вполне миролюбиво переспросила Ольга. — Да ведь он трусишка! И страшно боится любой ответственности. Все серьезные дела всегда решаю я!

— Взяла на себя роль мамочки?

— Это не твое дело, — гордо ответила та. — Скажи лучше, как тебе пришла в голову такая идея?

— А вот как, — ответила Мила и поднялась. — Пойдем-ка в коридор.

Отворив дверцы, Мила извлекла из-за старой шапки флакон с таблетками и потрясла им перед носом сестры.

— Смотри, что употребляет твой Николай! По утрам он выходит в коридор, достает таблетку, глотает и как ни в чем не бывало возвращается обратно. Ну? Как тебе это?

Лицо Ольги вытянулось, сделавшись похожим на резиновую маску, которую кто-то сильно потянул за подбородок. Мила полагала, будто ее поразил тот факт, что Николай скрывает от всех употребление чего-то недозволенного, однако Ольга потрясла ее, когда воскликнула:

— Боже мой, так ты действительно в него влюбилась! Ты следишь за ним, когда он разгуливает по коридору в нижнем белье! Так вот почему ты в последнее время зачастила ночевать у нас! И потом: ты с ним целовалась! Думаешь, я забыла?!

— Ольга, остановись! — рассердилась Мила. — Я тебе толкую про наркотики! Пытаюсь объяснить, откуда у твоего мужа появились деньги!

Ольга тут же остыла и растерянно посмотрела на пузырек, который держала в руке.

— Может быть, он болен? — с дрожью в голосе спросила она. — И не хочет мне признаваться, чтобы не расстраивать? Несет эту ношу один, как настоящий мужчина?

— Ты же говорила, что у тебя есть копия его медицинской карты, — с ехидцей заметила Мила. — Врачи наверняка считают, что он здоров, как жеребец.

— Действительно, — пробормотала Ольга. — Тогда что это?

— Скоро мы это выясним! Я отдала полтаблетки Борису на экспертизу. Результатов еще нет, но, думаю, он все выяснит со дня на день.

— Почему именно полтаблетки? — растерянно спросила Ольга.

— Потому что вторую половину съела Муха.

— Ну? — нетерпеливо воскликнула та. — И что?

— Она не рассказывала, — мрачно ответила Мила. — Однако некоторое время в ее поведении наблюдались явные отклонения.

— Не представляю, зачем Николаю глотать какие-то там таблетки. — Ольга схватилась пальцами за виски. — И почему на этом странном пузырьке нет этикетки?

— Я же говорю: это наверняка наркотики!

— Подожди-подожди! Что-то я не пойму. Ты ведь подозревала Орехова?

— Ну... да... — неуверенно ответила Мила. — Орехова я и сейчас подозреваю. — Она оживилась: — Эх, да что там! Я всех подозреваю!

— Надеюсь, меня нет в твоем черном списке? — осторожно поинтересовалась Ольга.

— В нем вообще нет женщин. Кстати, зря. Надо этот вопрос срочно провентилировать.

— Когда Николай придет с лыжами... — начала Ольга.

— Ты промолчишь и сделаешь вид, что ничего не случилось, — тут же парировала Мила. — Кстати, как ты узнала про свалившееся на него богатство?

— Как?! Он такой дурачок, что не удержался и сразу стал покупать дорогие вещи: купил себе швейцарские часы, штучный костюм, дюжину рубашек, какие носят миллионеры...

— А обещал купить тебе шубу и машину, — выпалила Мила.

— Да ведь это нелегальные деньги! — закричала Ольга. — Поэтому-то он и боится мне о них говорить. А уж тем более тратить их на меня.

— Мне кажется, ты заблуждаешься. Ты вполне можешь задать ему вопрос о тех покупках, которые он делает для себя, любимого. Спроси, спроси у него: «Откуда ты, дорогой Николаша, берешь бабки на лыжи, на костюмы, на галстуки?..» Хоть что-то он тебе соврет.

— А зачем мне враки? Мне правда нужна.

— Если тебе нужна правда, — жестко сказала Мила, — тогда сиди молча и жди, покуда следователь прокуратуры не сделает отмашку.

— Ладно, — согласилась Ольга. — Обещаю молчать. — Она тут же перешла на жалостливый тон: — Ой, но как это будет трудно! Жить с человеком, подозревая его страшное дело в чем... — Неожиданно глаза ее округлились: — Мила! — воскликнула она испуганно. — Что, если этот мой брак тоже потерпит фиаско?

— Хочешь пятого мужа? — подковырнула ее та. — Подожди мечтать, сначала надо с четвертым разобраться. Кстати, а почему ты сразу не спросила его в лоб, откуда у него деньги?

— Не хотела видеть, как он врет, — коротко ответила Ольга.

— Кажется, твой второй муж тоже все время врал.

— Сравнила! Тогда я была молода и переносила вранье легко, потому что не боялась остаться в одиночестве, если вдруг что-то не задастся.

— После того как ты сделала подтяжку лица, одиночество тебе не грозит, — грубо подольстилась к ней Мила.

Настроение Ольги мгновенно поднялось на несколько градусов. Она раскрыла рот, чтобы сказать что-то оптимистичное, но ее перебил телефонный звонок.

— Это Глубоков, — шепотом сообщила она Миле, предавая ей трубку после короткого обмена любезностями с ним.

— Который? — спросила Мила, почувствовав, что сердце ее подпрыгнуло в ожидании приятного сюрпри-

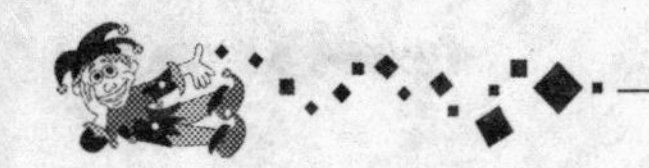

за. Что, если Константин выписался из больницы и спешит взять ее под свою защиту?

— Борис! — не оправдала ее надежд сестрица.

Мила разочарованно взяла трубку.

— Борис? — спросила она. — Почему вы ищете меня здесь? Что-то случилось?

— Дедушка в Швейцарии пришел в себя.

— Поздравляю! — искренне обрадовалась Мила.

— Но он ничего не помнит, — добавил Борис.

— Тогда беру свои поздравления назад. Выходит, и дедушке не лучше, и что он изобрел, и кому это продал, так и остается загадкой.

— Звонил Вихров и сообщил, что завтра вечером закончится первая часть его расследования.

— Как это? — опешила Мила. — Значит, он уже что-то выяснил?

— Похоже на то.

— Почему же мы до сих пор блуждаем в потемках?

— Возможно, ему необходимо довести дело до логического конца. А мы способны здорово помешать.

— Мешать — удел зависимых и несамостоятельных. А мы, насколько я могу судить, свободолюбивы и активны.

— Поэтому нам и велено сидеть и ничего не портить.

— Кстати, можете не волноваться: ночь я проведу в доме родителей.

— Будешь следить за Николаем? — шепотом спросила Ольга.

— Да еще, Борис! — оживилась Мила. — Как там с половинкой таблетки?

— Результат будет завтра, — поспешно ответил тот. — А что, появились еще какие-то подозрения по поводу Николая?

— У него внезапно появились деньги.

— Может быть, он нашел богатую любовницу? — тут же предположил тот.

— У него ведь молодая жена! — отринула это предположение Мила.

— Не молодая, а новая, — поправил ее Борис.

— Деньги можно объяснить только еще более старой любовницей! — не согласилась та. — Молодая финтифлюшка не станет платить мужику за секс. Она еще и его заставит раскошелиться.

— О чем вы говорите?! — рассвирепела Ольга. — О моем Николае? Следователю удалось узнать о его любовнице?!

— Успокойся, — прикрикнула на нее Мила, положив трубку на место. — Следователь не занимается постельными делами. А слова Бориса не бери в голову.

— А что это были за слова?

— Про возможное наличие любовниц.

— Думаю, любовниц никаких нет, — рассудительно сказала Ольга. — В противном случае мой муж вряд ли начал бы свои покупки с лыж, не правда ли?

— Ты всегда была мудрой, — похвалила ее Мила. — А чистое постельное белье у тебя есть?

30

Мила понятия не имела, чем занять себя утром. Днем ей надлежало возвратиться домой, чтобы встретить Гуркина. Вечером Борис обещал результаты экспертизы таблеток, которые глотает Николай, рассказ Вихрова о первом этапе расследования и живого-невредимого Константина прямо из больницы. Мила не знала, что из перечисленного волнует ее больше всего.

Так или иначе, но начало дня прошло в ничегонеделании. Чтобы отвлечься от нетерпеливых мыслей, Мила включила телевизор, но утром по всем каналам шли се-

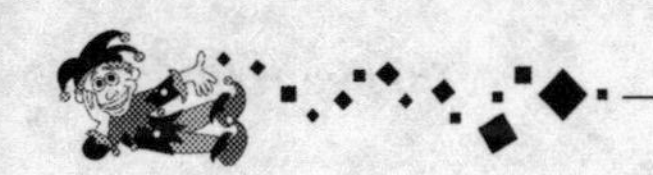

риалы, где на одну ослепительно красивую латиноамериканскую или бразильскую девушку приходилось пять-шесть черных густобровых теток с огромными зубами. А все герои-любовники как один оказывались толстыми или, по крайней мере, чрезмерно упитанными. Кроме того, любой пустяк обсасывался по десять-двадцать минут. Герои испытывали чисто детские эмоции, любя и страдая. Мила телевизор выключила.

«Надо бы позвонить Орехову, — внезапно подумала она, — и узнать, как продвигается следствие по делу о покушении на Татьяну». Кроме того, ужасно хотелось выяснить, чем закончился поход пьяной Гулливерши Ларисы за скальпом Леночки Егоровой. Однако она решила, что до вечера не стоит совершать поступков, не одобренных Вихровым. Поэтому звонить никуда не стала, а заказала по телефону такси и отправилась восвояси.

— Привет, Тыквочка! — заявил Гуркин еще из-за двери.

Мила, которая обычно не обращала особого внимания на его дурашливое приветствие, на этот раз почему-то страшно раздражилась.

— Привет, — ответила она, впуская его в коридор. — Что, пришел с мыслью подремать на диване?

— Нет-нет, я сегодня ни капельки не устал, — испугался Гуркин и потер глаза кулаками. Было ясно, что он врет и хочет, чтобы Мила это заметила.

— Бедняжка, ты, наверное, всю ночь писал формулы! — пожалела она его таким тоном, каким любвеобильные бабушки разговаривают с избалованными внуками.

Мила планировала провести в квартире вдвоем с Гуркиным несколько скучных часов, но на этот раз ничего не получилось. Едва только «аспирант» накрылся пледом, квартира огласилась трелью звонка. Звонили длинно и настойчиво. «Может быть, это Костик?» — с надеждой подумала Мила, вылетая в коридор.

Однако это был далеко не Костик, а Ольга под руку с Николаем.

— Я что-то у вас забыла? — простодушно спросила Мила, не предлагая родственникам войти.

— Нет-нет, — ответила Ольга. — Мы совсем по другому делу!

— Решили забрать свой диван?

— Мы ведь его тебе подарили, — оскорбилась та.

— Да-да, теперь у меня в комнате мало места. Кроме дивана, еще и коробка, которую некому вынести на улицу.

— Так ты собираешься нас впустить?

— У меня Гуркин, — предупредила их Мила.

— Мы ему не помешаем, — обнадежила Ольга.

Пропихнув хмурого Николая по коридору в сторону кухни, она трагическим шепотом заявила:

— Я привела его на допрос.

— Ко мне?!

— А что? Он тебя уважает...

— Ольга, прекрати свои штучки! Если хочешь прижать мужа к ногтю и узнать о нем кое-что, что он не собирается афишировать, то сделай это сама!

— В последнее время я тебя не узнаю, — обиделась та. — Раньше ты не была такой вредной.

— Раньше в моей жизни и проблемы были другого масштаба.

— Ну что ж, — надулась Ольга. — Тогда хотя бы напои нас чаем. Мы постараемся прихлебывать тихо, чтобы не разбудить твоего любовника.

Она задрала подбородок и тоже удалилась на кухню.

— Тыквочка, у тебя что, гости? — спросил Гуркин, суетливо поднимаясь с дивана. — Надо поздороваться?

— Это всего лишь Ольга с Николаем. Потом поздороваешься.

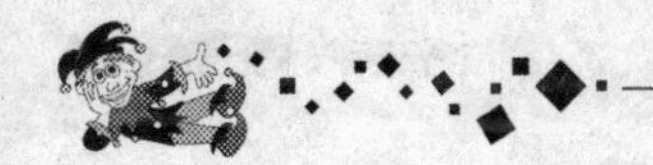

Гуркин, отлежав положенное по устному контракту время, зашел показаться Милиным родственникам.

— Здравствуйте! — поздоровался он, всунув голову в кухню. — Впрочем, сразу надо прощаться.

— До свидания! — нагло сказал Николай.

Ольга была более дружелюбна.

— Пока! — крикнула она. — Веселого тебе вечера!

Мила давно обратила внимание, что ее сестрица в состоянии накаркать что угодно. Не прошло и пяти минут после того, как за Гуркиным закрылась дверь, как началось веселье: в подъезде раздался шум отчаянной драки, мужские крики и топот ног, сопровождаемый отборными ругательствами.

— Не ходи туда! — заволновалась Ольга, схватив Николая за рукав, как будто он сделал попытку подняться. На самом деле такую попытку предприняла Мила. После пары минут внезапно установившейся тишины она проследовала в коридор и припала к глазку.

На лестничной площадке стоял взмыленный Вихров с рукой, вытянутой в сторону звонка. Мила упредила его, распахнув дверь на полную катушку.

— А мы вас ждем! — сказала она оживленно. — Знаете, кто на лестнице шумел?

— Еще бы ему не знать! — встрял Борис, появившийся сверху. — Следователь Вихров вместе с сотрудниками правоохранительных органов только что совершил задержание преступника Андрея Гуркина, взяв его с поличным при передаче ему наркотиков.

— В моем подъезде? — глупо переспросила Мила. — Преступник Гуркин? О чем вообще вы говорите?

— Можно войти? — вместо ответа спросил Вихров и шагнул внутрь, заставив Милу посторониться.

В этот момент в квартире зазвонил телефон, и Мила, стоявшая поблизости от аппарата, сразу же схватила трубку.

— Милочка? Это Илья, — сказал Орехов скучным

голосом. — Это ты натравила Ларису на Леночку Егорову? Знаешь, что они устроили у меня дома?

— Не знаю и знать не хочу! — честно ответила Мила.

— А я хочу, чтобы ты знала! — уперся Илья.

— Слушай, мне некогда, у меня тут следователь прокуратуры.

— По поводу Татьяны?

— Нет, другой. Этот охотится за наркодельцами.

— Но при чем здесь ты?

— Орехов, ты или свинья, или склеротик! — рассвирепела Мила. — Я тебе сто раз объясняла: меня хотят убить. Так что пока, пишите письма!

Она швырнула трубку на место и широким жестом показала Вихрову, куда идти. Борис потопал следом.

— Гуркина арестовали! — врываясь впереди них на кухню, сообщила Мила родственникам. — Знакомьтесь: следователь прокуратуры Вихров. Он говорит, будто бы именно Гуркин во всем виноват!

У Бориса Глубокова между тем зазвонил сотовый телефон. Он убежал разговаривать в комнату. Однако буквально через минуту ворвался обратно и возбужденно закричал, обращаясь ко всем сразу:

— Люди! «Невидимка» найден!

— Где?! — хором спросили Мила и Ольга.

— Это та самая половинка таблетки, которую мне дала Людмила. Это «невидимка»! Мне только что сообщили из лаборатории. Все точно, никаких сомнений!

— Что за половинка таблетки? — строго спросил Вихров, и Борис, а за ним и Мила с Ольгой повернули головы и в упор посмотрели на Николая.

— Половина таблетки из того пузырька, который мой муж прячет в старом шкафу с одеждой, — четко выговорила Ольга, не отводя от него пристального взгляда.

Тот буквально на глазах начал сереть.

— Подождите, а Гуркин? — внезапно вспомнила Мила. — Неужели эти два типа — Гуркин и Николай —

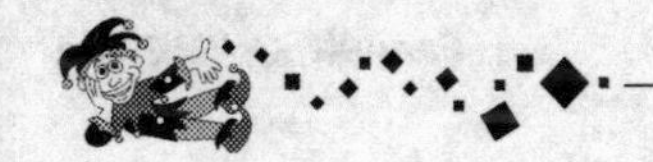

связаны между собой? Или Гуркин втянул его в это дело, уже когда познакомился с моей семьей?

— Никто меня не втягивал! — внезапно разъярился Николай. На его прилизанных волосах даже появился хохолок, призванный, по всей видимости, демонстрировать отвагу. — Я этот пузырек нашел у Милки в квартире.

Ольга опасно засопела, поэтому Мила поспешила вмешаться:

— Когда это ты был у меня в квартире один?!

— Не один, а с тобой, — возразил тот.

Ольга засопела еще стремительнее.

— Со мной?! Да ты...

— Когда Ольгу украли, — поспешно добавил Николай. — Помнишь, как мне было плохо?

От его наглости у Милы даже челюсти свело. Однако раскрывать до конца позорное поведение Николая в тот день у нее не было никакого желания. Поэтому она всего лишь переспросила:

— Ну и?

— У меня болела голова, и я покопался в шкафчике, где стоят лекарства...

— Ага! И выбрал флакон без этикетки, — уличила его Мила.

— Ничего подобного! На нем была этикетка, просто она потом отвалилась, и я ее потерял. Там было по-русски написано — обезболивающее. Я выпил одну и почувствовал себя великолепно. Поэтому прихватил пузырек с собой.

— Ага! — не сдавалась Мила. — И с тех пор каждое утро у тебя стала болеть голова.

— Ну, раз это наркотик, — важно сказал Николай, — наверное, я незаметно для себя к нему пристрастился. И это ты во всем виновата!

Мила задохнулась от такой наглости.

— Не было у меня в аптечке ничего похожего на этот пузырек! — запротестовала она.

— Может быть, его подложил тебе в шкафчик Гуркин? — встрял Борис. — Ведь он совершенно точно замешан! Да? — обернулся он к Вихрову.

— Давайте, лучше этот человек... следователь... сам все расскажет, — предложила Ольга, проявляя несвойственную ей рассудительность. Вместо того чтобы паниковать и бросаться грудью на защиту своего молодого мужа, она вела себя спокойно, словно сытый удав. Вероятно, в душе она просто не верила в то, что ее благоверный замешан во что-то действительно серьезное, и рассчитывала, что с минуты на минуту все разъяснится ко всеобщему удовлетворению.

— Гуркин, как я уже говорил, — покладисто начал Вихров, положив ногу на ногу и зажигая для себя сигарету, — уже влез однажды в дело о торговле наркотиками. Правда, он проходил по нему как свидетель, хотя подозрения против него были. С тех пор он посолиднел, поступил в аспирантуру, начал преподавать, женился на обеспеченной женщине...

Впрочем, при проверке выяснилось, что ее доходы — только видимость. А фирма — не что иное, как мыльный пузырь. Нет-нет, там все легально, все по закону... Но она не только не приносит своей владелице дохода, но, напротив, требует постоянных денежных вливаний. И эти вливания постоянно идут.

— Гуркин! — азартно воскликнула Мила. — Значит, этот подлюга действительно богат!

— Еще бы! — хмыкнул Вихров. — В родном учебном заведении у него была целая сеть распространителей наркотиков. Да он просто сидел на деньгах, ваш умница Гуркин.

— Но зачем, ради всего святого, он нанялся ко мне на работу?! — воскликнула Мила. — Хоть убей, я этого понять не могу! Зачем изображал из себя нищего?

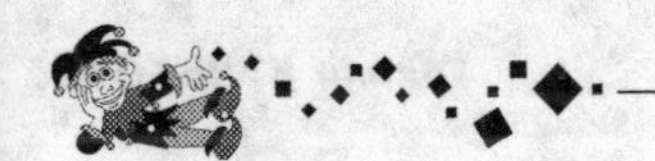

— Вы были его «крышей», — коротко пояснил Вихров и добавил: — Сейчас объясню. Наркотики Гуркин у себя не хранил. Они лежали в тайнике, и доставала их оттуда его сообщница.

— Капитолина Захаровна! — трагическим голосом заявила Ольга.

— Да нет, медсестра Жанна, — покачал головой Вихров.

— Жанна?! — хором воскликнули все присутствующие. А Мила добавила: — Этот одуванчик на тонких ножках? Эта пушистая белая киска? Нет-нет, вы ошибаетесь, Гуркин, наверное, использовал ее втемную.

— Ну, конечно! — усмехнулся Вихров. — В условленный день Жанна приносила в квартиру Капитолины Захаровны порцию наркотика. Это был как раз тот день, когда Гуркин отрабатывал у вас в квартире, Людмила Николаевна, свои полторы тысячи рублей. Затем, когда Гуркин уходил, — а уходил он, следует заметить, строго по часам, — Жанна приоткрывала дверь квартиры Капитолины Захаровны и, когда тот проходил мимо, совала ему в руки пакет. Гуркин клал его в карман и удалялся. Он даже в подъезде не задерживался. Не было никакой заминки. Так что если бы вы даже не сразу закрыли за ним дверь, вы никогда бы ни о чем не догадались.

— Подождите-подождите! — наморщила лоб Мила. — Как они могли разработать такую схему? Ведь она включает и меня! А если бы у нас с Гуркиным не было никакой договоренности о том, чтобы он изображал моего ухажера?

— Ну, тогда он приложил бы максимум усилий, чтобы стать вашим настоящим другом, — усмехнулся Вихров.

— Не могли торговцы наркотиками разработать столь рискованный план, — не соглашалась Мила. — А что, если бы я вообще не захотела знакомиться с Гуркиным? Это просто у меня в жизни в тот момент так сложились обстоятельства. А сложись они по-другому, я бы Гуркина отшила сразу же. Я вообще не знакомлюсь на улицах. Ольга, подтверди!

— Подтверждаю, — сказала Ольга.

— Вы чертовски умны и проницательны, Людмила Николаевна, — похвалил Вихров. — Преступники, разрабатывая план, имели в виду совершенно не вас, а пустую квартиру на третьем этаже. Квартира сдавалась, а Капитолина Захаровна искала приходящую медсестру. Все складывалось как нельзя лучше. Гуркин должен был снять квартиру якобы для того, чтобы уединяться для творческой работы. А Жанна работала бы по контракту — ни к кому не подкопаешься. У них уже все было на мази. О жилье для Гуркина договорились, Жанна на работу устроилась...

Но тут хозяин квартиры на третьем этаже внезапно дал отбой. К нему приехал родственник из Красноярска, которому должны были делать в Москве сложную операцию. Никто не знал, сколько времени этот родственник здесь проживет. Гуркину в квартире отказали. Пришлось что-то срочно придумывать. Нужен был повод, чтобы ходить в этот самый подъезд свободно. Чтобы эти походы не вызывали ни у кого вопросов. И он решил, что, если познакомится здесь с какой-нибудь симпатичной женщиной, это решит все его проблемы. И он познакомился с вами. В подъезде вы одна хотя бы приблизительно подходили ему по возрасту.

— Мне надо в туалет, — заявил Николай и поднялся. Глазки у него блестели и бегали, и Мила подумала про себя, что он успел сожрать еще одну таблетку.

— Потом родственник уехал, квартира освободилась, и ее сняли мы с Константином, — задумчиво сказал Борис. — А Гуркин, получается, менять ничего не стал. Он ведь уже удобно устроился...

— Послушайте, но Гуркина ведь только что арестовали! — воскликнула Ольга, не скрывая своего искрен-

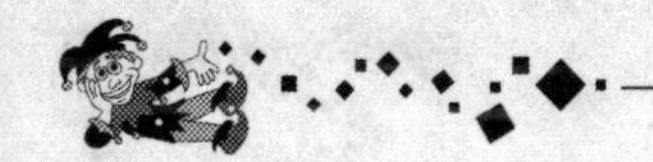

него изумления. — Как вы сумели выяснить столько подробностей обо всем этом заговоре?

— Ну... Понимаете ли, — повел бровью Вихров. — Еще несколько дней назад мы пришли к Жанне и сказали, что ее песенка спета. Она пообещала, что будет с нами сотрудничать и поможет застукать Гуркина на месте преступления, то есть в момент передачи наркотиков. Она нам, собственно, все и рассказала. Так все и вышло. Жанна, кроме того, рассказала нам все подробности, которые я только что изложил.

— Но каким образом дедушкин наркотик попал к Гуркину? — внезапно спросил Борис. — Это ведь целая партия? И откуда у Гуркина столько денег, чтобы ее выкупить?

— Во-первых, Гуркин не наркобарон, а одно из средних звеньев всей цепочки, — сообщил Вихров. — А во-вторых, к наркотику, изобретенному вашим дедушкой, он уж точно отношения не имеет. То, что он продавал, — вещь вполне традиционная.

— Но в квартире у Милы мой муж нашел «невидимку»! — воскликнула Ольга.

— А ты верь ему больше! — взвилась Мила. — Врет он все, никакого «невидимки» у меня не было!

— А почему тебя тогда хотели убить? — не сдавалась Ольга.

Мила замерла с открытым ртом.

— Действительно, — обратился к Вихрову Борис. — Что это за фантасмагория с покушениями на Людмилу Николаевну?

— Тут пока еще у нас темное пятно, — смутился тот. — Жанна уверяет, что у них даже в мыслях не было убивать кого бы то ни было, а уж тем более Людмилу Николаевну, связь с которой была Гуркину чертовски выгодна.

Поглядев на свой указательный палец с длинным пластмассовым ногтем, Мила внезапно воскликнула:

— А трость Капитолины Захаровны? Может быть, у нее свои темные делишки? Вдруг она вообще не инвалид?

— Увы, — вздохнул Вихров. — Экспертиза показала, что трость Капитолины Захаровны была испачкана пригоревшим вишневым вареньем.

— Как же так? — растерялась Мила. — Как же быть со мной? Выходит, Гуркин во всей моей истории — лишь эпизод? Досадная случайность?

— И где дедов наркотик? — снова задал сакраментальный вопрос Борис.

— И где Николай? — внесла свою лепту в череду вопросительных восклицаний Ольга.

— Николай в туалете. Разве ты не знала, что страх — это лучшее слабительное средство?

— Он там слишком долго, — уперлась Ольга и отправилась проверять Николая. Через минуту она вернулась и мрачно сообщила:

— Он сбежал. Его куртки и ботинок в коридоре нет. Вы напугали моего мужа понапрасну! Боюсь, он больше не вернется...

— Напугали понапрасну? — накинулась на нее Мила. — Да он же где-то добыл «невидимку» и жрал его ежедневно! Тебе бы только отмазать своего мужика. Нет-нет, у него рыльце в пушку! Иначе бы он не убежал! Он знал, что еще немного — и посыплются вопросы. Тебе он мог бы наврать с три короба, но следователю прокуратуры много не наврешь! Надо объявить его в розыск!

— Не получится, — сказал Вихров. — Мне пока что не в чем его обвинить.

— А хранение наркотиков?

— Еще не доказано, что у Николая в шкафу действительно хранился наркотик. Кроме того, он может отпереться. Скажет, что знать не знал про тайник. Я же его за руку не хватал.

— Лабораторные анализы показали... — начал Борис.

— Ваши анализы не являются основанием для чьего бы то ни было задержания.

— Я должна сама изловить Николая и остаться с ним один на один! — сказала Ольга, решительно выдвигая вперед подбородок.

— Нет, это я должен поймать его! — стукнул кулаком по столу Борис. — Ваш муж — это кончик ниточки, которая может привести к «невидимке». Мне что-то тоже слабо верится, что он нашел банку с наркотиком в аптечном шкафчике, попробовал, прибалдел и просто забрал ее себе.

— Согласен, — поддержал его Вихров. — Если бы я съел таблетку, которая всего меня здорово обезболила, я бы первым делом поделился этим фактом с владельцем таблеток. Кроме того, эта потерянная этикетка... Если она действительно была, стоило всего лишь запомнить название лекарства и позже приобрести его в аптеке, а не воровать из чужого шкафчика.

Мила победно посмотрела на сестру. Та посчитала, что будет излишним спорить со следователем, поэтому промолчала.

— Но где этого прохвоста теперь искать? — вслух подумала Мила. — Неужели он убежит навсегда без своих новых лыж?

Ольга поглядела на нее уничижительно, но снова промолчала, потому что на руках у нее не было ни одного козыря.

— Скоро появится Константин, — самодовольно сказал Борис, — он наверняка придумает что-нибудь умное.

— Послушайте! — внезапно вспомнила Мила. — Вот какая у меня еще есть информация! Некоторое время назад у моего мужа в офисе появились две коробки, оклеенные желтой лентой. В них что-то гремело, похожее на пузырьки с таблетками. Он очень беспокоился за эти коробки и, когда в здании начались учения по гражданской обороне, велел шоферу Володе Мешкову вынести их наружу и забрать к себе на дачу.

Она замолчала и посмотрела на Вихрова.

— Вы предлагаете мне вызывать вашего мужа на допрос? — живо отреагировал тот. — На основании того, что в коробках что-то гремело?

— Да, глупо... — согласилась Мила. — И все-таки — откуда у Николая этот пузырек? И где вся партия?

Звонок в дверь заставил всех оживиться.

— Это Николай! — закричала Ольга.

— Это Константин! — одновременно с ней выкрикнул Борис.

— Это мои люди! — пояснил Вихров.

А Мила сказала:

— Это может быть кто угодно.

Через минуту выяснилось, что приехал взволнованный шофер Орехова Володя Мешков. Завидев его на пороге, Мила сначала страшно испугалась, подумав, что тот каким-то образом узнал о ее проделках. Однако вид у Мешкова был вовсе не воинственный, а, напротив, поникший и даже жалкий.

— Вы только не волнуйтесь, Мила! — начал он, сжимая кепку в руках. — В вашего мужа только что стреляли...

— И что — попали? — с жадным любопытством спросила выглянувшая из-за плеча Милы Ольга.

— Пуля его только задела. Но он безумно растерян, расстроен и хотел бы вас видеть.

— А почему нас? — удивилась Ольга.

— Не вас, Милу, — пояснил Мешков. — Вчера у него дома был скандал... Столько неприятностей сразу. Шеф думает, что он теперь знает, кто стрелял. Мы выковыряли пулю из стены. Может быть, это такая же, что попала в вашу подругу.

«Лариса? Леночка? — лихорадочно думала Мила,

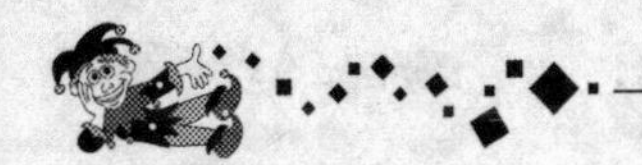

натягивая куртку. — Неужели все сейчас разъяснится? Поверить не могу! И какие мысли у самого Ильи?»

— Оставайтесь пока здесь, я позвоню! — велела Мила Ольге, выскакивая за дверь. — Может быть, мы это дело дожмем еще сегодня!

У нее появилась уверенность, что события движутся к концу и развязка невероятно близка.

— А теперь, Володя, расскажите толком, что произошло! — потребовала Мила, когда они с Мешковым спустились вниз и забрались в машину.

— Да я не знаю! — извиняющимся тоном ответил тот, заводя мотор. — Босс позвонил мне с дачи и велел привезти вас. Но сначала передать то, что я сказал.

— С дачи? Он что, провел ночь за городом?

— Да нет, он сбежал туда под утро, когда скандал затих.

— Ах, скандал... — смущенно протянула Мила, памятуя, что это она науськала Ларису. Вероятно, та сообщила об этом всем, кому смогла.

— Я постараюсь держать километров семьдесят-восемьдесят, тогда мы быстро доедем, — попытался приободрить ее шофер.

— Боже мой, я так волнуюсь! — пробормотала Мила, ломая пальцы.

Володя Мешков расценил ее слова по-своему:

— Конечно, все-таки мужа чуть не убили!

Подняв глаза, он тревожно посмотрел в зеркальце заднего вида. На некоторое время в салоне повисло молчание.

— А что это за дорога, по которой мы едем? — наконец поинтересовалась Мила, озираясь по сторонам.

— Я так всегда езжу, — пожал плечами Володя.

— Но ведь это совсем другое шоссе!

— А там дальше можно свернуть, вы не волнуйтесь, Мила, я уже столько лет за рулем!

Он снова посмотрел в зеркальце и быстро отвел глаза.

— За нами что, кто-то гонится? — не выдержала Мила, оборачиваясь всем корпусом назад. Чтобы сделать это ловчее, она отстегнула ремень безопасности.

— Да нет, с чего вы взяли? — ответил Володя, но Мила ему не поверила. Он слишком сильно беспокоился.

— Учтите! Если это за мной, то у нас могут возникнуть серьезные неприятности. Лучше не делать вид, что ничего не происходит, а подготовиться.

— Как? — коротко спросил Володя.

— У вас оружие есть?

Тот отрицательно помотал головой:

— Послушайте, Мила, неужели вы в самом деле думаете, что дойдет до стрельбы? Прямо на трассе?

— Почему бы нет? В мою подругу стреляли не где-нибудь, а на шоссе.

— Черт, мне это не нравится. Шеф не сказал, что вам может угрожать опасность. А то бы я все по-другому обставил.

— Володя, а вы в армии служили?

— Да, на флоте. Вот, поглядите, настоящий моряк! — Он потянул вверх рукав куртки и показал якорь, вытатуированный на запястье. — Бывалые люди сразу секут, что к чему. Морячком называют.

Мила вздрогнула, а потом непроизвольно затаила дыхание. Скосила глаза и посмотрела на Мешкова еще раз, очень внимательно. Затем медленно обернулась назад, чтобы лучше разглядеть вещи на заднем сиденье. Так и есть! Сначала она заметила их краем глаза, но теперь убедилась, что интуиция ее не подвела. На сиденье лежало длинное пальто Орехова, а сверху — его же шляпа.

«Значит, это не Илья приезжал за Викой Ступавиной в тот день, когда она исчезла! — подумала Мила с радостью и одновременно со страхом. — Это был Мешков! Но зачем он тогда переоделся под Орехова? Наверное, чтобы отвести от себя подозрения. Потому что

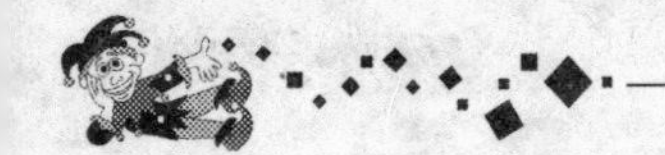

Вика...» Она не успела додумать до конца эту мысль, когда ее перебила следующая: «И точильщик ножей сказал про него: «морячок». Я подумала, это из-за того, что он проборороздил лужу. Но, вероятно, старик заметил якорь на его руке в тот момент, когда Мешков поднимал и грузил в машину Викины вещи. И едем мы сейчас не на дачу Орехова, а на дачу Мешкова. Я узнаю дорогу. Боже мой, он привезет меня туда и шлепнет! Но ведь его видело столько народу! На что он рассчитывает? Или у него уже просто не осталось другого выхода?»

Мила поняла, что терять ей, в сущности, нечего, и, глядя на дорогу перед собой, напряженным голосом спросила:

— Володя, ведь это вы убили Сашу Листопадова?

— Кого? — обалдел Мешков, вытаращив глаза и посмотрев на Милу крайне изумленно.

— Ну, того парня, который стерег мою дверь. Вы ударили его по голове чем-то тяжелым, а потом затащили в подвал.

— Знаете, Мила, вы меня просто изумляете, — пробормотал шофер. — Даже не пойму, о чем вы толкуете. В убийстве обвиняете! Почему? Что я вам такого сделал?

— Вы стреляли в меня на балконе редакции, потом в подмосковном лесу, потом душили меня дома в собственной постели, отравили мою овощную смесь и в довершение всего едва не убили мою лучшую подругу!

— Да почему я?! — закричал Мешков, ощутимо прибавляя скорость. — Зачем вы мне сдались?

— Это вы расскажете в прокуратуре! Остановите машину!

— Да не стану я останавливать! Лучше отвезу вас к мужу, пусть он и разбирается во всем.

— Вы врете! Никакой муж меня не ждет! Может быть, в Орехова вовсе и не стреляли! А везете вы меня к себе на дачу, к своей полоумной мамочке!

Лицо Мешкова в один миг неуловимо изменилось.

— Вы что, ездили ко мне на дачу? Шарили вокруг моего домика? Расспрашивали соседей? Почему?

— Потому что вы прячете там наркотик в двух коробках, оклеенных желтой лентой. Мой муж, наверное, думает, что это нечто безобидное типа кошачьего корма или таблеток для похудания. О, я знаю! Вы через его фирму проворачиваете свои темные делишки — торгуете наркотиками и все такое! Вика Ступавина про это узнала, и вы ее убили! А свалили все на исчезнувшего Егорова: дескать, это с ним она бежала в Испанию.

— Оригинальная версия, — процедил Мешков.

Услышав его голос, Мила резко повернулась и поняла, что перед ней сидит совершенно другой человек, нежели тот, что вел машину еще минуту назад. С Мешкова слетело все напускное благодушие, не осталось ни тени подобострастия, которым он обычно щедро сдабривал свои речи.

— А что, все было не так?

— Поговорим, когда приедем, — процедил Мешков.

— Ну уж нет! В вашей дыре можно сделать с беззащитной женщиной что угодно! Никуда я с вами не поеду. Выпустите меня!

— Ща, — грубо ответил тот, — разбежалась.

Вслед за этим Мила повела себя с женской недальновидностью. Она наклонилась влево и, уцепившись руками за руль, крутанула его в сторону. Машина, шедшая на большой скорости, едва не слетела в кювет. Надо сказать, что движение на трассе было не слишком оживленным, однако она и не пустовала. По обеим сторонам ее несся лес, стоявший сплошной стеной. Последнюю бензозаправку они проехали минут десять назад. Впереди не было заметно никаких признаков цивилизации.

Однако Мила подумала об этом вскользь, краешком сознания.

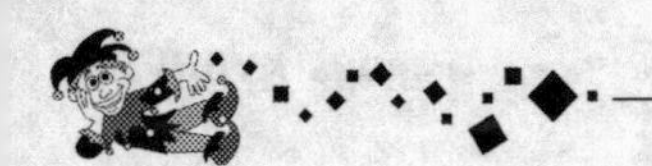

— Решила покончить жизнь самоубийством? — закричал Мешков и пребольно стукнул ее локтем. Но она не собиралась сдаваться так просто и, проворно наклонившись, изо всех сил укусила его за правую кисть. Мешков истошно заорал, машина вильнула, и когда Мила вскинула голову, то увидела, что на них несется огромный грузовик. Вспомнив, что она не пристегнута, Мила рванула дверцу и вывалилась на дорогу.

31

Первым, что она увидела, придя в себя, была еловая лапа, сквозь которую просвечивало темное небо. Мила поводила глазами влево-вправо и, приподняв голову, попыталась сообразить, что произошло. Через несколько секунд память вернулась, а силы, к сожалению, нет. Кроме того, она почувствовала нарастающую боль во всем теле. Мила медленно подняла руки и ощупала голову. Вроде бы все в порядке. Шишка на макушке, но это ерунда. Главное, кровь ниоткуда не течет — только царапины на руках. Она со стоном приняла сидячее положение и убедилась, что цела.

Лежала она в ельнике, окаймлявшем дорогу по правую сторону. Поскольку здесь деревья росли очень близко к шоссе, можно было только радоваться, что ее не шарахнуло о какой-нибудь ствол. «Ничего себе — я улетела!» — со страхом подумала Мила. Хватаясь руками за ветки, она кое-как поднялась в полный рост.

Довольно далеко впереди, на шоссе, творилось нечто невообразимое. Грузовик свалился набок и лежал поперек проезжей части, а вокруг него валялась гора коробок и ящиков. Подъехавшие с двух сторон автомобили создали пробку, водители вышли наружу и стояли кучками, горячо обсуждая случившееся. Машина, на которой они с Мешковым ехали, врезалась в дерево, соскочив с дороги на левую сторону, и теперь пылала, словно факел. Вероятно, некоторое время назад она взорвалась, и теперь ничего уже нельзя было сделать.

Мила не знала, спасся Мешков или остался за рулем и погиб в пламени пожара. Ни милиции, ни «Скорой помощи» еще не было, поэтому Мила поняла, что находилась без сознания всего ничего. Люди, толпившиеся вокруг попавших в аварию машин, конечно, не знали, что кто-то остался жив и сейчас остро нуждается в помощи. У нее же не было сил даже крикнуть. И стоять дальше тоже не было сил. Поэтому она медленно сползла обратно на землю. Водители были от нее довольно далеко. Вероятно, после того, как она выпрыгнула из машины, та еще некоторое время неслась по шоссе, пока не встретилась с грузовиком.

Между тем автомобилей вокруг места аварии скапливалось все больше и больше. Мила рассчитывала, что, когда они выстроятся на шоссе вереницей, ее кто-нибудь заметит. Впрочем, даже если сейчас выползти из ельника и начать отчаянно размахивать руками, кто-нибудь наверняка затормозит. Она, кряхтя, поползла вперед...

...И вдруг увидела автомобиль Орехова. Он медленно двигался по шоссе и остановился, не доезжая до места происшествия — как раз напротив сидевшей в ельнике Милы. Из машины вышел Орехов, а вслед за ним Дима Дивояров. Некоторое время они стояли возле автомобиля, ничего не говоря друг другу, и напряженно всматривались в даль.

Мила собрала все свои силы и крикнула:

— Илья!

Получился шелест. Она еще раз напряглась и чуть более громко прошептала:

— Илья!

— Господи, мне чудится, что она меня зовет! — от-

четливо донесся до Милы голос Орехова. Он схватился за голову двумя руками и тревожно замычал.

«Надо же, как он обо мне печалится», — с благодарностью подумала Мила, и тут услышала, как Дивояров прошипел:

— Да успокойся ты! Говорю тебе: она умерла! Никто бы не выжил в таком пожаре. Все к лучшему в этом лучшем из миров. Нашей проблемы больше не существует. Радуйся, болван, что все совершилось без твоего участия.

— Но Мешков тоже погиб!

— Туда ему и дорога, — зло сказал Дивояров. — Слишком много о себе возомнил, шоферишка!

— И все равно я не могу поверить, что ее больше нет! — уперся Орехов и даже привстал на цыпочки, чтобы лучше видеть, как сгорает его проблема.

— Я сам не могу поверить, — буркнул Дивояров. — Она была словно заговоренная! Мы пять раз на нее покушались, только подумай! Пять попыток убийства! Все впустую. И вот она гибнет на шоссе. Так просто и изящно!

Мила попятилась. Теперь она старалась производить как можно меньше шума. Тут как раз завыли сирены — подъехала милиция, ведя в хвосте «неотложку». Орехов, словно пытаясь очухаться от сна, растер щеки двумя руками.

— Не верю, не верю! — передразнил его Дивояров. — А сам поторопился позвонить ее сестрице, чтобы сообщить печальное известие.

— Ее родственнички сейчас в ее же квартире. Придется мне туда ехать и скорбеть вместе с ними.

— Подожди пару часов, очухайся немного. А то, неровен час, проговоришься, — предостерег его Дивояров.

Орехов согласился и, поглядев на часы, прикинул, во сколько ему надо ехать скорбеть.

Мила даже не осознавала, что чувствует себя уже гораздо лучше, чем прежде. Она просто ползла и ползла на животе глубже в лес, как партизан, посланный в разведку. Когда шоссе пропало из виду, она смогла наконец перевести дух.

Итак, сомнений больше нет — убить ее хотел Орехов. А вероятнее всего, не он один, а вся его гоп-компания. Но за что?! Мила готова была визжать от отчаяния — она не понимала. Не по-ни-ма-ла! Пожалуй, прежде чем объявлять всему миру, что она жива, стоит узнать причину, по которой ее замыслили отправить на тот свет. Потому что никаких улик против Орехова у нее не было. Сейчас, очевидно, что-то и можно еще сделать. Но стоит ему узнать, что Мила по-прежнему жива, он уничтожит все улики. И никогда, конечно, не признается в содеянном.

Подумав немного, Мила решила ехать к Гулливерше Ларисе. Это было довольно рискованно, потому что та, по всей видимости, страстно влюблена в Орехова. Впрочем, вряд ли она настолько испорчена, чтобы покрывать убийцу. Пока еще она не знает о его преступной сущности. Но Мила была полна решимости открыть ей глаза.

Поехать ей все равно было больше не к кому. Сестра пока отпадала, лучшая подруга лежала в реанимации, Константин наверняка уже примкнул ко всей честной компании. Позвонить кому-нибудь из них — значит открыться раньше времени. Они тут же перестанут скорбеть, и Орехов обо всем догадается. Слава богу, что родителей нет в городе, и им не сообщат ужасную весть по крайней мере до завтра. А до завтра она уже «воскреснет».

Поднявшись на слабые ноги, Мила лесом-лесом пробрела довольно приличное расстояние, потом только высунула нос на дорогу — поцарапанная, в ушибах и шишках, переполненная праведным негодованием. Из-за того, что она была грязная, ни один автомобиль возле

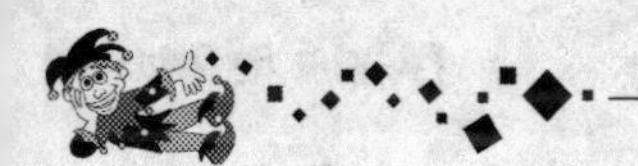

нее не останавливался. Но время-то утекало! В панике Мила забыла о своих болячках и принялась скакать по обочине, словно макака, которая видит банан и не может до него дотянуться. Наконец какой-то молоденький водитель сжалился над ней и, приоткрыв дверцу, спросил:

— Вам куда, тетя?

— К любому метро! — отозвалась Мила, стараясь говорить как можно интеллигентнее. — Вы проезжали, видели: там авария? Меня немножко задело. — Это объясняло ее дикий вид.

— Ой! — всполошился водитель. — Так, может, вам в больницу надо?

— Нет-нет! — замахала руками Мила, устраиваясь поудобнее. — Все обошлось. Мне просто к метро.

— «Динамо» устроит? Или «Савеловская»? Мне, в сущности, в те края.

— Меня все устроит, — кивнула Мила. — Метро — это спасение для странника. Главная, так сказать, артерия столицы. Добрался до метро — считай уже дома.

— Я к машине привык, — признался водитель. — Хотя сейчас столько пробок, что порой метро гораздо предпочтительнее.

Мила кое-как поддерживала беседу, напряженно составляя план действий. Кто окружал Орехова? Дивояров, Мешков, Лушкин и Отто Швиммер. Немец отпал сразу — Мила не собиралась связываться с иностранцем. Мешков, судя по всему, погиб. Дивояров был опасен и вряд ли раскололся бы даже под пытками. Как, впрочем, и Орехов. А вот Лушкин... «Лушкин в этой команде — самое слабое звено, — решила Мила. — На нем и следует остановиться».

К огромному облегчению Милы, Лариса сидела дома. Лицо у нее было зареванным. Вероятно, драма, о которой говорил Мешков, действительно состоялась.

— Это вы... ты! — удивленно воскликнула Лариса, всплеснув руками.

Тут же под ноги Миле с радостным визгом бросился Трезор и принялся скакать вокруг нее, словно ошалевший ребенок вокруг новогодней елки. Чтобы он отстал, пришлось взять его на руки и поцеловать. Мила проделала это скорее по привычке, чем от сильного чувства.

— Почему Трезор у тебя? — вместо приветствия спросила она, испугавшись, что Лушкин куда-нибудь уехал.

— Так, приблудился, — неопределенно ответила Лариса, пропуская Милу в квартиру. И мрачно добавила: — Приехала узнать подробности скандала?

— А что, был скандал?

— Да еще какой!

— В Орехова в самом деле стреляли?

— Да ты что? Кто это тебе сказал? — изумилась Лариса.

— Мешков, шофер Орехова.

— Убить его за это мало!

— Уже, — мрачно сказала Мила. — Убила. Считай что своими руками.

— Как это? — опешила Лариса. — Ты не врешь?

— Я определенно не в том настроении, чтобы врать. Хочешь потрогать мою шишку?

— А ты мою? — развредничалась Лариса, плохо представляя себе ситуацию, в которой находилась Мила.

— Ты свою получила в потасовке, — парировала та, — а я свою, когда сражалась за жизнь.

— Да ну?

— Вот тебе и ну. Разрешишь у тебя помыться?

— Мойся сколько хочешь. Только — чур! — потом я расскажу тебе про вчерашнюю ночь и про Орехова, а ты мне посоветуешь, как теперь себя с ним вести.

— Уж это я тебе посоветую! — пообещала Мила, тряхнув головой. — Обещаю: меньше чем через час ты поймешь, что с ним надо делать.

Трезор вознамерился идти с ней в ванную и когда его не пустили, принялся скрести дверь и тявкать.

— Вот ведь дамский угодник! — рассердилась Мила. — И кто тебя таким воспитал?

— Бабка Лушкина, — ответила Лариса. — Она обожала щеночка и без конца тискала его, словно тот плюшевый. И вот, пожалуйста, результат — Трезор собственной персоной. Он любит женщин и требует, чтобы они с ним сюсюкали.

— В общем, я могу его понять, — пробормотала Мила. — Иногда и вправду хочется, чтобы с тобой посюсюкали. Не все же покушаться.

Когда Мила вышла из душа в Ларисином халате, волочащемся по полу, та уже заварила чай с лимоном и выставила на стол сладости. Сама хозяйка была одета в шортики, поэтому смотреть можно было только на ее ноги. Они безраздельно властвовали на кухне, то скрещиваясь, то выпрямляясь и перегораживая выход в коридор.

— Короче, — начала Лариса, насыпая в свою чашечку пять ложек сахара. — Вчера я, пьяная в сосиску, поехала к Орехову домой прогонять Леночку. Это когда ты выставила меня из дома.

— Я хотела тебе только добра и позже объясню, как это связано с твоим выдворением.

— Да ладно, — махнула рукой та. — В общем, я поймала машину и, кажется, потом не заплатила шоферу.

— Отлично, просто отлично! Надеюсь, он не накостылял тебе для затравки?

— Нет, он оказался очень милым человеком и отпустил меня с миром. Помнится, в качестве возмещения ущерба я его поцеловала.

— А! Ну, тогда забудь и не терзайся. Поцелуй пьяной женщины дорогого стоит — он всегда искренен, бескорыстен и потому сладок, как халва.

— Хорошо, если тот шофер считает так же, — пробормотала Лариса.

— Итак, ты приехала к Орехову. Позвонила в звонок...

— Ничего подобного. В звонок я не звонила. Там кодовый замок, я спьяну перепутала цифры, и дверь в подъезд не открывалась.

— У-у! — протянула Мила. — Выходит, ты стала кричать под окнами?

— Как ты догадалась?

— Ну... Исхожу из собственного опыта.

— Ладно. Я кричала под окнами. Рассказать, что я кричала?

— Нет-нет, — отмахнулась Мила. — Лучше пусть твой рассказ будет покороче. У нас очень мало времени. Каждая минута проволочки укорачивает жизнь моей сестры.

— Да? — удивленно переспросила Лариса. — Ну, ладно: короче так короче. Леночка сбросила на меня кастрюлю с борщом. Я кинула кастрюлю обратно, но не попала. Вернее, попала, но не туда. Не добросила.

— Действительно, обидно, — посочувствовала Мила.

— Ну, тут уж дверь в подъезд сразу открылась. Там, среди соседей была одна девица... Она оказалась так похожа на Леночку!

— И ты?..

— Я ее отметелила. Какой-то дядька вышел на улицу с газовым пистолетом. Я отобрала у него пистолет.

— Зачем? Защищаться?

— Ну, да! Я метнула его в Орехова — он как раз вышел на балкон. На этот раз попала. Правда, по руке, а если бы по голове — убила бы, наверное. Думаю, теперь он меня никогда не простит.

— То есть ты ушла, так и не встретившись с противницей лицом к лицу?

— Не встретившись, — кивнула Лариса. — Но, уверяю тебя, эта выдра здорово испугалась.

— Могу себе представить. Теперь слушай меня. Смирись с мыслью о том, что Орехова ты потеряла.

— Он что, хочет к тебе вернуться?

— Гораздо хуже. Он хочет меня убить. Я должна это доказать. С твоей, кстати, помощью. И как только докажу, его сразу же посадят в тюрьму. Надолго. Его и Дивоярова. И еще Лушкина. А может, заодно и Отто Швиммера.

— Господи, а лысый-то как вляпался? Он такой безвредный!

— Может быть, ты положила на него глаз? — с подозрением спросила Мила.

— Дуся рассказывала, что у него потрясающе щекотные усы!

— Фу, Лариса! Я рассказываю тебе про то, что Орехов — убийца!

— Кого же он убил?

— Меня! То есть пять раз покушался. Можешь себе представить?

— Знаешь что? Расскажи-ка мне все толком, — предложила Лариса. — Я хоть и получилась у родителей длинноногой блондинкой, при рождении мне обломилась капелька мозгов.

И Мила принялась повествовать. На все ушло минут пятнадцать. Лариса слушала молча, не ахала, не переспрашивала, чем завоевала безоговорочное расположение рассказчицы.

— И что мы теперь должны делать? — спросила Лариса. За это «мы» Мила ее сразу зауважала.

— Мы должны поймать Лушкина, запугать его и выколотить из него всю правду. Кто, почему, за что и как раздобыть улики? Должны же они знать свои слабые места!

— Ты — их слабое место! — воскликнула Лариса. —

Неужели ты не понимаешь? Раз они так страстно хотят тебя прикончить, значит, ты и есть самая главная улика.

— Улика чего?

— Ну... Именно это мы и узнаем у Лушкина. Только надо хорошенько подумать, чем его взять.

— Может быть, он боится боли? — предположила Мила. — Тогда мы покажем ему щипцы для загибания ресниц. Это приспособление выглядит очень страшно, ты не находишь? Если у тебя нет, мы купим в какой-нибудь галантерее.

— Отличная мысль! И еще можно сделать вид, что мы мучаем Трезора. Лушкин ужасно чувствительный!

— Я заметила. Мне кажется, он того...

— Чего? — не поняла Лариса.

— Ну... Он пудрится, и все такое. Правда, это как-то не вяжется с Дусей...

— Могу тебе объяснить, почему он пудрится, — отмахнулась Лариса. — Он лицо обжег. Говорит, открыл кастрюльку и сунул туда нос. Его обдало паром, вся кожа слезла...

— Знаю! — прищелкнула пальцами Мила. — Знаю, почему у него с физиономии вся кожа слезла! Это в него Софья «Магиохлором» прыснула! А мы-то с ребятами ей не поверили! Значит, человеком в колготках был Лушкин! Ага, теперь я знаю, как с ним разговаривать! — Она вскочила с места и засобиралась. — Зайдем сначала за щипцами для загибания ресниц, а потом в хозяйственный за «Магиохлором». Купим самую большую бутылку для устрашения. Увидишь, как он задергается, как только почувствует тот самый запах из бутылки, который в его сознании наверняка связан со страшной болью!

— Учти, прежде чем угрожать, надо будет его связать по меньшей мере! — предостерегла Лариса. — Хоть он с виду и маленький, словно поросенок, но силен, сво-

лочь. Он пьяную Дусю недавно внес на второй этаж, сгрузил на кровать и даже не запыхался!

— Значит, нам помогут веревки и эффект неожиданности, — констатировала Мила. — Кстати, самое главное: ты в курсе, где сейчас Лушкин?

— Думаю, в городе. Он собирался зубы лечить, так что, скорее всего, нужда пригнала его в цивилизованный мир.

— А ты знаешь, где его цивильная квартира?

— А то. Я знаю так много, что Орехову и не снилось. Надо же, до сих пор не могу поверить, что он — потенциальный убийца.

— Может быть, и не потенциальный. Кто-то ведь убил Сашу Листопадова. И этот кто-то — один из них! Кстати, Орехов в тот день приходил ко мне. Единственный раз предложил помощь. И то только потому, что его Ольга вынудила.

— Хорошо, что я узнала правду после истории с Леночкой! — призналась Лариса, набирая номер телефона. — В противном случае тебе было бы гораздо сложнее сделать меня своей союзницей.

— Кому ты звонишь?

— Приятелю диск-жокею. Он живет тут неподалеку. Поможет нам, если понадобится.

Когда приятель диск-жокей появился на пороге, Мила не удержалась и воскликнула:

— Мы что, возьмем его с собой?! У Лушкина раньше времени случится инфаркт!

— Успокойся, мы его не возьмем! Мы научим его правильно обращаться с Трезором, чтобы исторгать из собачки необходимые звуки.

Диск-жокей был молод, тощ и развязен. Кожаная куртка, судя по всему, оказалась надета на голое тело. Ржавые волосы с помощью воска были уложены в прическу «Солнышко». Вокруг головы торчали веселые лу-

12 - 8264 Куликова

чики, а в ноздрю была вдета серьга размером с брелок для ключей.

— Гляди, Петька, кладешь собачку на спину и начинаешь гладить. Потом резко убираешь руку и...

Раздался остервенелый визг. Это Трезор протестовал против того, что удовольствие столь внезапно закончилось.

— Лушкин не знает этого трюка, — пояснила Лариса. — Если будет надо, мы позвоним Петьке, и Трезор немножко повизжит в телефонную трубку.

— Придумано нехило! — одобрила Мила и покивала головой. — Уважаю твою фантазию.

32

— Кто там? — довольно бодро спросил Лушкин, не подозревая, что за дверью притаилась его судьба в лице двух очаровательных женщин, вооруженных только что купленным диктофоном, щипцами для загибания ресниц, бутылью «Магиохлора» и неуемной жаждой мести.

— Это я, Антошенька, — пропела Лариса голоском сирены, завлекающей моряков в морскую пучину.

Доверчивый Лушкин открыл дверь и тут же был атакован, повален на пол, связан и волоком доставлен в комнату. Как ни странно, он не орал и не звал на помощь, а только таращил глаза и спрашивал:

— Вы чего, девочки? Девочки, вы чего?

Обозрев лежавшего на ковре Лушкина с высоты своего роста, Лариса заявила:

— Нет, так неудобно будет с ним разговаривать.

— Зато удобно пытать, — жестко сказала Мила. — Впрочем, нет, давай и в самом деле посадим его в кресло. Пусть смотрит мне в глаза, гадина!

— Почему я гадина? — обиделся Лушкин так ис-

кренне, словно это не он наставлял на Милу пистолет, спрятав рыльце под черными колготками.

— Гадина, потому что согласился участвовать в убийстве человека! — отрезала Лариса и достала никелированные щипцы.

На взгляд человека, не подозревающего, что ресницы для красоты можно завивать вверх, вид их был ужасен. И все потому, что предназначение их оставалось неясным даже после долгого и упорного размышления.

— Но она ведь жива! — сказал бесхитростный Лушкин, кивая подбородком на Милу. — У нас так ничего и не получилось!

— Очень даже получилось! — рассердилась Мила. — Сначала отравился поганками мой друг Толик Хлюпов, потом был убит в подъезде Саша Листопадов и едва не застрелена моя подруга Татьяна.

— Но это просто ошибки! — искренне сказал Лушкин, перебирая ногами: Лариса за шиворот втаскивала его в кресло. — Что вы собираетесь со мной делать?

— Вытаскивать из тебя правду во всех подробностях! — заявила Мила и поставила «Магиохлор» на видное место.

— Что это? — не утерпел и поинтересовался Лушкин.

— Это та самая штука, от которой у тебя слезла шкурка с лица! — возвестила Лариса. — Хочешь понюхать? Думаю, этот запах тебе никогда не забыть.

— Нет! — дернулся Лушкин. — Почему вы выбрали меня? Почему?

— А кого надо было? — спросила Мила. — По-моему, ты из всех — самая сволочь и есть.

— Самая сволочь — это Мешков, — живо отреагировал пленник. — Он пошел на первое убийство и заставил нас всех совершать плохие поступки. Поймайте Мешкова, не пожалеете.

— Мешков умер, — ровным голосом сообщила Мила.

— Как?!

— Разбился на машине. Бензобак взорвался, так что от него, вероятно, мало что осталось.

— Боже мой! Вот ведь судьба! Закончил свои дни точно, как его мамаша! Она тоже попала в катастрофу, и бак тоже взорвался. Может быть, это карма?

— Минуточку! — воскликнула пораженная Мила. — Если его мать погибла, то кто же тогда живет на даче Мешкова под ее личиной? Пьет чай у окошка и считается сумасшедшей?

— Откуда я знаю? — испугался Лушкин. — Мешков был одинок! У него нет родственников, которые могут жить на даче. Голову даю на отсечение!

— Голову твою мы позже отсечем, если ты не расскажешь все толком! — Мила и в самом деле готова была вырвать из него признание любой ценой. — С чего все началось? — Она взяла в руки бутылку с «Магиохлором» и начала поигрывать ею, как ковбои поигрывают в кино своими «кольтами». — Вся эта история с покушениями на меня?

— Все началось с чертова наркотика, — нервно облизав губы, ответил Лушкин. Ответил так поспешно, что обе мстительницы поняли, что звонить диск-жокею Пете вряд ли придется.

— С какого наркотика? — встряла Лариса.

— Понимаете ли, я сделал одно потрясающее изобретение... Я должен рассказать о нем поподробнее.

— Знаем-знаем! Как гранулировать куриный помет! — отмахнулась Мила. — Дальше давай.

Если Лушкин и удивился подобной осведомленности, то виду не подал.

— В общем, Орехов нашел Дивоярова, который вложил деньги в организацию небольшого производства моего помета, — зачастил он.

Мила и Лариса одновременно фыркнули.

— То есть, не моего, конечно, а куриного, — покрас-

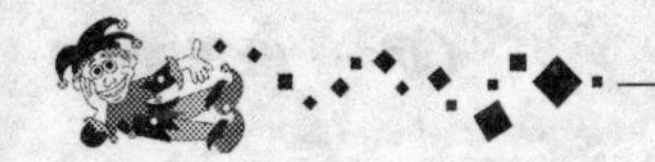

нев, поправился Лушкин. — У меня был патент на изобретение, рынок обещал стать необъятным, впереди замаячили потрясающие перспективы... И тут к Орехову обратился некто Глубоков. Этот тип когда-то сотрудничал с журналом «Самородки России» и хорошо знал Илью. Он сказал, что изобрел новый наркотик и даже сделал небольшую пробную партию.

— Я перебью, — сказала Мила. — Так это Орехов оплатил лечение Глубокова в Швейцарии?

— Они все скинулись. Но большую часть денег внес ваш муж.

— Ладно, двигаемся дальше.

Орехов рассказал о новом наркотике Дивоярову. Дивояров, знакомый с Отто Швиммером — дельцом нечистоплотным и жадным, — предложил завертеть совместное российско-германское производство гранулированного куриного помета. А под этой «крышей» производить и продавать наркотик академика Глубокова.

— Так-так, — сказала Мила. — Ближе к делу, пожалуйста.

— Я и так краток, словно нерадивый студент, — оскорбился Лушкин. — Образовалась группа единомышленников. Все были за, кроме Егорова. Он отговаривал партнеров связываться с такой опасной штукой и уверял, что один мой помет даст денег больше, чем они могут себе представить. Но Орехову хотелось быстрых денег, легких и сумасшедших. Таких, каких не дает ни один легальный бизнес. Того же хотелось и Дивоярову, и Отто Швиммеру... И мне тоже, — стыдливо прибавил он в конце.

— Егоров что, обещал на вас донести? — спросила Мила, уже понимая, что судьба партнера Орехова незавидна и печальна.

— Да, он начал угрожать, кипятился, брызгал слюной! Полез к Орехову драться... Мешков решил вступиться за босса и случайно, в драке, Егорова убил.

— Ой, паршиво-то как... — протянула Лариса, начиная понимать, насколько все ужасно.

— А случилось все это на даче Орехова. Представляете, лежит на полу только что убитый Егоров, и тут появляетесь вы!

— Я?! — ахнула Мила.

— Вы, вы! Входите в дом и направляетесь прямо в ту самую комнату, где только что произошло убийство. Все в шоке, не могут прийти в себя, двинуться с места... И тут Дивояров говорит: «Надо всем притвориться пьяными. Авось обойдется!» И мы притворились. Убитый Егоров тоже сошел за пьяного. Мы положили его на диван. По крайней мере, я думал, вы купились.

— А кто думал по-другому?

— Дивояров и Отто Швиммер.

— Эта лысая крыса? — возмутилась Мила. — Неужели по моему виду было не ясно, что я ни о чем не догадалась?

— Дивояров боялся, что когда вы узнаете, что Егоров пропал, и именно в тот день, когда валялся вроде бы пьяным на вашей даче, то все поймете!

— У него преувеличенное представление о моей сообразительности, — пробормотала Мила. — И что же было дальше?

— Ну... Дивояров сразу заявил, что вас надо убрать. Орехов вроде бы сначала возмутился, начал отговаривать его, но в конце концов сказал, что пусть это произойдет, но он знать об этом не хочет. Никаких, говорит, подробностей!

Мила и Лариса переглянулись. Одна поджала губы, вторая тяжко вздохнула. Рушилось их хорошее отношение к мужчинам в целом и к подлецу Орехову в частности.

— Но тут, — увлеченно продолжал повествовать похожий на перевязанную ниточкой требуху Лушкин, — взбухнул Мешков: «Я, — говорит, — за всех вас не собираюсь отдуваться. Я грех, — говорит, — на душу взял, за-

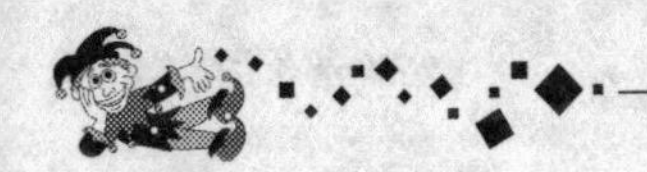

щищая ваши интересы. И мне предстоит еще один взять».

Он имел в виду Вику Ступавину. Дело в том, что Вика привезла Егорова на дачу, а вечером должна была его забрать.

— Соврали бы, что он уже уехал! — всплеснула руками Лариса.

— Дело в том, что Егоров, видно, еще когда ехал на общее, так сказать, собрание, собирался устроить бэмс. И здорово боялся. Так вот он Вику предупредил. Она постоянно названивала и требовала Егорова к телефону. Говорила: «Он должен быть там! Дайте его, хочу услышать его голос!»

— Ага, — пробормотала Мила. — Теперь понятно. Когда Егорова не позвали к телефону, она тоже стала опасной.

— Вот именно. Мешкову, однако, удалось убедить ее, что с Егоровым все в порядке, просто он решил выйти из дела и уехать из страны. Поехал, мол, визы оформлять. Дело спешное, звонить ему было некогда. Почувствовав, что отношения у Егорова с Викой были не просто дружескими, он еще добавил, что завтра Егоров заедет за ней. Пусть, мол, Вика собирает вещи и не забудет заграничный паспорт. А поехал он на следующий день за ней сам. Чемодан ее с документами он потом привез Дивоярову.

— Зачем? — спросила Мила.

— Вроде как хотел всех нас кровью повязать. И от вашего убийства по той же причине отказался. «Я, —говорит, — не киллер, а наемный служащий, хоть и преданный начальству. Больше никого убивать не стану — и баста». Конечно, ни Орехов, ни Дивояров, а уж тем более немец, не хотели сами руки марать. Они насели на меня и вынудили подкараулить вас и застрелить из пистолета. Я обследовал все места вашего пребывания и остановился на редакции журнала. Там много кабинетов, много людей, затеряться гораздо легче, чем в каком-нибудь дворе, из которого придется убегать на виду у соседей.

— Антоша, почему ты промахнулся? — почти ласково спросила Лариса, глядя Лушкину прямо в глаза.

— Потому что боялся! — огрызнулся тот. — Все поджилки у меня тряслись. Когда Дивояров об этом узнал, велел Орехову подумать, что вы любите из еды больше всего. Потом потребовал впустить его в вашу квартиру. Отравил пакетик замороженных овощей и подбросил в вашу морозильную камеру. Все получалось так, что Орехов вроде как действительно был ни при чем. Пособничал, конечно, но сам ни-ни.

— Это радует, — заметила Мила, не скрывая иронии.

— Потом был эпизод в лесу, закончившийся для меня ужасно, — пробормотал Лушкин, явно не желая обсуждать подробности. — Когда я явился к боссам, весь обожженный этой штукой, — он кивнул на «Магиохлор», — Дивояров взвился и потребовал, чтобы в дело вступил Орехов. Он-де лучше знает повадки своей жены и сумеет с ней справиться быстрее и успешнее, чем любой из нас. Тогда Орехов возразил, что сейчас не время с вами расправляться. Во-первых, вы так ничего и не поняли...

— Сущая правда, — пробормотала Мила.

— А во-вторых, он сказал, что у вас появился телохранитель. Он, дескать, караулит в подъезде и срисует любого, кто войдет в квартиру. Мешков пообещал с телохранителем разобраться и очистить для Орехова дорогу.

— Так это Илья надел перчатки и душил меня ночью? — воскликнула Мила. — То-то я голову ломала, зачем киллер так сильно полил себя одеколоном, отправляясь на дело? Орехов знал, что покушение может провалиться, как это случалось раньше, и боялся, что я

узнаю его запах. Поэтому купил что-то для себя нетипичное и вылил на одежду. Боже мой, какая я была дура! Ненаблюдательная дура!

— Пусть дальше рассказывает, — мрачно заметила Лариса. — Просто народный сказитель!

— У меня руки затекли, — сообщил Лушкин, с надеждой посмотрев на Ларису. Милостей от Милы он определенно не ждал.

— В милиции тебя разомнут, — пообещала Лариса. — Говори давай.

— А что говорить? Осталось только последнее покушение. Дивояров все решил взять в свои руки. Хвастал: «Я возьмусь — я сделаю!»

— Так это он на мотоцикле стрелял в Татьяну?

— Он! Он даже Орехову не сказал, что собирается сделать. Но тот, конечно, догадывался. Не зря же в подробностях объяснил, где и когда вы встречаетесь.

— А «жучок» на моем телефоне? — удивилась Мила. — Разве это не ваш?

— Не наш, — покачал головой Лушкин. — Думаю, я бы знал. Мы друг от друга ничего не скрывали.

— Надо же, а Глубоковы дурили мне головы с телефонным звонком. Мол, кто-то может позвонить и передать сообщение...

— Все правильно! — оживился Лушкин. — Если помните, Орехов еще до всех этих событий собирался просить у вас прощения и вернуться в семью? Помните?

— Да-да, было дело. Но я послала его подальше! — гордо заметила Мила. — Чем теперь отчаянно горжусь.

— Он думал, что теперь снова будет жить с вами, и дал академику Глубокову домашний телефон, предупредив, что, если подойдет женщина, ей можно передать самую общую информацию. И что номер этот, так сказать, аварийный. По нему можно звонить только в случае крайней нужды.

— Но почему же он не оставил академику номер своего мобильного? — поинтересовалась Мила.

— Насколько я успела понять из всего услышанного, — встряла Лариса, — затем, чтобы в случае чего свалить все на тебя. А мобильник именной, попробуй от него откреститься!

— Хм, — сказала Мила. — Я склонна принять эту версию. Значит, если бы дедушка Глубоков не впал в кому, он мог бы позвонить мне домой и оставить сообщение для Ильи? Выходит, братья были правы! Я бы, кстати, запросто передала это сообщение и тут же думать о нем забыла. Такая доверчивая дура, просто кошмар!

— Ну что, вопросы закончились? — шепотом спросила Лариса, выключая диктофон.

— Нет, есть еще один! Кто из вас похитил мою сестру? И зачем?

— Клянусь, мы тут совершенно ни при чем! — проникновенно сказал Лушкин. — Охота мне была врать после всего, что я тут наговорил. Кстати, это будет считаться чистосердечным признанием?

— Послушайте! — внезапно вспомнила Мила. — Ведь наркотик, придуманный Глубоковым, был в таблетках?

— Так точно. И рассыпан по пузырькам без этикеток.

— Скажи-ка мне, любезный, каким это образом один из таких пузырьков попал в руки моего свояка?

— Это Кольки Михеева, что ли?

— Кольки? — удивилась Мила. — Так вы его знаете?

— Еще бы! И Орехов его давно знает. Бездельник и ловелас, вот он кто такой, этот Михеев.

— Так-так. И что дальше?

— Ну... Орехов как-то решил, что Кольке неплохо было бы познакомиться с вашей сестрой. Подсказал ему, как себя вести, и гляди-ка пристроил ведь парня.

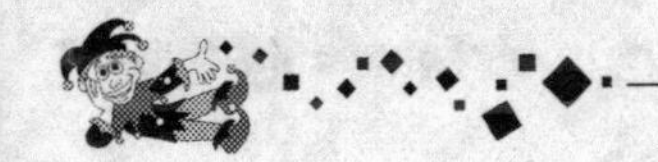

А когда Дивояров купил у Глубокова пробную партию товара, Орехов решил на Кольке его испытать. За деньги, конечно. Он сказал ему, что это новейший препарат, повышающий потенцию! — Лушкин хихикнул и снова сделался похожим на свинью. — У Кольки-то проблемы с потенцией! Ох, как он на этот препарат запал, если б вы знали! Жрал таблетки, словно «Холодок». Орехов все пугал его передозировкой, но тот и слышать ничего не хотел. Ведь ему за каждую съеденную банку платили...

— Так вот откуда у этого бездельника деньги! — вслух подумала Мила. — Бедная Ольга!

— Чего бедная? — удивился Лушкин. — Он ведь все ради нее делал. Чтобы не ударить в грязь лицом.

— Молодой муж называется, — пробурчала Мила. — Чертова подделка! Недаром он вечно такой гладкий, как будто бы его кошка облизала. Найду — лично укокошу!

— И что вы теперь будете со мной делать? — спросил Лушкин. Собственная судьба волновала его гораздо больше, чем судьба Николая.

— А как ты думаешь? — спросила Лариса.

— Может быть, отпустите?

— А правда, что мы будем с ним делать? — спросила Лариса, не обращая внимания на хамское предложение Лушкина его отпустить.

— Я дам тебе номер телефона следователя прокуратуры Вихрова, ты ему позвонишь и передашь из рук в руки Лушкина и диктофон. Нет, не так. Ты позвонишь, все ему объяснишь, продиктуешь адрес и скажешь, что ключ под ковриком. Лушкина и диктофон мы оставим на видном месте. Нам ведь нужно действовать дальше.

— Дальше? — удивилась Лариса. — А что мы будем делать дальше?

— Во-первых, следует срочно сгонять на дачу Мешкова и посмотреть, что у него там за полоумная мама.

А во-вторых, надо как-то обставить мое воскрешение из мертвых.

— Не забудьте сказать следователю, что я сотрудничал! — крикнул Лушкин, подслушивавший разговор. — Я, кстати, знаю, почему Мешков повез вас сегодня убивать.

— Да ну? И почему же?

— Вы Орехову по телефону сказали, что у вас в квартире сидит следователь прокуратуры, который ищет наркотики. Орехов решил, что вы уже пронюхали и про наркотики тоже. И страшно забеспокоился. Послал за вами Мешкова, а уж убить обещался сам.

— Какой милый!

— Он рассказывает об этом так, словно речь идет о съеденном пирожке, — возмутилась Лариса. — И я общалась с этими кровопийцами!

— Да-да, а я за одним из них до сих пор замужем, — поддержала ее возмущение Мила.

Подчиняясь ее приказанию, Лариса позвонила Вихрову и представилась.

— Я знаю, кто вы такая, — коротко и довольно напряженно ответил тот.

— Приезжайте срочно в квартиру Антона Лушкина! — потребовала Лариса. — Я случайно подслушала один его телефонный разговор весьма сомнительного свойства, после чего связала и принялась допрашивать. Он рассказал все!

— Что — все? — изумился Вихров.

— Все о деятельности шайки Орехова! О том, как они собирались производить новый наркотик и убивали людей — отравили Хлюпова, стукнули по голове Листопадова и стреляли в Капельникову.

— Надеюсь, вы не шутите? — жестко спросил Вихров.

— Разве тут до шуток?!

— Я готов все подтвердить! — неожиданно завизжал Лушкин, пытаясь разорвать свои путы.

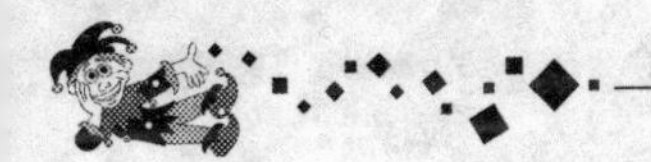

Лариса между тем продолжала:

— Знаете, я, пожалуй, не смогу вас дождаться. Запишите адрес Лушкина. Ключ найдете под ковриком. Лушкин — в кресле, а диктофон с записанным признанием — на столе.

— Вам не кажется, что все это как-то слишком... театрально? — засомневался следователь.

Мила внезапно хлопнула себя ладонью по лбу. Как только Вихров прослушает запись, он тут же услышит и узнает ее голос. Это внесет в расследование только еще большую путаницу. Мила подскочила к Ларисе и вырвала трубку у нее из рук.

— Алло! Алло! — надрывался Вихров.

— С вами говорит Мила Лютикова. Только, пожалуйста, не падайте в обморок. Знаю, вам сообщили, будто я умерла. Однако я жива, но пока хочу это скрыть. Дело в том, что стоит мне объявиться, как Орехов уничтожит все улики! Нет, конечно, сегодня я все равно должна воскреснуть, иначе мои родные умрут от горя...

Вихров раздумывал всего пару секунд:

— Дайте мне... ну... положим... три часа, а потом, пожалуйста, — воскресайте!

— А вы не забудете про Лушкина?

Тот хмыкнул и коротко ответил:

— Я уже в пути.

33

— Дверь нам сломает сосед Мешкова, — говорила Мила, сидя на переднем сиденье такси и поедая шоколадку. — Мы ведь не соврем, когда скажем, что Мешков погиб и с его мамой нужно что-то делать, предварительно освободив ее из заточения, конечно.

— Ума не приложу, откуда там могла взяться пожилая женщина? — вслух удивлялась Лариса. — Тем более подозрительно, что она не выходит на улицу подышать свежим воздухом.

— Мешков говорил всем, что старушка с приветом.

— А еще он говорил, что это его мамочка!

— Да-да, поэтому я просто сгораю от нетерпения.

Сказать по совести, сосед-пенсионер очень долго сомневался, прежде чем согласился вскрыть дверь дачи Мешкова. Он полагал, что в подобном мероприятии должны участвовать представители правоохранительных органов или хотя бы какой-никакой адвокат. Он так надоел Ларисе с Милой своим занудством, что они заявили, будто обойдутся своими силами. Тогда только сосед перестал зудеть, взял инструменты и отправился к даче Мешкова.

Ему потребовалось не меньше пятнадцати минут, чтобы справиться с задачей. Оказавшись наконец в доме, все трое одновременно услышали стоны, доносящиеся из-за двери в углу комнаты. Мила отважно бросилась туда и дернула дверь на себя.

Дверь была заперта на ключ. Ключа в ней не оказалось.

— Эй, кто там? — храбрясь, крикнула Лариса.

Никто не отозвался, а через минуту до их слуха снова донесся душераздирающий стон. Тут уж старик не стал никого поучать, а молча взялся за дело. С этой дверью он справился за пару минут и первым заглянул в кладовку, где не было окон. Впрочем, под потолком висела голая лампочка, и, нашарив на стене выключатель, потенциальный освободитель старушек хлопнул по нему ладонью.

Однако на кровати лежала никакая не старушка, а похожая на привидение Вика Ступавина. Она была бела, прозрачна и пребывала в беспамятстве.

— Какая же это мама? — растерялся пенсионер. — Молодая женщина! Но я ведь не ее видел в окно. Точно, не ее!

— Мама, по всей видимости, вот она! — ответила

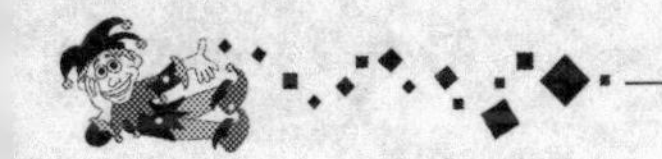

Мила и показала на седой парик и очки, лежавшие на столике. — Вероятно, Мешков, поселив здесь узницу, боялся, что она будет шуметь и привлечет к себе внимание соседей. Чтобы объяснить все наилучшим образом, он и выдумал полоумную маму. И время от времени сам играл эту роль, попивая чаек возле окошка в парике и очках.

Вика снова застонала.

— Вот тебе и Испания! — пробормотала Мила. — Эти типы даже об открытке подумали, с ума сойти! Хотя... Вероятно, это дело рук одного Мешкова. Ведь Лушкин уверен, что Мешков убил Вику. Вероятно, тот держал ее здесь в качестве джокера.

— Живой Викой можно было шантажировать всю команду! — подхватила Лариса.

— И еще. Помнишь тот день, когда мы с тобой ездили в Горелово?

— М...м... — промычала Лариса.

— Меня после этого постоянно преследовала какая-то мысль, которая все никак не могла принять ясные очертания. Теперь я поняла! Меня еще тогда поразило, почему шофер — шофер! — сидит в комнате вместе с деловыми партнерами и на равных участвует в производственном, так сказать, совещании!

— А я об этом как-то даже не задумывалась, — растерянно развела руками Лариса. — Надо же, действительно! Я так привыкла к присутствию Мешкова, к тому, что он появлялся то тут, то там...

Вика снова застонала.

— Что же вы? — накинулась Лариса на перетаптывающегося с ноги на ногу соседа. — Бегите вызывайте «Скорую»! И милицию. Расскажете все сами, а нам надо ехать.

— Куда? — растерялся тот.

— Радовать друзей и повергать в ужас врагов! — ответила вместо нее Мила.

34

— Давай не будем повергать в ужас врагов! — попросила Лариса. — Мне не хотелось бы сталкиваться ни с одним из этих типов до тех пор, пока им не предъявят обвинения и не закуют в наручники.

— Гляди-ка, Лушкин всех сдал, — удивлялась Мила, вспоминая подробности того, что им удалось у него узнать без применения пыток.

— Да уж, прокуратуре будет легко, как никогда. Кстати, а как ты планируешь воскреснуть? — поинтересовалась Лариса. — Мыслишь сделать это с помпой? Или просто подойдешь к двери и позвонишь?

— Мне страсть хочется послушать, как обо мне горюют! — сложила ручки перед собой Мила. — Вот бы это устроить, а?

— Ну... Тебе лучше знать, как пробраться в собственную квартиру.

— Хорошо, я подумаю.

Они уже подъезжали к дому Милы, и тут Лариса указала ей пальцем на балкон:

— Посмотри, там на балконе Николай. Стоит и курит.

— Николай? Неужели Ольге удалось его отловить? Или же он сам вернулся, на свою голову? Не знает, поганец, что я могу о нем теперь порассказать! Кстати, у меня появился план. Иди туда, позвонишь в дверь, начнешь рассказывать что-нибудь сногсшибательное. Они все сбегутся в коридор, а я через балконную дверь попаду в квартиру и спрячусь.

— А если Николай, уходя, закроет балкон?

— Я знаю, как его открыть с той стороны. Давай, Лариса, ну, пожалуйста!

— А что, если там Орехов? Ты же сама говорила: он собирался ехать и скорбеть вместе со всеми.

— Делай вид, что ты его не замечаешь. После вчерашнего скандала он вовсе не удивится твоему безразличию, не так ли?

— Ну... Пожалуй.

— Кстати, ты тоже скорби. А то испортишь мне все удовольствие!

— Ладно-ладно. Только скажи, в чем будет заключаться это удовольствие. Внезапно выскочить в самый разгар оплакивания? Или просто послушать, что о тебе скажут?

— Просто послушать, — застеснялась Мила. — Ну а теперь иди. Я же пройду на балкон через квартиру Муси Витягиной из первого подъезда. Скажу, что ключи забыла.

Когда Лариса позвонила в дверь, Мила уже сидела на корточках возле собственной балконной двери. Муся, кстати, была в шоке, когда Мила, выйдя на общий балкон-навес, сразу же встала на четвереньки и, быстро перебирая конечностями, отправилась к себе. «Мир определенно сходит с ума!» — подумала Муся и пошла заедать сию философскую мысль жареным цыпленком.

Когда вся толпа, скопившаяся в квартире, как и планировалось, ринулась в коридор, Мила вскрыла балконную дверь и, забежав в комнату, заметалась от шкафа к занавескам. Потом взгляд ее упал на большую коробку, в которую когда-то был запакован новый диван. В свете последних трагических событий ее никто до сих пор так и не удосужился вынести на свалку.

Решение, что называется, напрашивалось само собой. Мила забралась под коробку и затаилась там, надеясь, что воздух будет проникать сквозь щели между ее краями и полом.

Постепенно комната стала наполняться голосами, покашливаниями, всхлипами и откровенными рыданиями. Рыдала, судя по всему, Ольга. Николай что-то неразборчиво бубнил, стараясь ее успокоить. К собственному восторгу, Мила обнаружила, что в каждом боку коробки проделано по три дырочки. Так что можно было не только свободно дышать, но и подглядывать за родственниками и друзьями.

Первым, кто бросился ей в глаза, оказался Константин Глубоков. Он был страшно бледен и здорово осунулся после болезни. Он единственный из присутствующих не участвовал в вялотекущем разговоре, не высказывал соболезнований, но и без слов было ясно, как он страдает.

— Держись, Костик! — сказала фамильярно Ольга, на ощупь найдя его руку и пожав ее. — Я уверена, что ты горюешь больше всех нас!

— Почему больше всех? — спросил убийца Орехов, усердно изображавший тоску и боль.

— Я считал ее своей невестой, — негромко ответил Константин.

Борис, сидевший на стуле, закрыл ладонью глаза.

Несдержанная Лариса пожирала Орехова глазами. Если бы взгляд мог убивать, тот уже давно свалился бы на пол и испустил дух. Мила надеялась, что ее муженек ни о чем не догадается и спишет неприкрытую ненависть Ларисы на вчерашний скандал с обливанием борщом и метанием газовых пистолетов.

У Милы стало тепло на душе от слов Константина. Надо же — такой потрясающий мужик заявил, что считал ее своей невестой! Уж, наверное, он не откажется от своих слов, когда она, живая и здоровая, появится из коробки!

Мила искренне надеялась, что милиция не испортит ей весь праздник и не сообщит родственникам, что ее тело в сгоревшей машине не обнаружено. «Поэтому нужно шевелиться, — подумала она. — Может быть, уже появиться перед всеми? Приподнять коробку... Тихонько, чтобы никого особо не напугать?»

Однако тут как раз подал голос Борис. Он говорил

такие теплые слова, что Мила растаяла. Поскольку коробка была большая, она устроилась поудобнее: легла на спину и закрыла глаза. И сама не заметила, как задремала под убаюкивающие речи и всхлипывания собравшихся.

Примерно через полчаса Лариса начала проявлять первые признаки беспокойства. Она несколько раз громко кашлянула, потом как бы невзначай подошла к окну и заглянула за шторы. Милы не было. «Наверное, она залезла в шкаф», — решила Лариса и, подойдя к этому предмету обстановки, прислонилась к нему спиной. Потом поскребла рукой по дверце. Отклика не последовало.

— Что это ты так пристально изучаешь обстановку? — злобно спросил Орехов, исподтишка наблюдавший за ней.

— Так просто. Разглядываю новый диван, — пробормотала та.

— Кстати, нужно вынести отсюда эту дурацкую коробку, — сказал Орехов. — Она занимает полкомнаты. Как только эта штука в дверь пролезла?

— Диван довольно узкий, — неохотно пояснила Ольга. — Николай, помоги Илье с мусором. Займитесь этим сейчас.

Орехову ничего не оставалось, как довести до конца дело, которое начал его язык. Он схватил коробку с одной стороны, а Николай с другой.

— Р-раз! — скомандовал тот, и коробку приподняли над полом. — Д-два! — И потащили к выходу.

И тут же раздался страшный крик Ольги. Впрочем, зрелище во всем его великолепии явилось всем присутствующим практически одновременно. Мила лежала на спине с закрытыми глазами, трогательно сложив ручки на груди. На лице ее была блаженная улыбка, способная свести с ума любого пессимиста.

— Боже мой, тело! — тонким женским голосом завизжал Николай и, бросив свой край коробки, зачем-то запрыгнул с ногами в кресло. Как будто бы тело собиралось бежать за ним и хватать его за ноги.

Когда Ольга заорала, «тело» явственно вздрогнуло и открыло глаза. Потом повернуло голову и сонно сказало:

— Привет! Это я. Надеюсь, вы рады?

— Вот дура! — захохотала Лариса, хватаясь за живот. — Ты чего, заснула там, что ли?

Ольга продолжала визжать, но визжала все тише и тише, потом совсем замолкла и открыла один глаз. Константин глубоко дышал, стараясь взять эмоции под контроль. Борис недоверчиво таращился на воскресшую хозяйку квартиры. Никто не заметил, что Орехов хватает ртом воздух и держится за горло.

— Тебе плохо? — тихо спросила Лариса и толкнула его в кресло. — Сядь, сейчас накапаю тебе успокоительного. Надеюсь, ты не вооружен?

Тут в дверь позвонил Вихров, побывавший на квартире Лушкина и прослушавший магнитофонную запись. А также отдавший все необходимые распоряжения насчет гореловского производства, офиса фирмы Орехова плюс Дивоярова и Отто Швиммера.

— Надеюсь, вы пришли, чтобы арестовать этого иуду? — спросила Лариса, мотнув головой в сторону Ильи, когда следователь появился на пороге комнаты.

— И этого тоже. Вижу, Орехов неважно выглядит. Ничего, наши доктора его обследуют по полной программе. Ба! А вот и наша героиня! — довольным тоном сказал Вихров, разглядывая Милу, по-прежнему лежащую на полу в позе покойника. — Ну, что, распутали дело? Довольны теперь?

— Не совсем, — сказала та и села. — До сих пор терзаюсь мелочами и непонятками.

— Так давайте, говорите. Может, я на что сгожусь?

Однако Мила не успела задать ни одного вопроса, потому что на нее кинулась Ольга. Причем кинулась вовсе не с поцелуями, а с кулаками.

— Как ты смела лежать под дурацкой коробкой и слушать, как разрывается мое сердце? — вопила она, бегая за воскресшей сестрицей по комнате и пытаясь половчее замахнуться.

Николаю и Борису насилу удалось ее успокоить. Тогда Ольга бросилась Миле на грудь и еще немножко поплакала. После чего разрешила:

— Теперь можешь задавать свои вопросы.

— Вопрос номер один, — не сводя с Вихрова жадных глаз, тут же спросила Мила. — Кто украл мою сестру по дороге из ночного клуба? И с какой целью? Голову сломала, не могу догадаться.

— Это был мой муж, — задушенным голосом ответила сама Ольга, ни на кого не глядя.

— Николай?! — хором воскликнули Мила и Борис.

— Расскажи им, — потребовала Ольга тоном инквизитора.

— Ну... — начал Николай, заложив ногу на ногу и задрав повыше подбородок. — Я знал, что Людмила ко мне плохо относится! Она стремилась во что бы то ни стало разрушить наш брак, потому что я пришелся ей не ко двору. Поэтому-то я постоянно размышлял о том, как сделать так, чтобы она прекратила меня третировать и чернить в глазах моей жены и своей сестры. Я видел только один способ заткнуть ей рот...

— Застрелить? — испугалась Лариса.

— Да нет, соблазнить! — поправила Ольга. — Он решил ее соблазнить, чтобы шантажировать моим гневом. Случись между ними интим, моя сестра прочно попала бы Николаю на крючок! Он ведь знал, что я ее никогда не простила бы!

— Я сам расскажу, — рассердился тот. — Для того чтобы соблазнить Милу, мне нужно было по крайней мере остаться с ней наедине. Но Ольга постоянно меня контролировала.

Ольга злобно зыркнула на него, но он не обратил на это внимания.

— Даже сбеги я от нее ненадолго, Мила меня все равно выставила бы. Оставался единственный способ проникнуть к ней в дом и не быть изгнанным.

— Он треснул меня по макушке, когда мы возвращались из ночного клуба, — злобно сказала Ольга.

— А как же машина? Огромный мужик в бандане? — растерялась Мила.

— Все это брехня! Он специально напоил меня в ночном клубе до полубеспамятства. Заранее взял в гараже машину напрокат и поставил неподалеку от дома. Под колесо подложил деревянную чурку. И из клуба это ведь он меня подбил пешком идти, хотя я едва держалась на ногах!

— Это был план, — сварливо заметил Николай.

— Конечно, его было просто привести в исполнение после того количества спиртного, которое ты в меня влил! Короче. Когда мы добрели до машины, мой муженек, воспользовавшись тем, что я смотрю в сторону, вытащил чурбачок из-под колеса и, подойдя сзади, огрел меня им по башке.

— А на улице, конечно, никого не было, — пробормотал Борис.

— Конечно, никого! Самое то время, когда весь народ крепко спит — даже студенты и влюбленные.

— Я затащил ее в машину, заклеил глаза, рот, руки, ноги.

— А почему ты так далеко ее завез? — поинтересовалась Мила.

— Просто я знал то место. Мы там с приятелями раньше грибы собирали.

Вихров недобро усмехнулся.

— Потом эта подлятина прикрутила меня к дереву! — рявкнула взволнованная Ольга.

— Я собирался позже за тобой приехать.

— Но было холодно, и, если бы не добрые люди, ты бы уже сделался вдовцом!

— Ты, как всегда, преувеличиваешь.

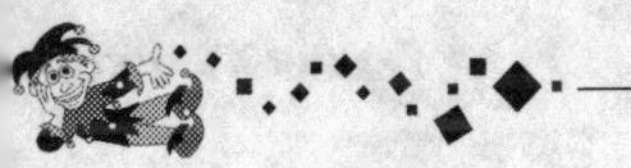

— Давайте дальше! — потребовала Мила.

— Моего рыдающего и переживающего мужа ты, дорогая, конечно, из дому выгнать не могла. Тут-то он и подсуетился.

— Да у него ничего не вышло, — брезгливо заметила Мила.

— А он так старался! — насмешливо проговорила Ольга. — Подсыпал тебе в питье какую-то дрянь, чтобы одурманить.

— Дрянь? Понимаю... — пробормотала Мила. — О боже! Это, наверное, та самая кружка кофе, которую выпил водопроводчик! Митяй зашел проверить батарею и прельстился приятным запахом. Я позволила ему выпить свой кофе, а себе налила новый. Вот почему подвал был открыт, а Митяй лежал на полу, не подавая признаков жизни! Мешков, убивший Сашу Листопадова, воспользовался тем, что подвал открыт, затащил тело внутрь и бросил рядом с Митяем. Вероятно, он подумал, что водопроводчик пьян.

Вихров задумчиво покивал, складывая в уме факты.

— Он и еще раз подсыпал тебе гадости в питье, — не успокаивалась Ольга, которая, судя по всему, накануне подвергала своего муженька жесткому допросу.

— Да если бы не я, ее могли бы уже убить! — хвастливо заявил Николай.

— Да что ты? — саркастически усмехнулась Мила. — Чем же ты мне так помог?

— Помнишь, тебе стало плохо и ты не поехала на встречу с Ореховым? И вместо тебя отправилась Татьяна?

Ольга тут же перебила его:

— Кстати, Татьяне лучше, ты в курсе?

Мила с благодарностью закрыла глаза, потом спросила:

— Но тогда вы были у меня вдвоем! Ты, Николай, не мог рассчитывать на то, что я тобою соблазнюсь. Зачем же ты меня травил?

— Я все время опасался, что ты расскажешь Ольге о

том, что случилось. Все это было еще очень свежо. Ты так на меня смотрела... Я сидел, словно на иголках. И решил хотя бы на время вывести тебя из игры.

— Это действительно спасло вам жизнь, — неожиданно вмешался Вихров. — Кое-кто рассказал мне, что в последнюю секунду Дивояров понял, что рядом с Ореховым стоите не вы, а совсем другая женщина, и его рука дрогнула...

— Вопрос номер три! — ткнула в него указательным пальцем Мила. — Кто сунул в мой телефон «жучок»? Ведь Дивояров, судя по всему, узнал о назначенной под мостом встрече через Орехова.

— Это просто, — пожал плечами Вихров. — «Жучок» поставил Гуркин. На юбилее прадедушки вы проболтались ему о телохранителе, и он страшно заволновался. Подумал: не имеет ли этот человек к нему какое-нибудь отношение. Не его ли выслеживает? Гуркину нужно было знать доподлинно, что вокруг вас происходит. Ведь вы были частью его бизнеса.

Накачанный успокоительным, Орехов начал подавать признаки жизни и зашевелился в кресле.

— И вот еще вопрос, — посмотрела на него Мила. — И он у меня к Орехову. Послушай, Илья, зачем тебе нужна была Леночка Егорова?

— Я ей всегда нравился, — пепельными губами прошелестел тот.

— Господи, все помешались на одном и том же! — пробормотала Мила, и Константин посмотрел на нее в упор. Она сделала вид, что ничего не замечает. — И что? Ты ей нравился. Но ты ведь нравился и Ларисе!

— Самая большая ошибка моей жизни! — воскликнула та, мазнув взглядом по бывшему любовнику.

— Лариса мне тоже нравилась. И я вовсе не хотел менять ее на Леночку. Меня заставил Дивояров.

— Кажется, я поняла, — протянула Мила. — Ты должен был отвлечь Леночку от поисков мужа, верно? Если бы она утратила стимул, то и искать бы бросила. Так и

получилось. Эта мымра положила на тебя глаз и тут же раздумала продолжать частное расследование.

— Вот-вот, — кивнул Орехов. — Я держал ее, так сказать, в приподнятом настроении.

— А! Так это она была в приподнятом настроении, когда вылила на меня борщ! — вознегодовала Лариса. — Я с ней еще поквитаюсь!

— Считай, что ты с ней уже поквиталась! — успокоила ее Мила. — Ты не только отняла у нее Орехова и отдала его в руки правосудия, но еще и унизила ее, раскрыв истинные причины его ухаживания.

— Ты всегда любила выражаться литературно! Поэтому-то, видно, твой дружок Цимжанов на тебе помешался.

— Бедняга все еще в Египте, — сообщила присутствующим Мила. — Прячется от смерти. Думает, что покушались на него и его жену.

— Зато каким облегчением будет для него узнать, возвратившись, что все благополучно закончилось! — воскликнула Ольга.

— Ну что, Орехов? Ты проиграл! — насмешливо сказала Мила, остановившись перед креслом, в котором полулежал Илья, сложив руки на груди.

— Это ты только так думаешь! — ответил Орехов и сунул руку в карман.

Вихров страшно напрягся, а Мила, уверенная, что ее муж сейчас вытащит пистолет и выстрелит ей в живот, непроизвольно закричала и махнула рукой. Пластмассовый ноготь, приклеенный к указательному пальцу, полоснул Орехова по горлу, оставив на нем длинную царапину, на которой тотчас же выступили капельки крови.

Орехов тоже закричал и схватился руками за горло. Из кулака у него выпала пачка жевательной резинки.

— Она хотела меня убить! — растерянно повторял Илья, глядя на свои испачканные кровью руки.

— Точно, — сказала Мила. — Очень боюсь, что тебе

за хорошее поведение скостят срок. Поэтому решила сама свершить правосудие. Видишь, это отравленный ноготь, мое секретное оружие!

Орехов закатил глаза и упал в обморок, обмякнув в кресле.

— Моя мелкая женская месть! — сказала Мила, очень довольная этим обстоятельством. — Пусть попаникует, как паниковала я. Прочувствует, что это такое — ожидание смерти!

— Думаю, нам всем нужно выпить, — неожиданно сказала Ольга. — Тем более, я скоро развожусь.

— Обсудим это один на один, — тотчас же вскинулся Николай, хватая ее за руку.

— Ничего вы с ней не обсудите, — мягко сказал Вихров. — Вы поедете в прокуратуру.

— Да? — искренне удивился Николай.

— Да-да, — ласково подтвердил тот. — Идите в коридор, собирайтесь. Только не вздумайте делать ноги. Вас поймают, и тогда уж...

— Нет-нет, что вы! В прокуратуру так в прокуратуру! — сладеньким голосом сказал Николай.

— Я сама прослежу за тем, чтобы он сел в вашу машину! — заявила Ольга.

— До машины нужно довести еще и вот этого гражданина, — подбородком указал Вихров на Орехова. — Борис, поможете мне?

Борис кивнул и побежал обуваться.

— Спасибо, ты настоящий друг! — сказала Мила Ларисе, подходя к ней и обнимая за талию. — Я всегда восхищалась твоей внешностью, теперь восхищаюсь твоим добрым и справедливым сердцем.

Лариса густо покраснела и в приливе чувств спросила:

— Хочешь, я подарю тебе Трезора?

— Ой, нет-нет, — испугалась Мила. — Лучше я заведу рыбок или морскую свинку. Они не станут приставать с поцелуями.

Лариса тоже отправилась одеваться, и в комнате остались только Мила и Константин.

— А я имею право на минутку твоего внимания? — спросил он, подходя поближе.

— Конечно! — не зная, куда девать руки, воскликнула Мила нарочито бодрым тоном.

— Ты ничего не хочешь мне ответить?

— А разве ты меня о чем-нибудь спрашивал?

— Прекрати обороняться и расслабься, — приказал Константин. — Ты уже показала всем, какая ты сильная. Может быть, пришла пора чуть-чуть поплакать?

— Зачем это я буду плакать? — сердито спросила Мила. — Я разоблачила всех врагов!

— Бедняжка... — мягко сказал Константин.

И тогда Мила, рыдая, кинулась ему на грудь. Все напряжение, владевшее ею последнее время, вылилось бурными слезами.

— Конечно, я понимаю, — приговаривал Константин, поглаживая ее по спине и прижимая к груди, — в этой истории роль моя незавидна. Я не стал рыцарем в сияющих доспехах и простудился в самый неподходящий момент...

— Не простудился, а подхватил воспаление легких, когда дежурил в холодном подъезде, охраняя меня, — шмыгнула носом Мила.

— Ну... Если ты сможешь расценить это как маленький подвиг...

— Боже мой, какие сопли! — громко сказала Ольга, входя в комнату и окидывая обнимающуюся парочку насмешливым взором. — Может быть, вы кого-нибудь усыновите для полноты счастья?

— Если только Трезора, — пробормотала Мила, размазывая слезы кулаками.

— А не хотите усыновить Николая? Я выбросила его на улицу вместе с новыми лыжами. Я добьюсь того, что наш брак аннулируют. И мой следующий муж, таким образом, снова будет четвертым. Счастливое число! — сообщила она.

— Это внесет некоторую путаницу в семейную историю, — предупредила ее Мила. — Для того чтобы объяснить, кого ты имеешь в виду, ты должна будешь говорить: мой первый четвертый муж и мой второй четвертый муж.

— Хочешь сказать, что стоит просто развестись и выйти замуж в пятый раз? — задумчиво спросила Ольга.

— Почему обязательно замуж? — удивилась Мила.

— Потому что для женщины брак — единственно приемлемая форма существования, — заявила Ольга. — Именно кольцо на пальце придает ее жизни смысл, цвет и вкус.

— Кстати, — спохватился Константин. — Кольцо!

Он полез во внутренний карман пиджака и достал бархатную коробочку. В ней лежало удивительной красоты колечко.

— Ах! — сказала Ольга, привстав на цыпочки.

— Когда ты успел его купить? — удивилась Мила, разглядывая подарок.

— Когда все тебя оплакивали. Ни на секунду не поверил, что ты позволила им себя победить. Я просто сидел в этой комнате и ждал, когда ты наконец появишься. Ответь, пожалуйста: ты согласна стать моей женой?

— Согласна! — ответила вместо сестры Ольга. — Она будет последней дурой, если не согласится. В конце концов, если ей не понравится быть замужем, существует путь назад. Я всегда говорила — чем больше разводов в жизни женщины, тем у нее больше возможностей начать все сначала!

Литературно-художественное издание

Куликова Галина Михайловна

НЕВЕСТА ИЗ КОРОБКИ

Ответственный редактор *О. Рубис*
Редактор *Т. Семенова*
Художественный редактор *С. Курбатов*
Художник *Е. Рудько*
Технический редактор *Н. Носова*
Компьютерная верстка *О. Шувалова*
Корректор *Т. Гайдукова*

ООО «Издательство «Эксмо»
299, Москва, ул. Клары Цеткин, д. 18, корп. 5. Тел.: 411-68-86, 956-39-21.
Интернет/Home page — www.eksmo.ru
Электронная почта (E-mail) — **info@ eksmo.ru**

Подписано в печать с готовых монтажей 24.01.2004.
Формат 84x108 1/32. Гарнитура «Таймс». Печать офсетная.
Бум. тип. Усл. печ. л. 20,16. Уч.-изд. л. 17,2.
Доп. тираж 5 000 экз. Заказ № 8264.

Отпечатано в полном соответствии с качеством
предоставленных диапозитивов в Тульской типографии.
300600, г. Тула, пр. Ленина,109 .

Дарья Калинина

в новой серии "Дамские приколы"

Любовник для Курочки Рябы

Если за детектив берется Дарья Калинина,
впереди вас ждет встреча с веселыми и обаятельными героинями,
умопомрачительные погони за преступниками
и масса дамских приколов!

Также в серии:
Д. Калинина «Сглаз порче не помеха»
«Шустрое ребро Адама»

ГАЛИНА
КУЛИКОВА
В НОВОЙ СУПЕРСЕРИИ ШОУ ДЕТЕКТИВ
В ШОУ-детективах Галины Куликовой
Вас ждут стремительный вихрь приключений, остроумная комедия обстоятельств, невероятные трюки и очарование всепобеждающей женской логики.
ГАЛИНА КУЛИКОВА
ФАНТОМ РУЧНОЙ СБОРКИ
ГАЛИНА КУЛИКОВА
КРАСИВЫМ ЖИТЬ НЕ ЗАПРЕТИШЬ
ТАКЖЕ В СЕРИИ:
«Леди из нержавейки»
New!
«Пенсне для слепой курицы»
«Сумасшедший домик в деревне»
ПРИКЛЮЧЕНИЯ НА МЯГКОМ МЕСТЕ!